ちくま学芸文庫

増補改訂 境界の美術史

「美術」形成史ノート

北澤憲昭

筑摩書房

はじめに言葉ありき——ヨハネ伝福音書

目次

Ⅳ　制度から主体へ

引用の史料は、漢字を現行のものに改め、読み仮名や句読点を加除するなど、地の文に馴染むよう手を加えてある。引用文中の

……は省略箇所、スラッシュは原文改行、〈　〉内は二行割書。

〔　〕内は引用者による補足もしくは註。

増補改訂

境界の美術史

「美術」形成史ノート

序章　「美術」概念の形成とリアリズムの転位

美術史の起源

美術史の源流は、原始や古代にあるのではなく、近代にこそある。すくなくとも日本に関しては、こう主張することができる。「美術」という概念は——のちにいささか詳しくみるように——明治時代になって西洋から受容されたものであり、それ以前には「美術」という概念は日本には存在しなかったからである。

とはいえ、むろん、たとえば原始時代の造型物を「美術」とみなすことは可能である。「美術」概念に先行する造型物を「美術」として捉えることは決して不可能ではない。しかし、厳密な方法意識をもって歴史研究に携わろうとするのであれば、原始時代に「美術」という概念が存在せず、したがって、それらの造型物は「美術」として作られたのではないということを、まず、しっかりとわきまえておく必要があるだろう。

つまり、「美術史」は、近代に発祥する「美術」という概念を、原始・古代にまでさかのぼって造型史に適用することで初めて成り立つわけであり、そのような意味で、美術史の源流は近代にあると主張することができるのである。

あるいは、美術史家のなかには、これを詭弁と感じる向きもあるやもしれないが、そう感じるのは、「美術」というものの存在を自明の前提としているためにほかならない。美術史は、美術の歴史的な変遷を追うことはしても、みずからが拠って立つ「美術」という概念の歴史性について問うことはほとんどないのである。だから、先史時代の呪術的な事物や、宗教儀礼に用いられた物品など、あきらかに「美術」として作られたのではない造型物をも美術史家は「美術」として見る、というか、結局のところそのようにしか見ないのだ。みずからが拠って立つ体制を歴史の彼方に定立して顧みないこうした在り方は、美術史ばかりではなく、あらゆる歴史分野について指摘できる。政治史も、経済史も、文学史も、文化史も、みずからの領域を画する体制の歴史性を問うことを、しばしば忘れ果てている。

それでは、日本における「美術」概念の成り立ちは、どのようなものであったのか、それについて、しばらくのあいだ考えてみたいと思う。予断を述べれば、この考察は「美術」ジャンルの形成という形式的側面と、その内実としてのリアリズムの展開という二つの焦点をもつ楕円領域を浮かび上がらせるはずである。

1 「美術」ジャンルの形成

翻訳語「美術」の誕生

概念の成り立ちをたどるうえで、最も重要な指標が言葉であることは論を俟たない。このことは、「美術」についても妥当する。では、日本語「美術」は、どのようにして生まれたのか、それを知るためには、それほど遠くまで歴史をさかのぼる必要はない。ほんの百数十年さかのぼれば、それで事足りる。すなわち、「美術」という日本語の始まりをもとめてゆくと、一八七三（明治六）年にウィーンで開かれた万国博覧会に行き着くことになる。政権を奪取して間もない明治政府が、たいへんな意気込みで参加した、この博覧会に関する文書のなかに「美術」という語が初めて登場するのである。ウィーンから明治政府宛に送られてきたプログラムにしるされた出品分類第二二グループに関する独文と、訳官によるその日本語訳を引く。

Darstellung der Wirksamkeit der Kunstgewerbe-Museen.

美術〈西洋ニテ音楽、画学、像ヲ作ル術、詩学等ヲ美術ト云フ〉ノ博覧場(ムゼウム)ヲ工作ノ為ニ用フル事。

この分類表の訳文は、博覧会への出品を募る明治五（一八七二）年一月の太政官布告に添付されたものであり、「美術」という語は、訳文作成の過程で造語されたのであった。造語の適否はともかく、文言の翻訳はこなれておらず、註にも問題がある。註についていうと、最低、次の二つのことを指摘しておかなければならない。まず、第一に、独文で「美術」と対応しているのはKunstgewerbeであるが、この語に、音楽、絵画、彫刻（「像ヲ作ル術」）、詩学を総称するという註をつけるのはあきらかにおかしい。Kunst＝芸術とGewerbe＝工業を合成したKunstgewerbeはアプライドアートを意味する語であり、そこに音楽や詩学を含めるのは困難だからである。このような誤りを犯したのは、訳官の語学力に問題があったためか、さもなくば次のような原因も考えられる。明治政府に送られてきたプログラムには次のような仏語と英語が付されており、訳官は、それに引きずられた可能性があるのだ。

Representation of the Influence of Museums of fine Arts applied to Industry.

Exposition des Musées des Beaux-Arts appliqués à l'industrie.

翻訳にあたった官吏は、これらの文中にある fine Arts と Beaux-Arts の語に眼を取られて訳註を付し、そのためドイツ語で Kunstgewerbe-Museen となっているところが、「美術ノ博覧場」と訳されることになってしまったのではないだろうか。すなわち Kunstgewerbe-Museen（応用美術博物館）が Kunstmuseen（美術館）に置き換わってしまったわけで、美術館を「工作」すなわち工業のために用いるという訳は条文の趣旨を伝ええてはいるものの、厳密には誤訳とみることができるだろう。あるいは、「工業上美術」と訳して、そのうち「美術」の語に註をつけたつもりが、なんらかの事情で「工業上」の三文字が欠落したのかもしれない。しかし、これは臆断にすぎない。

「美術」という語に付された註について指摘しておかなければならない第二の点は、日本語「美術」は当初、まさしくこの註の意味で用いられたという事実である。つまり、「美術」は、今日いうところの「芸術」（音楽や文学も含む諸芸術）の意味を担う言葉として、その歴史を開始したのだ。Kunst や art は「芸術」や「技術」に対応する意味でも用いられるものの、日本語においては、それが、やがて現在の「美術」の意味に、つまり視覚芸術の意味へと絞り込まれてゆくことになるのであり、その過程をたどることは、「美術」概念の形成過程をたどることにほかならない。

「美術」概念形成の主な動因は三つある。まず、近代における五感の秩序が視覚を首位におくものであったということ、次に近代は工業を主産業とする工業化社会であったということ、そして、欧米諸国に対して誇るべき日本固有の文化が造型芸術と思念されたということ、この三つである。以下、このような見方に立って、その成立過程をたどってみることにしよう。

眼の時代

美術が視覚芸術に絞り込まれてゆく過程には、近代化における視覚の優位ということが大きく作用していたと考えられる。たとえば博覧会は、いまでこそ時代遅れの娯楽になってしまったけれど、そもそもは「見ること」による文明推進の社会的装置として発想されたものであり、明治時代の日本においても、「見ることによる文明開化」の場として、また、事物を客観的かつ体系的に見ることを学ぶ「見ることの文明開化の場」として頻繁に開催されたのであった。

近代における視覚の優位という事態は、いうまでもなく、日本の近代化の指標となった西洋についても指摘できる。一般に西欧「近代」の始まりと目されるイタリア・ルネサンスは、神の声を聞き取る耳を頂点に戴く中世的な五感の秩序が、眼を頂点とするヒエラルキーに――たとえばガリレオ式望遠鏡に象徴されるように――転換されることによって開始されたのであり、このことは当然ながら造型史にも深くかかわっていた。レオナルド・

ダ・ヴィンチの『絵画の書』は、視覚こそ最も重要な知覚であり、それゆえ最も視覚的な芸術である絵画こそ最もすぐれた学芸であるということを――中世以来の学芸の秩序に逆らって、また、画家は孤独でなければならないという信念において――主張し、続いてジヨルジョ・ヴァザーリは有名な『画家・彫刻家・建築家列伝』において、彫刻と建築を絵画とともに素描（disegno）の芸術としてひとまとめにする見方を具体的に提示することで、視覚芸術を一ジャンルとして成り立たせることを準備したのである。

このように、近代が視覚優位の時代であるとすれば、そもそも諸芸術の意味で造語された「美術」という日本語が、やがて視覚芸術の意味に絞り込まれてゆくのは時代の趨勢であったということができる。視覚芸術が、芸術のなかの芸術として諸芸術を代表することになるのは、近代が眼の時代である以上、当然の成り行きであった。そこにはartやKunstが芸術を指すと同時に美術を指すという西洋語の事情が影を落としてもいただろう。

では、「美術」という日本語が、文学や音楽を含む諸芸術の意味から視覚芸術の意味に絞り込まれてゆくのは、いったい、いつの頃からなのか。しかし、それをはっきり言い止めるのはむつかしい。この語は、現代でも諸芸術の意味で用いられることがあるからだ。たとえば、昭和三四（一九五九）年に初版が出た家永三郎の『日本文化史』は、絵画を「空間的美術」と規定しており、ここには「美術」を音楽や演劇など空間芸術以外の表現をも含むものとして捉える発想がかいまみられる。とはいえ、諸芸術の意味は、現在ではに、明治初期以後のある期間においては、逆に諸芸術の意味が「美術」の第一義であった。そこで、試みに明治以後の代表的な日本語辞書にあたってみると、だいたい一九一〇年代初頭には、第二義ながら絵画や彫刻を指すようになりつつあったことが察せられる。ただし、辞書は「ミネルヴァの梟（ふくろう）」の種族であるから、社会現象としては、それに先立つ期間に交替が起こったとみなければならない。そこで、「美術」の意味の絞り込みが起こったのは、「美術」という語が登場する一八七〇年代初頭から一九一〇年代初頭の期間ということになる。

その間に「美術」概念は、どのような過程をたどって変化していったのか。その具体的な過程を概観するには、学校や、展覧会や、博覧会といった、「美術」をめぐる制度や施設の歴史が格好の手がかりとなる。西洋から移植されたこれらの制度や施設とともに「美術」概念は社会的に受容されていったのであり、しかも、博覧会や学校は、社会と国家の交点に位置しているため、何によらず「上から」の近代化が西洋追随のかたちでおこなわれた明治時代における官製訳語の定着過程をみてゆくうえで、これほど都合のよいフィールドはないのである。これらの施設や制度は西洋伝来の「美術」概念を育む揺籃のような役割を果したのだ。

その過程はまた、「芸術」概念の形成過程——すなわち、もともとは学問や技法を意味する「芸術」という漢語が、鑑賞の対象の制作を意味するようになる過程でもあった。しかし、ここは当面の課題である「美術」の語誌的事実に的を絞って考察を続けてゆくことにする。

工部美術学校――最初の「美術学校」

諸芸術から視覚芸術へ向けての最初の方向づけは学校によってなされた。それをおこなったのは明治九（一八七六）年に開設された日本初の美術学校である工部美術学校であった。この学校では、画家のアントニオ・フォンタネージ、彫刻家のヴィンチェンツォ・ラグーザ、建築家のジョヴァンニ・ヴィンチェンツォ・カペレッティ（予科において幾何学、透視図法、装飾画法などを担当）ら三人のイタリア人教師たちによって視覚に訴えかける造型芸術が教えられたのだ。つまり、音楽や文学をさしおいて、視覚芸術のみが「美術学校」の名のもとに教授されたのである。

これが工部省によって設けられた学校であったことには注意を要する。工部省は、大工業移植を目的とする初期の殖産興業を担って、鉄道、鉱山、建築、通信等の事業に携わった現業庁であり、この学校は当然ながら、そういう工部省の目的に規定されていた。広い意味でのエンジニアリングにまつわる学校であったわけだが、その背景には、いうまでもなく工業化社会への大きな動きがあり、工業化社会の進展は「美術」の意味を絵画や彫刻に絞り込む重要な動因となった。工業化社会とは事物の生産を価値の基軸に据える社会であり、そうした価値観によって、事物としての作品を産み出す絵画と彫刻がクローズアップされてゆくことになるのである。

エンジニアリングの観点から西洋の造型術を捉える発想は、工部省だけのものではなかった。明治初期においては、一般に西洋画法は実用的観点から評価されており、それゆえに普通教育においても西洋画法が教えられたのである。もう少し具体的にいうと、写実を得意とする西洋画法は、映像メディアが未発達な当時にあってはコミュニケーションや記録の手段として有望視され、いわば科学技術の補助学としての位置を与えられていたのであった。

工部美術学校の場合、エンジニアリングとのかかわりは特に建築において深く、西洋画法は、壁画による建築装飾への寄与も期待されていたし、彫刻も建築装飾としての必要が見込まれていた。「文明開化」の進展にともなう洋風建築の増加が、西洋の建築技術と装飾術を身につけた技術者の養成を必要とさせたのであり、その最大のプロジェクトはなんといっても明治宮殿の建設であった。京都から東京に移った天皇の宮殿を新たに建設することは、当時、列強環視のなかで近代国家建設を進めつつあった明治政府にとって大きな政治課題であった。しかも、明治六年には皇居が焼失するという事件があり、宮殿の建設は切実さをいっそう増すことになったのだった。

当初、その造営には工部省の営繕局が中心となって携わったのだが、工部美術学校が設立された明治九年は、宮殿建設がにわかに本格化した年であったから、同校設立の目的には、新宮殿の装飾を担当する装飾芸術家の養成ということが含まれていた可能性が高い。いま確実な史料によって、これを裏づけることはできないものの、工部美術学校の教師たちが御所の装飾の必要を見込んで雇い入れられたことを伝える証言がある。お雇い外国人医師エルヴィン・フォン・ベルツの日記に、彼らイタリア人美術家たちが洋風の御所を飾る芸術家である旨を述べたくだりが見出されるのだ。

もっとも、結局のところ洋風宮殿の計画は反故となるのだけれど、この不発のプロジェクトとのかかわりにおいて工部美術学校を捉え返すとき、それが建築を介して絵画と彫刻を結び合わす西洋美術の本格的な移植の企てであったことが、はっきりとみえてくるのであり、工部省が美術学校を設けた意義は、たんなる必要を超える理念性を帯びていたと考えることができるのである。

また、工部省が絵画と彫刻を扱うということに関しては——建築という媒介を想定するまでもなく——旧来の「工」ないし「工業」という概念に従っても自然に了解することができる。「画工」や「彫工」という語に示されるように、伝統的な「工」概念には絵画や彫刻の技術が含まれており、工部省が造型芸術に携わるのは、東アジアの伝統的分類観に照らして決して不自然なことではなかったのだ。ウィーン万国博において伝統工芸がジャポネズリ（日本趣味）の風潮に投ずるところがあったため、官僚たちが、輸出工芸品の装飾術として伝統画法に注目し、このことが国粋主義の台頭を準備することになるのであるが、この一件にしてもたんに功利主義的芸術観とみるばかりではなく、「工」概念にまつわる伝統的な発想とのかかわりで理解されるべきだろう。

それはともかく、このようにして「美術」という語は工部美術学校において、すくなくとも外延のうえでは、現在と同じように、絵画と彫刻に代表されるような意味で用いられることになったわけで、官立学校が、「美術」という語をこのように限定して使用したということは、当時の人々の――すくなくとも絵画や彫刻に携わる人々の――「美術」理解を大きく方向づけたのにちがいない。

東京美術学校

西洋風の「美術」教育をおこなった工部美術学校は、創立間もない一八八〇年前後に台頭し始めた美術・工芸上のナショナリズムの勢いに押されるようにして、創立八年目の明治一六（一八八三）年にあっけなく廃校になってしまう。そうして、その数年後に明治政府は再び美術学校を設置することになる。現在の東京藝術大学美術学部の前身である東京美術学校がそれである。

明治二〇年に設置されたこの学校は、アーネスト・フェノロサと岡倉天心によって導かれる国粋主義運動の精華として生まれたものであり、したがって、当初は伝統画法と伝統彫刻法、それに伝統工芸の技術が教授されたのだった。西洋派の工部美術学校創立からおよそ一〇年を経たところで、今度は伝統派の美術学校が誕生したのである。国粋主義の動因となったのは、明治一四年の政変に始まる憲法制定と議会開設に向けての動きであった。すなわち、明治政府は憲法運用と議会における優位性を保つべく国民のあいだに官製ナショナリズムを浸透させる政策をとることになるのだが、東京美術学校に帰着する造型芸術のナショナリズムは、その重要な一環であり、また、諸芸術を意味する「美術」が造型芸術の意味に絞り込まれる動因ともなった。造型上のナショナリズムの発現は、工芸品に焦点化された欧米のジャポネズリを重要な契機としており、明治政府は、欧米の鏡を介してナショナル・アイデンティティとナショナルプライドの確立を造型芸術に託しつつ、欧米に向かって日本固有の文化を誇示しようと画策することになるのである。

ただし、東京美術学校と工部美術学校は、その志向するところにおいて日本と西洋に分かれるとはいいながら、共通の基盤のうえに並び立っていたことを見過ごしてはなるまい。すなわち翻訳語「美術」という基盤である。

国粋主義の学校が「美術」という翻訳語を戴いたということは、改まって考えてみればひどく矛盾したことであるにもかかわらず、普通、われわれは「東京美術学校」という校名に関してそのような疑いを抱くことはない。それは、「美術」という概念の出自と歴史性を忘却して、それを普遍的概念のように思いなしているからであり、じつは、こういう思い込みを社会的に定着させたものこそ、明治期の文化ナショナリズムにほかならなかったのである。ナショナリズムが、欧化主義に対する反動思想の謂いであるのはいうまでもないことながら、すくなくとも「美術」に関するかぎり、その主張とは裏腹に欧化を積極的に推し進めていったと考えられるのだ。それは、いうなればソフィスティケートされた欧化主義だったのである。そのことは、「美術」という翻訳概念をめぐる舶来の制度や施設が国粋主義の主導のもとに整備されていったことに隠れもない。

すなわち、以下のような事業の数々が国粋主義運動によって一八八〇年代の東京を中心に展開されていったのである。のちの行論にかかわるところが大きいので、年表形式で列挙しておくことにする。

明治一二(一八七九)年　日本最初の本格的な美術協会である龍池会が設立され、以後、国粋主義の拠点となる。

明治一三(一八八〇)年　龍池会が機関誌『工芸叢談』を創刊。

明治一四(一八八一)年　最初の官設美術展覧会である観古美術会を龍池会が官から引き継いで主催することになる。内国勧業博覧会(第二回)の美術部門の審査を龍池会会員が主導する。

明治一五(一八八二)年　フォーマリズムにもとづく絵画理論の講演をフェノロサがおこ

なう。その記録が『美術真説』の名で翻訳・出版され、国粋派・西洋派の別なく広範囲にわたる強い影響を与える。この講演会は、龍池会の主催であった。

同年　政府主催の内国絵画共進会開催。西洋画法によるものが拒絶される。伝統的な表装（パネル状のものを除く）を施したもの、および、工芸的な技法によるものも出品することが許されなかった。

明治一六（一八八三）年　初めて本格的な美術ジャーナリズムである『大日本美術新報』が龍池会の協力によって創刊される。

明治一七（一八八四）年　国粋主義革新派のグループである鑑画会がフェノロサを中心に結成され、ここを舞台に伝統絵画の改良運動が展開される。

明治一八（一八八五）年　龍池会、機関誌『龍池会報告』を創刊。

明治二〇（一八八七）年　東京美術学校設置。

明治二一（一八八八）年　前年に日本美術協会と改称した龍池会の展示場が上野に竣工。

明治二二（一八八九）年　国粋派の美術雑誌『國華』創刊。

明治二三（一八九〇）年　日本美術協会派のはたらきかけにより帝室技芸員制度が設置される。

同年　岡倉天心が日本美術史の講義を東京美術学校でおこなう。これは、日本人による体系的な日本美術史講義の最初であった。

こうして、国粋派は、「美術」という概念に制度的な実質を与え、これによって「美術」は着実に、日本に定着していったのであった。西洋文化の文脈に出自をもつ「美術」概念が、極東の文化に位置を得るためには、どうしても既存の文化伝統と結合される必要があり、その大仕事を国粋主義運動が担ったのである。このことは「日本画」の成り立ちにおいて端的に見て取ることができるのだが、そこへ眼を向ける前に、制度に関してみておかなければならないことが、もう少しある。

内国勧業博覧会と日本国初の美術館

視覚芸術としての「美術」の形成を制度＝施設史的にみてゆくとき、時系列のうえで工部美術学校に続くのは、じつは東京美術学校ではない。行論の便宜上、学校にかかわる事柄を立て続けに述べたが、東京美術学校に先立って、ある催しが、「美術」概念の形成に大きな影を投げかけていた。明治一〇年、工部美術学校開設の翌年に上野公園で開かれた内国勧業博覧会である。

名称からもわかるように、この博覧会は、殖産興業政策の一環として構想されたものであり、それを実現にこぎつけたのは内務卿大久保利通であった。大久保は、「見ること」による近代化を体現する博覧会と博物館とを一対の装置と考え、そこに大きな政治経済的価値を認めていたのである。そのことは、大久保が博物館建設の必要を説いた上申「博物館ノ議」（明治八年）のなかにしるされた「夫人心ノ事物ニ触レ其感動識別ヲ生ズルハ悉ク眼視ノ力ニ由ル、古人曰ク百聞一見ニ如カズト、人智ヲ開キ工芸ヲ進ルノ捷径簡易ナル方法ハ此ノ眼目ノ教ニ在ル而已（のみ）」というくだりにうかがわれる通りである。もっとも、この一節は、ウィーン万国博参加にあたって事務副総裁を務めた佐野常民の意見書にもとづくものであるのだが、たとえそうであっても、佐野の発想を諾（うべ）なった大久保が、視覚の重要さに目覚めた政治家であったことにかわりはなく、げんに視覚重視の発想は、内務省の活動に、明瞭に認められる。たとえば、内務省が自由民権運動への徹底的な弾圧をおこなったとき、それが功を奏したのは、警察という監視体制を活用しえたからであり、また、西南戦争の捕虜や自由民権運動の逮捕者を収監するために内務省が建設した獄舎は、ジェレミー・ベンサムの考案になるパノプティコンというきわめて合理的な監視装置を応用した建物だったのである。

内国勧業博覧会は、視覚の権力装置ともいうべき内務省のこうした構えのなかで構想された催しであったわけで、このことは、同博のパビリオンの配置に、はっきり見て取ることができる。この博覧会の会場図［図1］を見ると、砦のような形をしたパビリオンの配

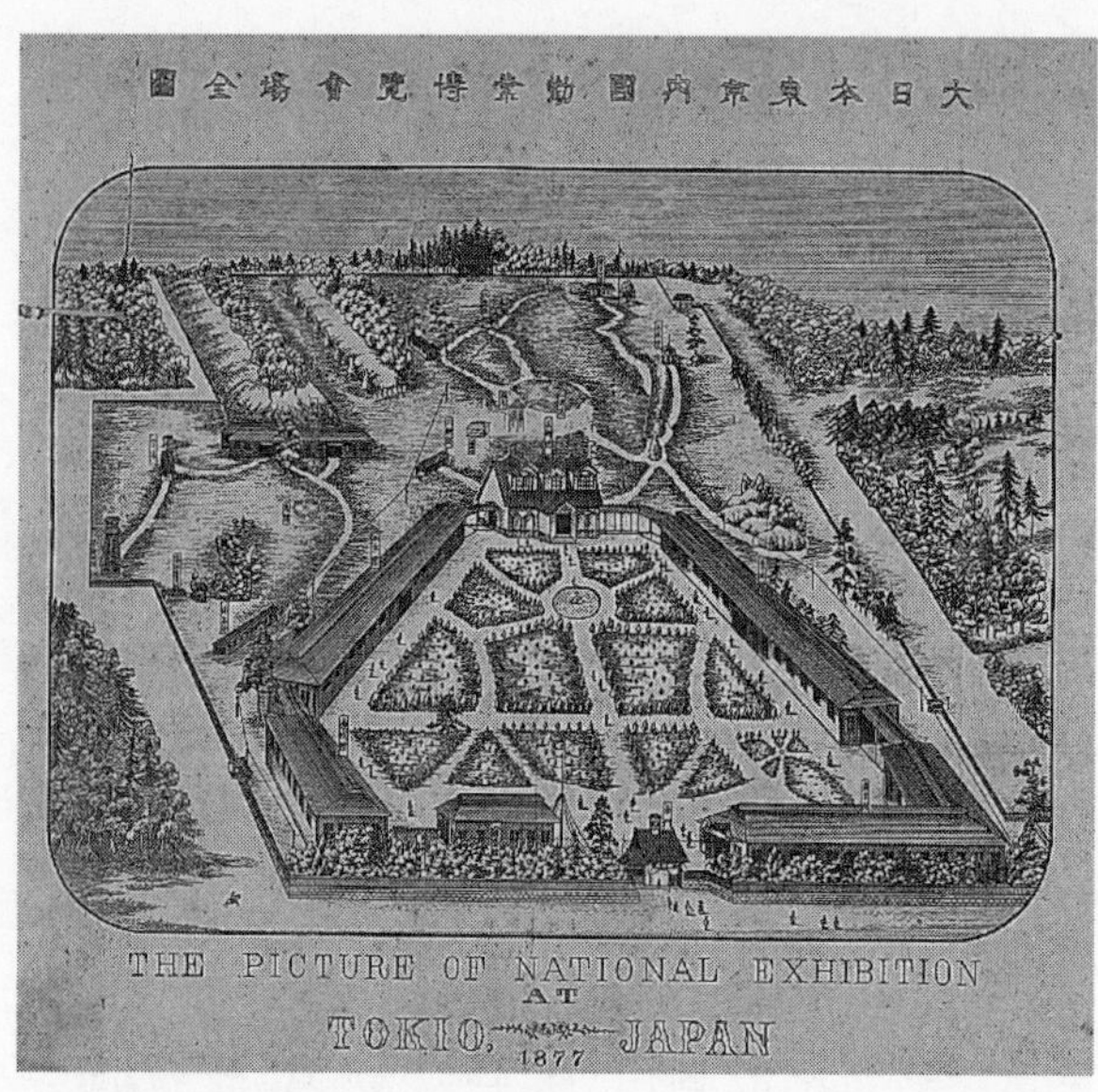

図1　第1回内国勧業博覧会場図

置のちょうど要にあたるところに「美術館」が建てられており、明治天皇を迎えての式典などがこの建物の前でおこなわれたのだが、これこそじつは日本最初の美術館であり、しかも、そこにはウィーン万国博の意味での「美術」品ではなく、工部美術学校の意味での「美術」品、すなわち視覚芸術に類するもののみが展示されたのであった。

文部省美術展覧会

工部美術学校にせよ、内国勧業博にせよ、また東京美術学校にしても、これら官立の施設や制度が「美術」を視覚芸術の意味に限定してゆくうえで果たした役割は、上からの近代化が敢行された日本のことにして決して無視することはできない。なかでも、全五回で延べ八百万以上の入場者のあった内国勧業博覧会で、「美術」の語が視覚芸術の意味に限定して用いられたということが一般に与えた影響は、工部美術学校や東京美術学校と比べものにならないほど大きかっただろう。

むろん、ジャーナリズムの果たした役割も無視することはできないものの、そのジャーナリズムに「美術」をめぐる数々の話題を提供したのも、これら官立の制度や施設であった。とくに、内国勧業博と、明治四〇年に文部省が開設した文部省美術展覧会（以下、「文展」）はジャーナリズムに格好の話題を提供し、文展などは、ほとんど「全社会の公共歓楽場」（内田魯庵）の観を呈するに至るのである。「歓楽」のなかで、人々は「美術」の何たるかを学びとっていったのだ。次に引くのは、文展規則（「美術展覧会規程」）の第二条である。

出品ハ日本画西洋画及彫刻ノ三科トス

この「美術展覧会」が「日本画」「西洋画」「彫刻」という三種の視覚芸術に絞って開かれ、それに準ずる展示がなされたことの影響は大きく、この三種の視覚芸術は、やがて日本近代美術の体制を形成してゆくことになる。人々は、その会場に足を運び、また、新聞記事——たとえば夏目漱石のような文学者が寄稿する批評など——に眼を通すことで、この規則によって定められた「美術」の外延を体験的に学習していったのである。

ただし、この第二条には奇妙な点がある。本来「彫刻」と同位の概念は「絵画」であって、「日本画」「西洋画」ではないからである。かかる不整合が官設の展覧会において採用されたのはいったいなぜか。それについてはさまざまなことが考えられるものの、その根本にあるのは、ナショナリズムという理不尽な力であったと思われる。類概念としての「絵画」をさしおいて「日本画」と「西洋画」という種概念を押し立てる、このような分類観は、圧倒的な西洋の影響下に展開しつつある近代化のなかで、伝統画法を保護育成しようとする発想にもとづく確信犯的誤謬であったに相違ないのだ。

文展の分類に登場する「日本画」という語が一般化したのも、「美術」と同じく明治以後のことであった。もっとも、語としてはすでに江戸時代の文献に見出されるものの、それが社会的に定着をみるのは明治になってからであり、その定着過程において、現在のような概念が形成されていったと考えられるのである。

「日本画」の形成

明治二〇年代の後半から出版され始める近代的な日本語辞典の代表的なものにあたってみると、明治時代のものにも大正時代のものにも、「日本画」という語は登場しない。この語が辞書に登場するのは昭和二（一九二七）年に刊行された『言泉』においてなのだ。このことは、「日本画」という語が、一八八〇年代末には一般化していなかったということを、そうして、一九二〇年代後半にはすでに充分一般化していたということを示している。ただし、美術界では、もう少し早く一九一〇年代の半ばには一般化していたらしく、日本初の美術辞典である大正三（一九一四）年刊行の『美術辞典』には「日本画」の項目が見出される。

それでは、「日本画」は、いったいいつから美術界で用いられるようになったのかというと、それは、おそらく一八八〇年代初頭のことであったろうと考えられる。すなわち、その契機となったのはフェノロサの講演を記録した『美術真説』（明治一五年）であった。

フェノロサは、ここで、「日本画」と「油絵」という語を用いて伝統的な日本絵画の優位性を力説しており、しかも、「日本画」という語は、それ以後にジャーナリズムで徐々に用いられるようになってゆくのである。

ただし、急いで注意を促さなければならないが、「日本画」は日本の伝統画法そのものを指すわけではない。このことは、フェノロサがこの講演を英語でおこなったことに暗示されている。つまり、「日本画」という語は、翻訳語として美術の世界に広がっていったのであり、しかも、これは「日本画」の実態とみごとに符合しているのだ。そもそも「日本画」とは、西洋画法にもとづいて伝統絵画を改変することで生み出された絵画なのである。そうして、その改変を推し進めたのもフェノロサ自身であった。フェノロサは、みずから主宰する鑑画会という場において、『美術真説』で示したアングロ・サクソン流のフォーマリズム絵画理論を実践に適用していったのだ。具体的には、江戸時代のアカデミズムである狩野派の絵画を軸に、在来の諸画派を束ね、それらを西洋由来のフォーマリズムの「絵画」観に従って「日本画」の名のもとに「改良」していったのであった。その「改良」の要点は、色彩表現の強化、理想化を経た再現表象の重視、新機軸の奨励、そうしてポイエーシス(絵画は自然的に成るものではなく、人為的に作り出されるものであるとする発想)への促しの四つにまとめられる。

要するに、国粋主義革新派による絵画「改良」運動は、もう一つの欧化運動であったわけであり、このことは、『美術真説』におけるフェノロサの提案を受けるかたちで明治一五(一八八二)年に政府が開催した内国絵画共進会において掛軸、巻物、帖など伝来の表装が規格外として除外されたことにあきらかだ。

独自の国民文化の存立は、国民経済の樹立、暴力装置の掌握などと並ぶ近代国民国家の要件であり、「日本画」を主軸とする「日本美術」は、まさしく近代日本国家を代表する国民文化の重要な一環として形成の緒についたのであった。その成り立ちは、以上にみてきたように、多分にフィクショナルなものであったわけが、通常、そのことが明確に意識されることは滅多にない。それどころか、多くの人々は、「日本画」も「日本美術」も万古不易の存在であると固く信じている。このように「日本画」や「日本美術」という存在のフィクショナルな在り方を隠蔽しつつ、そこにリアリティを与えるうえで最も大きなはたらきをしてきたのは「日本美術史」であった。明治二三(一八九〇)年に岡倉天心が東京美術学校でおこなった日本美術史講義、そうして一九〇〇(明治三三)年のパリ万国博覧会に際して博物館が編纂しフランス語で出版された *Histoire de l'Art du Japon* [53頁図5]など日本美術史の成果は、「美術」という概念の来歴を不問に付すことで、「美術」のナショナリズムを歴史主義的に打ち立てていったのであり、その形成過程は、帝国憲法の発布から日清・日露の両戦役に至るナショナリズム昂揚のプロセスと重なっていたのである。

2 「美術」の近代化

表現としての「美術」

以上に述べたように国家が主導する日本近代美術の出発は、アジア太平洋戦争における戦争記録画に代表される美術と国家の悪縁に思いを向けさせずにはいない。しかし、それがことさら「悪縁」とみえるのはモダニズムの「美術」観によってこれをみるからだという点は押さえておく必要がある。では、モダニズムとはいったい何か。モダニズムの定義は困難をきわめる問題だが、ここでは、とりあえず、それを自覚的な近代化の意味で用いたい。すなわち、「美術」のモダニズムとは、造型の近代化の行き方を肯定しつつ自覚的に推進する発想であり、それは絵画、彫刻といった造型各ジャンルの純粋化と、表現性への傾きを大きな兆候とする。しかも、これら二つの兆候は内在性を共通の分母としてもつ。表現性が主体の内面の表出を意味するのはいうまでもないことながら、ジャンルの純粋化も、絵画なら絵画が外在するもののいっさいから自立する在り方すなわち自律性をめざす点において、これを絵画の内在性への傾きとみることができるのだ。内在的であることが個別性と連動することはいうまでもない。

近代主義の兆候である、こうした二重の意味での内在性の自覚的追求は、日本においては二〇世紀初頭から開始された。その先頭を切ったのは「日本画」のパイオニアである菱田春草と横山大観の二人である。彼らが連署した、明治三八（一九〇五）年発行のパンフレット『絵画について』は、絵画の純粋化＝自律への志向と、内的な表現を芸術の価値とする発想を次のような言葉で宣言している。

全体芸術は人格の表現する所に有之(これあり)、技術は単に其方便たるに過ぎ申さゞる次第と存候故に、内面の修養だに造詣致し候はゞ手段方法の如何は作者随意の事かと被存候。

また、彼らは、こうもいっている。

画道に於ても書画一致の初期を離れて、専ら色調を以て自立すべき者たること恰(あたか)も彼の音楽が専ら音調の上に自立する者と同一般の次第と存候。

大観と春草が主張したモダニズムの作例を「日本画」にもとめるならば、ナショナリズムの大仰な文学性を払拭して雑木林の秋を静かに表象した菱田春草の《落葉》（明治四二年［291頁、図26］）や、色彩の熱度を絵画的強度にみごとに転じてみせた今村紫紅の《熱国之巻》（大正三年）などを挙げることができる。これらは、在来の絵画をモダニズムと同調させることによって、絵画の近代化を示す見事な作例となっている。しかし、絵画の純粋化にせよ主観の表出にせよ、その際立った作例は、「日本画」よりも、むしろ「西洋画」において――シンプルなかたちで――見出すことができる。造型にかぎらず、政治についても経済についても思想においても、日本における本格的な近代化が西洋化を軸におこなわれたことを考えるならば、これは当然の成り行きであった。しばらく、「西洋画」に即して、「美術」のモダニズムについて考えてみることにしよう。

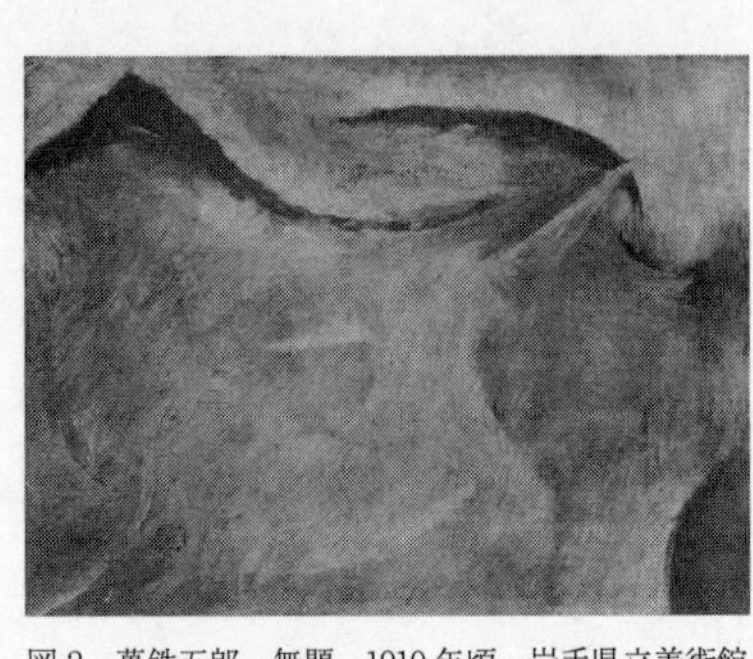

図2　萬鉄五郎　無題　1910年頃　岩手県立美術館

まず第一に、純粋化について「西洋画」の展開をみてゆくと、それは、抽象化の動きとしてたどることができる。外在する現実に頼らない在り方において、抽象は、自律性をまっとうする絵画的純粋の実現といえるからだ。具体的には、一九一〇年代初頭の萬鉄五郎の《無題》［図2］を先駆けとして、一九二〇年代にはアヴァンギャルドの一部が絵画の純粋化を推し進め、一九三〇年代になると、絵画的な地と図の意識を保ちつつ抽象表現の試みが一応の成果を挙げる、という展開が見出される。ただし、ここで注意しなければならないのは、こうした動きは、展覧会とか額縁といった制度的な設えのなかで初めて可能となったということだ。これらの制度的な道具立てによって、絵画は、生活から切断され、純粋化と自立性を心置きなくめざすことができるようになったのである。すなわち、絵画の自立＝純粋化は、制度的な非自立性を代償として購われたのであった。

もっとも、絵画は、やがて、制度的非自立性を乗り超える徹底した自立性をさらに模索し始め、それが現代絵画史の主要な動因となってゆく。しかし、たとえ額縁や展覧会に寄りかかることなく、みずから輝き出る魅力を現代絵画が湛えているとしても、もとめられる自立性が「絵画」としてのそれであるかぎり、現代絵画もまた、明治に始まる制度の歴史から決して自由ではありえない。「絵画」という概念じたいが制度性を内在させているからである。

「絵画」の制度的成り立ちは、明治二三年に開かれた第三回内国勧業博覧会に端的なかたちで見出される。それまでの内国勧業博の「美術」部門の細目では、「書画」という文人的な複合性にもとづく分類名が用いられていたのが、この第三回からは「絵画」という名称が用いられるようになり、さらには、それまで「書画」部門に含まれていた花瓶、香炉、簞笥などの工芸的な出品物が「美術工業」の名のもとに別立てで扱われるようになるのだ。いってみればジャンルの廓清が断行されたわけであり、これを機に、「絵画」は、それまで「美術」部門の首位に置かれていた彫刻の地位を奪うことになる。絵画や彫刻の枠組み

図3　青木繁　海の幸　1904年　アーティゾン美術館

に工芸品が混在することになったのは、江戸時代までの絵画や彫刻が職人仕事とともに「工業」ないしは「工」として捉えられていたことに、おそらく由来する。工芸品はジャンル横断的に配置可能であったわけで、それゆえ美術部門に工芸を収める枠が設けられることもなかった。つまり、工芸品の混在は、むしろ「遍在」というべきなのだ。彫刻が首位に置かれたのは、中央集権国家として再出発した日本国が国民統治の装置として絵画以上に彫像に期待をかけていたためと思われる。つまり、美術のジャンルとしての特性よりも政治的効用が重視されたわけだ。

以上のようにして「絵画」は、制度的に視覚媒体としての純粋性を保証されつつ、「美術」＝視覚芸術を代表する存在として宣布されることとなったのである。

次に、表現志向の例を「西洋画」にもとめるならば、内面からほとばしり出たかのようなコンマ型の筆触が躍動する青木繁の《海》（明治三七年〔455頁、図43〕）や、理念的な光に照らし出された想像の漁師たちが行進する《海の幸》

（明治三七年［図3］）、それから、その青木の遺作を展示して開かれた萬鉄五郎たちのアブサント会（一九一一年）、また、その萬や岸田劉生たちによるフュウザン会（一九一二〜一三年）の活動というように、明治時代の末から大正時代の初頭にかけて表現の絵画が打ち続くことになる。青木、萬、岸田の師であった黒田清輝も、表現の絵画を語るうえで逸するわけにはいかない。黒田は、アカデミズムの大家として、しかも、平明な写生的油絵の描き手として知られているものの、明治の半ばに二七歳でフランス留学から帰国した直後に描いた《昼寝》（明治二七年）や《大磯鴫立庵》（明治二九年［452頁、図41］）のような作品において、印象主義から表現性の絵画へと向かう近代絵画の動きを、青木たちに先駆けて体現してみせたのであった。また、アカデミズムに身を置くようになってからも、みずから主宰する白馬会の展覧会で無名の青木繁に賞を与えるなど、表現としての絵画に対する理解を示した。絵画が、どこへ向かいつつあるかを黒田は、しかと覚っていたのである。

表現としての絵画の登場に関しては、白樺派の活動も忘れるわけにいかない。武者小路実篤、志賀直哉らの創刊した文学雑誌『白樺』は、後期印象派を含む一九世紀末西洋美術の紹介を積極的におこないつつ、柳宗悦の「革命の画家」（第三巻第一号）などの評論によって、内面的自己表現としての絵画の在り方を鼓吹したのである。明治四三（一九一〇）年、帝国主義日本が韓国を併合したその年に創刊された『白樺』は、帝国主義の野望とあたかも対応するかのように自我の無制限な拡張を手放しで賞賛したのだ。

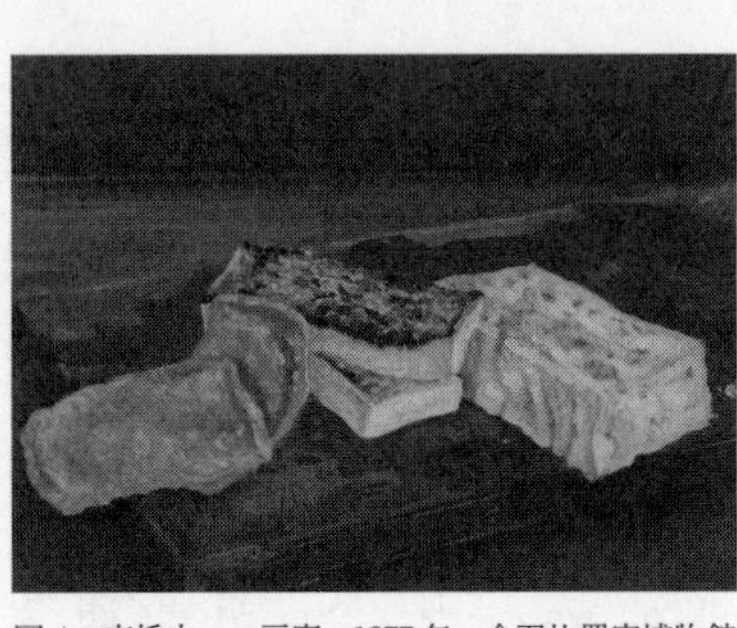
図4　高橋由一　豆腐　1877年　金刀比羅宮博物館

リアリズムの転位

白樺派の活動などによる西洋近代絵画の紹介によって表現性の絵画は大きく進展をみた。しかし、それらの紹介が功を奏するには、いうまでもなく、それなりの前提が整っていなければならなかった。その前提とは、いったい何か。時代背景としては、政治的な外部世界への通路が強権的な圧迫を受けるようになる大逆事件以後の精神状況が、まず考えられる。さらに巨視的にみるならば、内面世界を抱えもつ近代的な主体の形成を前提として指摘することができるだろう。そのような主体は絵画においていかにして形成されたのか。それについて考えるためには、何よりもまずリアリズムの受容へと眼を向けなければならない。

江戸時代以前からリアリズムに類する構えは、すでに絵画史において認められる。しかし、主体と客体が向かい合う認識の構えとしてのリアリズムは、江戸時代にはついに実現をみずに終わった。すくなくとも、その自覚的な形態が絵画として確立されるには至らなかった。哲学で「実在論」と訳されるこの種のリアリズムは、明治に始まる本格的な近代化の過程で、「文明開化」の基本的構えとして西洋から学び取られたのである。この認識の構えとしてのリアリズムが、表現において実践に移されるとき「写実主義」と呼ばれるのだが、絵画史における、その初期の過程は高橋由一の画業に代表させて語ることができる。豆腐の三態——焼かれたもの、生のもの、油で揚げたものを描き分けてみせる《豆腐》(明治一〇年〔図4〕)、縦長の画面に肉を一部分切り取られた大きな塩鮭一尾を描いた《鮭》(明治一〇年)、鬱蒼たる山腹に穿たれたトンネル工事の記録画《栗子山隧道図(西洞門・大)》(明治一四年)など高橋由一の代表作は、眼前の客体を絵画として把握しようとする欲望によって貫かれているのである。

迫りくる西洋世界に対処するために徳川幕府が設けた洋学研究機関で、高橋由一はリアリズムの画法を研究したのだが、この機関が西洋画法の研究をおこなったのは、それが伝達や記録の重要な手段たりうるからであった。つまり、リアリズムの画法は、鑑賞対象を作り出すアートとしてではなく、むしろ、テクノロジーとして受容されたのであり、先にも述べたように、明治以後の普通教育に西洋画法が採用されたのも同じ発想からであった。しかし、リアリズムは、たんに文明化の道具にとどまりはしなかった。アトリエで制作に没頭する高橋由一のようすを思い描いてみれば、そのことはあきらかだろう。そこには実用的関心に突き動かされる画家の姿ではなく、画家が主体としての自己を形成し遂げてゆく過程が、たとえば次のようなかたちで見出されるのだ。

リアリズムの画法を体得しつつある画家は、いうまでもなく、最初から一個の制作主体として在ったわけではない。むしろ、彼は、制作という体験のなかで主体として徐々に熟成していったと考えられる。また、リアリズムの構えが未成立である以上、豆腐や鮭が最初から客観的な実在として、画家の前に与えられていたわけでもない。それらは主体の熟成に応じて、そこに客体として現れていったのである。つまり、豆腐が見えているという、その現れの混一性のなかから主体と客体が析出されてゆくのであり、この過程は、主体の内面の成長の過程でもあった。主体と客体が向かい合うリアリズムのシステムに拠る制作過程は、作画にまつわる身体的な運動が、感覚、概念化、記憶といった脳の精妙なはたらきと絡まり合った複雑な過程であり、それが、主体の内部に豊かで複雑な分節をもたらすことになるのだ。制作に費やされる物理的時間（そこには対象を凝視する時間も、むろんのこと含まれる）は、画家の内的時間の成熟に要する時間でもあり、外界の複雑な奥行きは、内界の複雑な奥深さが増すに応じてだんだんと把握されてゆくことになるのである。これは、いまもなお個々の画家が日々の制作において、いわば個体発生が系統発生を繰り返すようにして経験しているところであるのにちがいない。

ところで、眼前の事物を如実に描き出そうとする構えにおいては、当然ながら客体が主導的契機を成す。したがって高橋由一の絵画は、形成途上の内面世界を抱えながら、客体への傾きにおいて存立している。しかし、近代化がはらむ大きな傾きは、そうした主体と客体の関係を、決して、そのままにとどめてはおかない。イノヴェーションが駆り立てる資本制経済にしても（高橋由一は「新機軸」の語をしばしば用いた）、民主制への政治的要求にしても、国防の意識においてさえ、近代は、主体性の発現を求めてやまない。表現もまた、こうした近代の傾きのうえに成り立つ以上は、高橋由一にみられるような主客の関係は遠からず逆転することになる。すなわち、こうして再現から表現へと向かう通路が切り開かれることになる。黒田清輝から青木繁を経て、萬鉄五郎、岸田劉生へと展開する表現性の絵画は、それを表層的にたどるかぎり、外光派から後期印象派に至る西洋絵画史への追随でしかないとしても、もう少し深い層でこれを捉えるならば、システムとしてのリアリズムの成立と転位の過程として内在的に了解することができるのである。

誤訳の近代

日本の「美術」概念の歴史は、西洋語からの翻訳によって明治に始まる。絵画史を軸に、大正期までの過程をみてゆくと、「美術」は、その初めにおいて「文明開化」やナショナリズムに加担することで権力に奉仕する在り方から出発し、明治末には、個人の内面や、絵画としての内在性に重きが置かれるようになってゆくことがわかる。幕末明治初期には実用的なテクノロジーとして捉えられていた西洋画法は、リアリズムの深化にともなって、やがて内面性において捉えられるようになり、そこから抽象絵画の企ても開始されることになるのである。要するに、外在的な近代化から内在的で自覚的なモダニズムへというコースが、近代日本における「美術」概念の変遷の大筋として認められるわけだ。

誤訳に始まる日本の「美術」は、制作のうえでも、表現思想としてもさまざまな誤訳に満ちている。リアリズムの展開についても、そのことは指摘できる。アニミスティックな日本の思想風土は、厳密な意味での近代的主体の存立を絶えず阻害し続けてきたのであった。だが、たとえ誤訳であったとしても、また、偏頗であるとしても、それがかけがえのない近代日本の「美術」であるという事実はいささかも揺るがない。この一点において、その歴史は探究され、解明されるべき価値を失わない。しかも、誤解、偏頗という判断が、西洋美術を基準とする判断であることへの違和感において、その探究は、造型の未来になにがしかの寄与をするのにちがいない。

I　国家と美術

「日本美術史」という枠組み

「歴史」は、世界を時の流れに従って記述するための枠組みである。しかし、「歴史」という枠組みに準拠する記述が、この枠組みを単独に用いることは、むしろ稀だ。一般に、歴史の記述は、歴史という大枠においてではなく、それを、さらにいくつかの枠組みに細分化するかたちでおこなわれる。たとえば「日本史」というように国家の枠組みによって限定するか、あるいは、「フランス文学史」といった具合に、対象となる分野と国家との組み合わせによって記述する場合が多い。そこに時代区分の限定が加えられる場合も少なくない。たとえば「日本近代文学史」といったようにである。「日本美術史」という枠組みは、いうまでもなく一国史と美術というジャンルとの組み合わせによって構成されているわけだが、これから、その成り立ちについてみてゆくことにしたい。

「美術」の語がウィーン万国博覧会（一八七三年）の日本語訳分類表に登場したとき、それは、今日の「芸術」の意味を担っていた。しかし、この語の意味するところは、急速に視覚芸術ないし造型芸術の意味に絞り込まれてゆく。その過程は、「美術史」の対象が、認識のレベルで形成されてゆく過程でもあり、日本の「美術史」学を振り返るうえで欠くことのできない重要な意味をもつ。しかし、ここでは、その過程に立ち入ることはせず、「美術」を視覚芸術の意味に限定して、考察を加えてみることにしよう。日本社会における造型伝統と「美術」のかかわり、そして「日本」という枠組みの成り立ちが、ここでの論点となる。

美術の〈普遍〉と〈特殊〉

ウィーン万博の分類表は、鉱工業、農林業、機械、学問、軍事など、近代西洋文明の一覧表の観を呈しており、「美術」が、西洋近代の分類体系ないしは分業体制の一分野として移植されたものであったことが見て取られる。西洋近代の文明の在り方は、当時の日本が見習うべき手本であり、ときに〈普遍〉の体現者とさえみなされたのだ。このような傾きのなかで、西洋伝来の「美術」は、鑑賞の対象の〈普遍〉的な造型法を示すものとして、やがて理解されてゆくことになるのである。たとえば、高橋由一は、日本の諸画派は西洋画法の「一少部分中ノ細技」[1]にすぎないとしたうえで、同じ地球の上に生きる人間として——高橋由一はこれを「地球元来同一気」[2]といい表している——日本人が西洋人に劣るわけではない以上、鎖国のせいで進歩が遅滞したとはいいながら、日本人が西洋画法を身につけることは決して不可能ではないと述べている。つまり、西洋の造型と日本の造型を〈普遍〉と〈特殊〉の関係として捉えつつ、高橋由一は、〈普遍〉的な画法そのものを、この国に実現することをめざしたのであった。

由一の関心は造型にばかりとどまっていたわけではない。由一は、開成所画学局時代に書いた「画学局的言」で西洋画の鑑賞にふれて、「又之ヲ望観スルニ、大図、小図ニ依テ遠近距離ノ別アリ。然ル所以ノ者ハ固ヨリ理ヲ究メ致スコトナレバ、真ニ逼(せま)リ妙ニ至リ活潑生動セント欲スルハ是レ写真ノ尊キ所タリ」[3]と述べているのだ。由一にとって西洋画法の受容とは、制作から鑑賞までを含むシステムの全体を移植することであり、このシステムの全体が、啓蒙主義の時代を通じて、「美術」という名で認識されてゆくことになるのである。ウィーン万博の数年後に開かれた内国勧業博覧会(明治一〇年)で早速「美術」部門が設けられ、「書画、写真、彫刻、其他総(すべ)テ製品ノ精巧ニシテ其微妙ナル所ヲ示ス者トス」[4]と規定されたのは、かかる認識が一般化されてゆく最も早い例の一つであろう。〈普遍〉志向によって〈特殊〉を貫くようにして、ここでは「書画」という東洋的概念が、「美術」という西洋的概念の下位に、その一種として位置づけられているのだ。

「美術」を、造型上の制作‐鑑賞の〈普遍〉的なシステムとみなす発想は、高橋由一のような西洋派にばかり認められるわけではない。同様の発想は国粋派においても認められる。高橋由一は、伝統絵画を「細技」と呼んだ先ほどの文章のなかで「凡ソ美術ノ真理ハ一アリテ二アラズ」[5]と、たいへん強い調子で「美術」の〈普遍〉性を断定しているのだが、国粋主義の理論的支柱として有名なフェノロサの『美術真説』もまた、それを刊行した龍池会による「緒言」(明治一五年)をみると「美術ノ真理」[6]をあきらかにし、それによって制作者を啓蒙するために出版されたのであった。明治一〇年代の国粋主義の拠点となった龍池会は、国粋を標榜しながら、西洋に由来する「美術」というシステムを受け入れていたのである。

西洋派と国粋派の対立を超えるところに「美術」が位置づけられたことは、明治一五(一八八二)年に小山正太郎と岡倉天心のあいだにおこなわれた、書が「美術」に属するか否かをめぐる議論のやりとりにも端的なかたちで認められる。西洋派の論客である小山も、国粋派に与する岡倉天心も、ここではともに「美術」というものの存立を前提として議論しており、この論争は、したがって、いずれが勝っても「美術」の正統性を——小山は視覚芸術の意味で、岡倉は諸芸術の意味で、それぞれ「美術」という語を用いていたとはいいながら——保証する仕組みになっていたのである。

もう一つ例を挙げておこう。小山が学んだ工部美術学校は西洋造型法の学校であり、一方、やがて岡倉天心が中心となって運営してゆくことになる東京美術学校は国粋主義を奉じていたにもかかわらず、両校は、ともども翻訳語「美術」を校名に掲げたのであった。「美術」が、国粋派と西洋派という対立を超えた〈類〉的な存在とみなされていたことは、以上の例にあきらかであろう。

国粋派が伝統的な造型を「美術」というシステムにおいて捉えようとしたことは、国粋派が近代化へのたんなる反動勢力ではなく、むしろ漸進主義ないし折衷主義的な発想をもつ一種の西洋派であったことを示している。国粋派がこういう構えを取った――あるいは取らざるをえなかった――大きな動因として経済的な問題が挙げられる。不平等条約下における明治初期の美術行政は、欧米におけるジャポネズリの流行に照準を合わせて輸出を伸長させることを大きな目標としていたのだ。当時の日本は、経済的動機から「美術」というシステムを受け入れてゆかざるをえなかったのである。たとえば、ウィーン万博を機に創設された起立工商会社の社長松尾儀助が、こんな言葉を残している。

> 我邦人ハ此貴重ナル金塊（即チ美術工芸）ヲ抱キナガラ、之ヲ熔解鋳造（即チ要用ノ点シテ通用貨幣（即チ外人ノ好ミニ応ズル金属器）トナスコトヲ知ラズ。［7］

西洋人の「好ミ」に応ずるものとしての「通用貨幣」の在り方を規定しつつ、その流通を保証するシステムが「美術」であるというわけだ。

これらの動きが示しているのは、在来の造型を「美術」という〈類〉のもとに〈種〉として位置づけようとする発想であり、それは、在来の造型を〈特殊〉な「美術」として捉え返すということにほかならない。『高橋由一油画史料』に収められた明治一八年の文書のなかに、このような発想の機微を端的に示している言葉がある。

抑本邦ノ風土ハ他邦ノ風土ニ同ジカラズ、随テ人種ノ差異アル上ハ技術ト雖モ等カランヤ。画法ハ大ニ等シキモ精神手腕ノ働キハ全ク別異ニシテ、本邦人ノ洋風画ハ矢張リ本邦固有ノ美術ト言ハザルヲ得ズ。（傍点引用者）［8］

日本の独自性を主張しているこの言葉は、「美術」概念の起源が近代にあることを棚上げして、それを〈普遍〉化することを前提としている。「本邦固有ノ美術」という言い方に、その発想は端的に示されているだろう。すなわち、「固有」という語と「美術」という語の結びつきに、〈普遍〉の下の〈特殊〉という図式が発生する機微が認められるのである。こういう発想が公的に示された早い例としては工部美術学校（明治九年開校）の規則が挙げられる。「工部美術学校諸規則」を見ると「学校ノ目的」の一つとして「漸ヲ逐フテ吾邦美術ノ短所ヲ補ヒ、新ニ真写ノ風ヲ講究シテ、欧州ノ優等ナル美術学校ト同等ノ地位ニ達セシメントス」［9］としるされているのだ。

〈普遍〉性への意識は、こうして〈特殊〉性の自覚を生み出す。すなわち、「個別性」に至らずして止む。

「日本」という国号

このように国粋派、西洋派の別なく「美術」は、造型の〈普遍〉的なシステムとして認知され、在来の造型は、その下に〈特殊〉として位置づけられることになる。そして、このような発想が過去にさしむけられるとき、江戸時代までの造型史は「日本美術」の歴史として把握され、「日本美術史」という枠組みの原型が成立する。この枠組みが、「本邦固有ノ美術」のアイデンティティを時間軸に沿って確認しようとする意図にもとづいていることはいうまでもない。ホブズボームの言葉を借りるならば invented tradition（創作された伝統）が、こうして始まるのだ〔10〕。

明治二三（一八九〇）年に岡倉天心が、東京美術学校でおこなった「日本美術史」〔11〕に関する講義は、首尾の整った日本美術史を日本人自身が企てた最初のものとして知られている。ただし、ここで注目したいのは、その初発性や内容ではなく、この講義が開始されたのが特別な年であったということである。すなわち、「日本美術史」開講の年は、初めて議会が開かれた年であり、その前年には憲法が発布されているのだ。つまり、岡倉は、立憲君主国として体裁を整え、東アジアの一角に立ち上がったばかりの新興の近代国家の名称を戴く講義をおこなったわけであり、「日本美術史」という名称には、誇らかな輝きが当然ながらともなわれていたとみてまちがいない。

もっとも、「日本」という国号は明治になって、初めて使われるようになったわけではない。それはすでに七、八世紀頃から用いられていた。これについては、本居宣長の「国号考」に興味深い見解がみられる。すなわち、宣長は「日本」という国号が「蕃国の使に宣る」ときに用いられたことを「公式令」詔書式によって指摘し、「日本」という名称を、「異国へ示さむために、ことさらに建てられたる号なり」〔12〕と規定しているのである。要するに、「日本」という国号は、古代東アジアにおける地政学的な勢力のせめぎ合いのなかで対外的な名称として創始されたのであった。

とはいえ、「日本」は長きにわたって「大和」や「和」と並び立つ国号の一つにすぎなかった。それを正式な国号と定めたのは、一九世紀後半の革命政権である。たとえば、王政復古を諸外国に告げる国書は「日本国天皇、告各国帝王及其臣人」〔13〕と書き出されているし、この国の近代国家として骨格を決定した明治憲法の正式の名は「大日本帝国憲法」とされたのであった。すなわち、ここに至って「日本」という名は、「大和」や「和」といった名称をさしおいて、極東の新興近代国家の唯一正統な名乗りとなったわけだが、この選択には、古代以来の語感が影を落としていたのにちがいない。「日本」という国号には、植民地化の危機を切り抜け、不平等条約の改正を画策しつつ、東アジアにおける覇権をねらう、新興国家の緊張感に満ちた構えが投影されていたのである。

造型の万国公法

国号とジャンル名が複合された語である「日本美術」は、こういう重い意味を担って登場したのであり、このことは、最初の「日本美術史」が公刊されたいきさつに、はっきりと認められる。それは、一九〇〇（明治三三）年のパリ万国博覧会に出品するためにフランス語で出版され、各国の君主、学者、美術家、博物館長らに配られたのだ［図5］。フランス語による「日本美術史」を万国博に合わせて出版した意図は説明するまでもあるまい。ヨーロッパに対して法権を回復したばかりの「日本」という新進の国家を「美術」によって表象し、「日本美術」の優秀性を先進近代国家に認知させることで、独自の固有文化をもつ近代国家としての「日本」の確認を迫るという政治的意図が、そこには込められていたのである。

図5　*Histoire de l'Art du Japon*
1900年刊　東京国立博物館

固有文化をもつということは、主権、領土、国民、軍・警察、国民経済などと並んで、近代国家の要件の一つであり、そのことは、この国においても早くから認識されていた。たとえばお雇い外国人のワグネルは、明治一九年に龍池会でおこなった「美術ノ要用」と題する講演で、日本の文学や歴史を知る西洋人は少ないが、美術工芸によって「日本ノ名ハ稍々暫時ニシテ世界中ニ広マリ又尊敬ヲ受ケ」ていると指摘したうえで、「他国ト交際スルニ美術ト美術工業ノ盛ナルハ誉ト尊敬ヲ増スニ於テ最モ強キ原因タルナリ」[14]と述べている。また、その二年後の東京美術学校開校の翌月には、フェノロサが興味深い発言をしている。「日本の美術は固有の妙所あり、之を維持するは日本の国躰を維持すると同一なれば、国躰上より之を保存発展せざるべからず」[15]というのである。この翌年に開講された岡倉天心の「日本美術史」が、フェノロサのいう「国躰」＝「美術」という等式を踏まえていたことは、まずまちがいない。明治二二年に創刊された『國華』の「発刊ノ辞」の筆者名は不明だが、「夫レ美術ハ国ノ精華ナリ」[16]という一句をもって始まるこの文章は、焼失した「国家論」の卒業論文に代えて二週間で「美術論」を書きあげたという逸話の持ち主、すなわち岡倉天心その人にこそ、まことにふさわしいというべきだろう。

要するに、明治の新政権は、政治的な理由からも「美術」というシステムを受け入れる必要があったのであり、その際、「美術」は、いってみれば造型上の「万国公法」と考えられていたのであった。ただし、「万国公法」を〈普遍〉的な律法とみなして、こういう譬喩を、ここで用いるわけではない。この譬えは「万国公法」の限界をも含意している。実定法としての「万国公法」は、キリスト教世界としてのヨーロッパの文明国にのみ有利に適用されるものであり、その他の諸国に関しては、ヨーロッパ諸国による征服を是認するなど、じつに不平等なヨーロッパ中心主義的な律法であったからだ［17］。つまり、「万国公法」は〈普遍〉の体現者とは認めがたいわけであり、同様のことは「美術」についても指摘できる。当時の人々には、たとえ〈普遍〉と映っていたとしても、そのシステムは、西欧文化の相対化をようやく遂げつつある現在の眼で見ると、きわめて西洋的な偏りの強いものに思われるのだ。

むろん、当時においても、そのことを見抜いていた人々がいなかったわけではない。だからこそ、「美術」を〈普遍〉といいくるめる国粋主義の言論活動が必要とされたのであり、すでにみたように言論は大いに功を奏した。すなわち、大勢は「美術」というシステムを〈普遍〉的なものとして受け入れる方向に動いていった。「日本美術史」という一国ジャンル史の確立が、その何よりの証拠である。

「日本美術史」の起源

日本美術史の起源というと、普通は古代までさかのぼって記述される。工芸史においては打製石器にまでさかのぼる事例さえもあるのだが、以上にみてきたように、「日本美術史」の基本的な枠組みが近代の所産であるとするならば、石器や装飾古墳や仏像を「日本美術史」として記述することは、近代に発祥する造型観を、それ以前の時代にさかのぼって適用した見方であるということになる。つまり、「日本美術史」の起源は、じつは、原始や古代ではなく、近代にこそあると考えることができるのだ。

譬えていうならば、「日本美術」という眼鏡を通して造型の歴史を眺めるようになった時点にこそ、その起源を認めるべきなのであり、そのことをわきまえずに、造型というガイドラインを伝って史料の続くかぎり、遠い過去へ「日本美術」の源流を探し求めるのは、赤いレンズの眼鏡をかけているのを忘れて赤い光の源を外部に探すようなものなのだ。「日本美術史」にかぎらず、これまでのこの国における美術史は、以上に述べたような起源についての問いをほとんど発することなく、近代化の過程で設定された枠のなかで、ひたすら研究にいそしんできた。しかし、コンピュータ社会の進行と従来の分類枠では捉えきれない事象の台頭とが近代的な分類体系の根底的な見直しを迫り、一方、「美術」概念が無際限に拡張を続け、また国民国家の枠組みが相対化されようとしているこの時代にあって、ひとり美術史のみが超然としていられようはずもない。未来へ向けての分類闘争は、必ずや美術史をも巻き込まずにはいないだろう。

註

［1］青木茂編『高橋由一油画史料』（中央公論美術出版、一九八四）、二四二頁（文書番号三−一五）。

［2］［1］に同じ、二一九頁（文書番号三−四）。

［3］「高橋由一履歴」、［1］に同じ、一七二頁。

［4］「明治十年内国勧業博覧会区分目録」、青木茂・酒井忠康編『日本近代思想大系』第一七巻「美術」（岩波書店、一九八九）、四〇五〜四〇六頁。

ここにみられるように初期の内国勧業博では「書画」という分類が用いられていた。江戸時代以来の概念が「美術」の下位ジャンルとして位置づけられたわけだが、東洋における造型の伝統を背負った「書画」概念は、「美術」という西洋伝来の概念には、ついになじまなかった。すなわち、明治二三（一八九〇）年の第三回内国勧業博で「書画」は、「絵画」と「書」に分解され、しかも、「絵画」は「美術」部門のジャンルの筆頭に、「書」は末尾に位置づけられることになる。ジャンルの並びが価値の序列に対応するとすれば、両者は価値のうえで順位を顚倒され、あまつさえ、最大限の高下をもって隔てられたわけである。「絵画」の首位は、これ以後、内国勧業博の最後の回まで踏襲され、「書」は、やがて「美術」部門から姿を消すことになる。

その動因としては、絵画を中心に据える西洋近代の芸術体系の影響やジャンルの純粋化志向などが考えられる。また、そこには、フェノロサが『美術真説』でおこなったような文人画に対する批判の意識も絡んでいただろう。

第二回内国勧業博から第三回内国勧業博までは九年間の開きがあり、この間に内国絵画共進会の開催や図画調査会の発足、東京美術学校の設置など「美術」概念や「絵画」概念の形成にかかわる重要な出来事が数多く起こっている。フェノロサの絵画美学『美術真説』が出版されたのも、この間のことであり、そこでフェノロサはレッシング流のジャンル理論（詩画限界論）の立場から、その当時、国民的ひろがりをみせていた文人画を、文学と絵画の別をわきまえぬ鵺的ジャンルとして厳しく批判したのであった。これが第三回内国勧業博の「書」と「絵画」を分離した分類に直接かかわるかどうかはともかく、美術行政へのフェノロサの影響力を考慮すれば、なんらかの作用をおよぼしたとみても決して牽強ではないだろう。とすれば、第三回内国勧業博の分類再編は、文人的発想の絵画概念がモダニズムの絵画概念に取って替わられたというように理解することができるはずだ。

だが、それにもまして重要な事柄は、分類再編が「美術」という概念の内部で起こっているということ、また、「書画」概念が、「美術」の内部において解体されてしまったということだろう。むろん、「書画」という概念の可能性は、これによって消え去ったわけではない。表現主義へと傾く大正期の美術は、文人画を再び見出し、やがて、たとえば岸田劉生や佐伯祐三の画業に見られるように書と絵画の近縁関係が新しい次元で見出されもする。また、いわゆる現代美術におけるコンセプチュアル・アートなどジャンル混淆の傾向は、「書画」概念復活の余地を現在において確保しつつあるかにみえる。

しかし、現代における「書画」概念の可能性を主体的に探究するためには、「美術」の側からのこうした動きに迎合するだけではおぼつかない。また、「書画」概念の復権を実践的にもくろむとしても、それを近代的発想で染めあげられた「美術」の内部でおこなおうとするのは無理がある。これらの企てを成就するためには、かつて「書画」を解体に至らしめた「美術」という概念ないしシステムを、根底的に批判することで相対化してゆく必要があるのだ。

もちろん、現代美術が推し進めてきたように「美術」概念を内在的に顚倒させる（内破させる）という行き方もありうるにはちがいない。しかし、ほかならぬ現代美術の歴史が教えてくれるように、「美術」の思想的・理論的性向は、容易に克服できるものではない。そうして、それこそまさに「美術」と「書画」の対立を根本的に規定しているはずのものなのだ。とすれば、「美術」の起源を江戸時代以前にまでさかのぼらせることで、折衷的解決をはかろうとする発想などもってのほかというほかない。

「美術」批判は、さまざまな次元、さまざまなレベルで展開されなければならない。しかし、とりわけ重要なのは、その思想的な次元への批判的アプローチではないかと思う。いうまでもなく「書画」という概念やシステムは、「美術」とは思想の根を異にするのであり、根底的な「美術」批判は、したがって当然ながら思想の次元を踏まえておこなわなければならないはずであるにもかかわらず、従来、この点についての考察はきわめて手薄であったと思われるのだ。たとえば、「美術」が、宗教改革に由来する近代的職業観とかかわり深い在り方を——「芸術」概念を介して——示すこと、理念の高みをめざす性向を有することなど、近代化全般にわたる思想史的課題のなかで批判的に考察すべきであろう。みずからの課題として、ここにしるしとめておく。

[5]［1］に同じ。
[6]『美術真説』、［4］に同じ、三五頁。
[7] 松尾儀助「金属器ノ貿易ニ付テ一言ス」、『龍池会報告』第七号、一九頁。
[8]『高橋由一油画史料』（文書番号一 - 三七）、［1］に同じ、四三〜四四頁。
[9]「工部美術学校諸規則」、［4］に同じ、四二九〜四三〇頁。
[10] Eric Hobsbawm, "Introduction: Inventing Traditions" in Eric Hobsbawm and Terence Ranger (eds.) *The Invention of Tradition*, Cambridge University Press, 1995, p. 1.
[11] 岡倉天心「日本美術史」、『岡倉天心全集』第四巻（平凡社、一九八〇）。
[12] 本居宣長「国号考」、『本居宣長全集』第八巻（筑摩書房、一九七六）、四六七頁。

[13] 東京大学史料編纂所編『復古記』第一冊(東京大学出版会、一九七四)、五〇七頁。
[14] ワグネル陳述「美術ノ要用」、『龍池会報告』第二号、一頁。
[15] 「鑑画会フェノロサ氏演説筆記」、『大日本美術新報』第四九号、一頁。
[16] 「國華」、『國華』第一号、一頁。
[17] 井上勝生「文献解題「万国公法」」、『日本近代思想大系』第一巻「開国」(岩波書店、一九九一)、四七二~四八一頁。

文展の創設

発端——文展開設まで

明治四〇（一九〇七）年の秋たけなわ、上野は東京勧業博覧会場跡に残された博覧会用美術館の建物で、第一回文部省美術展覧会が開催された。いわゆる「文展」の始まりである。

官が主催する美術展覧会としては、早くも明治一三（一八八〇）年に観古美術会が開かれており、内国勧業博覧会でも美術館が毎回設けられていたのだが、これらはおおむね勧業の立場から企画されたものであり、文部省が文教の立場から主催する文展とは、その趣を大いに異にしていた。文展開設に至るまでの美術政策は、大筋のところ、勧業政策の一環としておこなわれてきたのである。つまり、文展において、初めて美術展覧会というものの純文化的意義が国家によって正式に認められたわけで、これは、日本近代美術史上、じつに画期的な出来事であったといわねばならない。しかしながら、裏を返せば、文展開設とは、伝統美術の保護育成というかたちで国粋主義の時代に始まった国家の美術統制が、大規模かつ徹底的なやり方で美術界全般におよぶことになったということにほかならないのであって、げんに、この展覧会を通じて、高村光太郎のいわゆる「国定芸術」が創始され、やがては、文展風と称される平俗で中間的な表情の作風が、アカデミズムとして広汎に通用してゆくことになるのである。

ただし、ここで一つ注意を要するのは、その平俗で中間的な表情が、国家に馴致されてしまった芸術の相貌であるとして、しかし、それは同時に時代の相貌でもあったということだろう。明治の文展の五年間は、ときしも、桂太郎と西園寺公望が、藩閥官僚と政党（政友会）の妥協と確執を背景に政権をタライ回しにしたいわゆる桂園時代にあたっており、文展が創出した「国定芸術」の中間的な表情は、桂園いずれもが政治主体の一半でしかありえないという当時のこうした政治状況に通ずるものであったともいえるのである。「中間と平均の時代」（竹山護夫）といわれる大正時代へ向けて、時勢はすでに大きく動き始めていたのだ。

さて、ここで、文展開設までの主だった動きを振り返ってみると、まず、直接の発端は、世紀末の雰囲気が色濃く標う一九〇〇（明治三三）年のウィーンにおいて見出される。当時、美術館視察のために文部省から欧州に派遣されていた正木直彦が、この発端について『回顧七十年』のなかに書きしるしているので、そのくだりを引いておこう。

明治三十三年に独逸に居つた時、私は岡田良平、福原鐐二郎の両君と共に、墺太利を訪れたことがあつた。其の時、墺太利の公使は牧野伸顕さんで、伊太利から転じられたばかりの処であつた。／会つて話して見ると、大層美術のことに趣味を持つてをられ、且つ欧州各国の美術施設にも精通してをることが判つた。しかも牧野さんは、其の時、吾々三人が揃つて文部省の役人であつた為か、しきりに日本に於ても文部省あたりで、美術の奨励法を講ずべきであると力説せられ、それに就いては是非、仏蘭西のサロンの如きものを文部省が主催すべきである、と云はれたのであつた。／勿論、吾々はこれに大いに賛意を表し、共々その実現に努むべきことを約したのであつた。［1］

時は移って、明治三九年一月、第一次西園寺内閣が成立し、牧野伸顕は文部大臣に就任、欧州における約束はここに実を結ぶこととなった。その年の一二月、文部省は翌年度予算に美術展覧会費用を計上（経費一万円）、日露戦争後ようやく訪れた好況の波に乗って打ち出された第一次西園寺内閣の積極予算は第二三議会を通過して、翌四〇年五月には、東京美術学校校長正木直彦と専門学務局長福原鐐二郎による官制草案が内閣に提出され、六月には「美術審査委員会官制」と「美術展覧会規程」が、また七月には「第一回美術展覧会規則」が、それぞれ公布されて、いよいよ文展開設の運びとなったのである。この間、審査委員の選任をめぐるごたごたがあり、日本画界保守派の連袂不出品などの問題が起こりはしたものの、文展は、ともあれ、こうしてスタートを切ったのであった。

ところで、文展開設の動きが大詰めをむかえようとしていた四〇年の初夏、東京帝国大学教授大塚保治は、「美術界刷新の一策」と題する建議書を牧野文相に提出している。そこで大塚は、多くの小会が分立していた当時の美術界のありさまを問題視し、その収束のために政府に適当の機関を設けて、競技展覧会を開設し、公平な審査を加えて優等作品を購入し、さらにこれを常設の美術館に陳列して、美術家の参考と公衆の趣味向上をはかることを提案したのであった。ここに盛り込まれた内容は、文展開設の歴史的意義を考えるうえで、まことに都合のよい標目を与えてくれる。すなわち、(一) 小会分立、(二) 競技展覧会の開催、(三) 審査、(四) 買上げ、(五) 美術館の設立の五つである。

以下、この五つの標目に従って、文展開設の歴史的意義を考えてみようと思う。ただし、考察の便宜上、洋画界の動きに的を絞って筆を進める。したがって、文展によって制度的に決定づけられた日本画/洋画という対立を踏み込んで問題化することも、ここではさしひかえざるをえない。

小会分立——文展開設の背景

文展開設当時の美術界は、多くの小会が分立する一種の混乱状態にあった。この傾向は、とくに日本画界において著しく、日本美術協会を筆頭に、日本画会、真美会、日月社、天真社、二葉会などおよそ二四の小会が乱立していた。日本画界が、このような状態を呈するに至った遠因としては、日本美術協会に属する保守的な旧派の画人たちと、岡倉天心を長に戴く東京美術学校に拠る新派のあいだの二〇年代に始まる確執が考えられる。明治三一年（一八九八）の東京美術学校騒動で岡倉天心が校長の座を退き、野に下って日本美術院を開設したことによって東京美術学校の一枚岩的な在り方が崩れ去ると、新旧対立はもろもろの派閥意識と相俟ってますます深刻化し、さらに明治三三、三四年頃を最盛期として日本美術院が衰退し始めるや、ついに新旧対立の大局は破れて、おびただしい数の小会が簇生（そうせい）することとなったのである。

同様の状況は洋画界においても認められた。二〇年代末以来の新派＝白馬会と旧派＝明治美術会の対立は、洋画家たちの大同団結によって成り立ってきた明治美術会の統合力を弱化せしめ、ついに明治三四年、白馬会の進出に気圧されたかたちで明治美術会が解散すると、同会の内部に巣喰っていた派閥意識が顕在化して太平洋画会と巴会が分立することとなり、洋画界内部の対立は一挙に複雑な様相をみせることになっていったのである。

彫刻界においては、新旧対立に由来する小会分立の動きは無きに等しかったが、しかし、それでも、明治四〇年、文展開設に先立って開かれた東京勧業博覧会では、審査員の選定に関する彫塑会と三四会の対立が引き金となって、北村四海の自作（《霞》）破壊事件を引き起こし、これを発端として博覧会全体が審査をめぐって紛糾、審査員の辞任問題や褒賞返却騒ぎまで引き起こすこととなった。

このように、三〇年代の美術界は、一〇年代から続いていた西洋美術／日本美術という対立に代わって、新旧の対立に発するセクト主義の支配するところとなっていたのであり、こうした傾向は、「明治の活動的な個人主義」（岡倉天心）によって、さらに助長されるところとなった。たとえば岩村透の『巴里の美術学生』（明治三六年刊）にみられるような個性尊重の気風や個別性への傾きが若い画家たちの心をとらえることになるのである。

もっとも、個別性への傾きは、日露戦争前後の、たとえば青木繁の仕事にみられるような、民族的個別性と結びついたロマンティシズムの昂揚にも通ずるものであり、それを以て、ただちに分裂や混乱の原因とするわけにはいかない。個別性への傾きは、一方で、民族レヴェルでの統合を促しもしたのである。

しかしながら日露戦争に日本が勝利してしまい、世界列強の仲間入りを果たすと、民心は、これによって、長年にわたる国家的危機感から解放され、国家から個人や自我へと急速に関心を移していった。それればかりか、重税にもとづく戦後経営は民衆の不満をつのらせ、三〇年代末から各産業部門で労働争議が頻発、対露講和への不満に発する反政府的な気運と相俟つようにして、やがて社会主義運動が昂揚することとなった。国家（民族）の国際的興隆が、個々人の福利に必ずしもつながらないということを民衆は悟るようになっていったのである。

こうした風潮を「思想悪化」としていちはやく危険視した支配層は、戦前・戦中にわたって政権を担当してきた桂太郎内閣にかえて、リベラルな世界主義者として知られる政友会総裁の西園寺公望を首相に据えることで局面の転換をはかり、明治三九年一月、第一次西園寺内閣を成立させ、これによって国家の統合力を高める機をねらった。文展開設は、このような状況のなかで政治日程にのぼることになったのである。

競技展覧会の開催――小会分立の抑止

文展が実現したことについては、牧野文相が美術好きであったことや、西園寺内閣のインテリ的性格に拠るところが少なくない。しかし、時の支配層が、西園寺公望を首相に据えたのは、あくまでも危機的な政治状況をしのぐためであり、その目的は、国家の統合力を強化することにあったということを忘れてはなるまい。元老山縣有朋は、政権交替の条件として、桂内閣の政策を踏襲することを条件としたといわれるし、西園寺は、そもそも、伊藤博文が国家的政党として組織した政友会の二代目総裁であったのだ。とすれば、文展開設もまた、国家統合の強化という大目的と無縁ですまされようはずがないのである。

文展のこうした潜在的性格は、明治四一年夏、社会主義者に甘いという理由で西園寺内閣が辞職に追い込まれ、それにかわって第二次桂内閣が成立した時点で、かくれもないものとなった。すなわち、牧野伸顕にかわって桂内閣の文部大臣となった小松原英太郎は、新派に片寄りがちであった第一回文展の日本画部審査員の構成をあきたらぬものとして、専断的に旧派の審査員を増員し、文展の国粋化をはかろうとしたのである。ここには、国画玉成会＝新派と正派同志会＝旧派の文展をめぐる争闘が絡んでいたのだが、小松原の工作には、そのような日本画部のごたごたを超える政治的意図があった。就任早々、小松原文相は、正木直彦にこう語ったという。ふたたび『回顧七十年』から引く。

今日の内閣の更迭といふものは、自由主義の内閣が保守主義のそれに変つたやうなものである。……牧野前文相の展覧会に対する遣り方は、外国風の新奇を衒ふものであり、国粋を絶滅させるもので、大間違ひである。〔2〕

国家の統合力は、すべからく恢復されねばならない。その力はあまねく国土にゆきわたらねばならない。美術の世界も、もちろん例外ではない。小会分立という統合なき混乱状態は、国粋の開花へ向けてすべからく収束されねばならない。官による競技展覧会の開催は、その最も効果的な方策である――小松原文相の文展観は思うに、このようなものであった。かくて、文展は、美術統制の機関としての性格もあらわに芸術の国定化を推し進め、小会分立というかたちで伸びつつあった自発的な――下からの――美術運動に対する抑えとなってゆく。そして、その成果は早くも翌四二年の第三回文展において現れる。この回において、新旧対立に発する日本画部の紛糾も一応の結着をみ、四海波平らかに、めでたく文展は、各派総合という所期の目的を達することになったのである。

洋画界についてその経過をみれば、審査員の選定に派閥的な片寄りがなかったこともあって日本画部のようなごたごたは初めからなく、文展の開設とともに太平洋画会も白馬会も文展の前座的な場でしかなくなってしまい、文展開設後二年ほどで巴会が、明治四四(一九一一)年には、ついに白馬会も解散してしまうことになるのだが、白馬会の領袖にして文展審査員の黒田清輝は、白馬会解散の理由について次のように述べている(坂井犀水『黒田清輝』より引用)。

私共の希望して来た公設展覧会は設立され、私共の会員の大多数は外国で学んで来た人々となり、今は彼此標準を示す必要もなくなつた。加之(しかのみならず)世間の人にも油絵が好く会得され、同時に鑑識力も一般に進めば、製作品を見せる場所も立派に出来上つてゐる。されば此の時に当つて各画家の特徴を示すには、団体よりも個人的にする方が適当ではあるまいか。元来画家は個人的の利益とか名誉とかは不問にして、只管(ひたすら)美術といふものに向つて一身を捧ぐ可きものであるが、団体は兎角誤認され易い。[3]

ここには、天真道場以来、個々人の感受性の自由を重視してきたいかにも黒田らしい発想が認められるとはいえ、文展審査員という立場を考慮に入れてこれを読むならば、小会をいったん個にまで分解することで、より大きな統合を実現せんとする治者の発想を、ここに認めることができるはずである。この黒田の言葉には、明治国家の支配者たちが懐いた家族主義的イデオロギー——現実の家族から析出した独身者を、大家族に見立てられた国家に吸収し、これを近代国家建設の原動力とする「独身者本位の国内建設」(神島二郎)を思わせるところがあるのだ。

文展による美術界の統治は、ともかくこのようにして一応の成果を収めることになったわけだが、これは、また、黒田の発想にみられるごとく官辺依存の傾きをもち続けてきた明治美術が行きつくべくして行きついた当然の帰結であったともいえるだろう。

しかし、それもつかのま、ひとたび実現をみた美術界の統合は、やがて、文展の内部から微妙に揺らぎ始めることになる。白馬会が解散する前年の第四回展あたりから、山下新太郎、南薫造、有島生馬ら欧州留学からの帰国者たちが、色彩感豊かな新式画風をもたらし、ここに、新たな新旧対立の種子がはらまれることとなったのである。

もっとも、彼ら留学帰りの仕事は、個性の尊重という明治三〇年代からの傾斜のうえに位置づけられるものであり、その意味では「新旧対立」という言葉は必ずしも適当ではないかもしれない。しかし、文展審査員黒田清輝における個我意識が、先の言葉からも察せられるごとく、結局は文展＝国家の枠を超えるものではありえなかったのに対して、彼らとそれに続く新人たちの個我意識は、その枠を超えて、世界人類という、より普遍的なイデーに直接結びつく傾向を帯びていた。白樺の時代は、すでに始まっていたのである。

しかも、これと同じ時期に、日本画部においても、審査員の人選をめぐって再び新旧二派の確執が起こり、新旧対立から生じた美術界の混乱を統べ治めるべく発足した文展は、ここに至って、皮肉にも新旧対立を際立たせる舞台と化してしまう。とはいえ、それは、決してすぐさま文展の屋台骨を揺さぶるというような大事件ではなかった。日本画部の新旧対立は新旧二科制をとることによってひとまず決着し、洋画部に芽生えた新たな新旧対立は、やがて、白樺美術展、フュウザン会、二科会など在野のグループや展覧会を生み出すことで、官設展／在野展というかたちをとることになったからである。たとえ尻尾を切りすてても蜥蜴は死にはしないのだ。

もちろん、そうはいっても、これら在野のグループや展覧会は、いきおい文展を相対化せずにはおかず、文展による美術界の統合は、ここに破綻をきたしたのにはちがいない。しかし、その破綻は、逆に文展の社会的ステータスを強化したという見方もできないではない。というのは、たとえば、第二回白樺社主催展覧会（明治四四年）が落選展覧会と銘打たれていたことからもわかるように、これらのグループや展覧会は、大方、反官設展という立場をとっており、〈反〉という姿勢には、〈反〉を突きつける当の対手に依拠せざるをえないというアイロニーが、つねにつきまとうからである。具体的にいえば、反官設展の動きや言説は、官設展＝文展をくっきりと浮き立たせる陰影のごときものにもなってしまうということであり、反官設展の動きは、政府主催の文展を中心とする美術の体制を、かえって強く社会に印象づけることになってしまうともいえるわけだ。けなすことによって、けなされるものの名が――たとえ悪名であろうと――いやがうえにも高からしめられるようなけしきとでもいえばよいだろうか。しかもこの文展という蜥蜴は、徐々に時流を――反アカデミズムすらも――養分としてとり込みながら旧態から脱皮し、再生し続けてゆくことになるだろう。

ともあれ、こうして明治の文展は、明治四〇年の開設以来、つねに美術界の中心にあって、日露戦争を経て帝国主義段階に突入した近代日本を荘厳する「国定芸術」を、武芸試合よろしく技を競い合う美術家たちの情熱によって、着々と築き上げていったのであるが、その際、ジャーナリズムによる文展情報の流布が、批評的言説も含めて、「国定芸術」の普及を助けたであろうということも、いいそえておかねばならない。

審査――「国定芸術」の制定

第一回文展が開かれた明治四〇年は、日露戦後恐慌の始まりの年でもあった。恐慌は翌四一年に本格化し、これをきっかけとして日本経済は慢性的不況の状態に陥るのである。こうした状況は、西園寺内閣の寛容政策のもとで活発化してきた社会主義運動をますます激化させることになった。かかる動きを、いちはやく察知した元老山縣有朋らは、先にもふれたように、西園寺内閣を辞職に追い込み、明治四一年七月、強圧的な桂太郎内閣を再度成立させる。第二次桂内閣は、「思想悪化」対策を、恐慌下の財政整理とならぶ重要課題として発足したのである。

大逆事件（明治四三年）をクライマックスとする「思想悪化」への対策は、社会主義の弾圧を眼目とするものであったのだが、時の支配層が危険視したのは、社会主義ばかりではなかった。都市の発達にともなう個人主義的傾向の広がりや、自然主義文学の盛行も支配層にとっては「思想悪化」にほかならなかった。「思想悪化」対策の一つとして明治四一年に渙発された「戊申詔書」に「朕ハ方今ノ世局ニ処シ我カ忠良ナル臣民ノ協翼ニ倚藉シテ維新ノ皇猷ヲ恢弘シ祖宗ノ威徳ヲ対揚セムコトヲ庶幾フ」（『明治天皇紀』第十二より引用）とあるように、「思想悪化」対策の深意は、国家への関心を次第に失ってゆく民衆の心意を、再び、天皇制において統合することにあったのだ。詔書が発布されたのと同じ戊申の年に開かれた第二回文展で、小松原文相が専断的に国粋化をはかったのも、要するに「思想悪化」対策の一環であったと考えられるのである。

ところで、そのとき小松原文相は、前節でみたように、日本画部の旧派審査員を増員することによって文展の国粋化をはかったのであった。すなわち審査員こそは、まさしく、文展の方向を決定する要であったわけで、「美術審査委員会官制」の第一条には、「美術審査委員会ハ文部大臣ノ監督ニ属シ美術展覧会ノ出品ヲ審査ス」としるされてあった（ここには「審査」とのみあるが、「美術展覧会規程」の第一八条によると審査委員は出品の「鑑査」もおこなうことになっていた）。文展による「国定芸術」の創出は、具体的には、文部大臣の監督に属する美術審査委員会という選別機関を通じておこなわれたのである。

それでは、明治の文展が創出した「国定芸術」とは、いったいどのようなものであったのか。それを一言でいい止めれば、冒頭で指摘したように平俗で中間的な表情の作風ということになる。これを具体的にみるためには、初期文展における事実上の最高賞であった二等賞（ただし等賞制は第九回展まで）を授けられた作品を想い描いてみればよい。第二部・西洋画の受賞作を第一回から五回まで列挙する［4］。

第一回展　和田三造《南風》［図6］

第二回展　和田三造《煒燻》

　　　　　吉田博《雨後の夕》

第三回展　中澤弘光《おもひで》

　　　　　山本森之助《濁らぬ水》

　　　　　吉田博《千古の雪》

第四回展　中川八郎《巌壁》

第五回展　小杉未醒（放庵）《水郷》
　　　　　青山熊治《金仏》
　　　　　南薫造《瓦焼き》

図6　和田三造　南風　1907年　東京国立近代美術館

これらの作品から抽き出される諸特徴——現実謳歌のモニュメンタリティ、山紫水明的自然への傾倒、装飾性、感覚的な彩色、ロマンティックな文学趣味、牧歌的・田園的な詩情などに、黒田清輝式の「goût の良さ」や写生画風のリリシズム、それから岡田三郎助風の趣味性や情緒性をつけ加えれば、明治の文展にみられるおおよその傾向を指摘したことになるはずである。つきつめの足りない安全無害な作風といえば、いいすぎであろうし、また、なかには、見るべき作品もないわけではないものの、こうした作風が顕彰され、スタンダードとみなされてゆく過程で、中間的で平俗な作風が文展風としてまかり通るようになっていったのである。

ただし、ここで一つ断っておかねばならないのは、いま数え上げたような特徴は、文展において初めて現れたものだとは必ずしもいいきれないということである。これらは、文展開設以前から多かれ少なかれ認められた傾向が、大略、外光派の平板なリアリズムの線に沿って増幅された結果ともみなしうるのだ。

しかし、文展開設以前の諸傾向が、すべて文展のなかに流れ込んだのかといえば、それはちがう。文展において疎外された動きもあった。たとえば長原孝太郎の《停車場の夜》（明治三九年）に萌芽的に見出されるような、現代批判へと向かうリアリズムのコースは、感覚的リアリズムの勝利によって、限りなく相対化されてゆくことになるのである。文展における「思想悪化」対策は、こういうかたちで実を結んだのだ。

ちなみに、初期の第二部「西洋画」の洋画部審査委員の主な顔ぶれを示しておけば、以下の通りである。

浅井忠、岩村透、大塚保治、岡田三郎助、鹿子木孟郎、久米桂一郎、黒田清輝、小山正太郎、中澤岩太、中村不折、藤岡作太郎、正木直彦、松岡寿、松本亦太郎、満谷国四郎、森林太郎（鷗外）、和田英作［5］

買上げ——文展と洋画の市場

文展における授賞には買上げというおまけがついていた（二〇〇〇円以上三〇〇〇円以内の予算）。これは、将来設立されるべき常設美術館に収める作品を蒐集するためのものであり、買上げ作品は、受賞作品と審査員の出品作品のなかから文部大臣によって選ばれることになっていたのである（「美術展覧会規程」第三一条。ただし、明治四二（一九〇九）年以後は「優等ト認ムル出品中ヨリ」〈改正規程第三一条〉と改められた）。

作品の価格についていうと、文展の出品作には、出品者が各自値段をつけることになっており、文展の事務所を通して売買できることになっていた。ただし、これは、いわゆる「展覧会値段」というものであって、必ずしも、その値のとおりに売買されたわけではないらしい。もちろん、文部省買上げの場合もその例外ではなかった。そのあたりの事情をしるした記事を、明治四二年一二月の『絵画叢誌』から引く。

文部省の美術展覧会で優等品を買上げるのは結構だが其実買上値段は相変らずの踏み倒しで随分キビしいものだ。……所謂展覧会値段と云つて出品者も随分途方もない高価をつけて出品するから会の公表価格は的にならぬやうだが、……堂々たる文部省が奨励の主意で買上げるのに尚且価の高下を論じ内々で踏倒すのは奨励と侮辱とが楯の両面をなして居るやうな気がする。［6］

しかし、たとえ安く買いたたかれたとしても、文展における受賞は、画家の社会的ステータスを一挙に向上させる力をもっており、「今まで困窮の生活をつゞけてゐた無名の画家が授賞されるや一躍して大家と目され書画屋が辞を低うして来訪する、といふやうな現象も起るに至つた」(森口多里『美術五十年史』)。日露戦争後、美術品の需要は、日本画を中心に日毎に増加する傾向にあり、文展はかかる傾向に指標を与えたのである。

ところで、絵が売れるとはいっても、当時は新画を商う店舗も少なく、洋画にいたっては、文展開設の頃はまだ市場もまったく形成されていないようなありさまであった。明治三七(一九〇四)年に、他に先がけてデパート方式の営業を開始した三越呉服店は、こうした状況に目をつけ、明治四〇年一二月、文展開設の直後に美術部を設け、画家と需要者をつなぐ「媒介者」(『三越』、明治四五年六月)として美術品(日本画、洋画、工芸、図案)の正札販売を始めた。文展が美術品の需要を促すであろう先行きを読んだ商法である。これ以後三越は、洋画団体に会場を提供するほか日本家屋の実情にかんがみた洋画小品展を催すなど、洋画の普及に功績を残し、日本洋画商史の第一頁に名をとどめることになるのである。美術部開設直後のPR誌『時好』(明治四一年一月)は、「時好彙報」欄に美術部新設を告げる記事を掲げ、次のようにしるしている。

絵画の如きは既に表装し、又は額縁を嵌められたれば、直ちに床間、楣間(びかん)に掲げて日夕の楽しみとなし得らる丶のみならず、御進物として内外の賓客に贈呈せらる丶などには最も便利なることとなるべし。[7]

また、同じ号には、「新設美術部陳列品」と銘打って黒田清輝と岡田三郎助の作品が写真版で掲げられ(日本画は橋本雅邦と下村観山)、寸法と値段がしるされているので、参考までに左に引いておくことにしよう。公務員(高等官)の初任給が五〇円(基本給)だった頃のことである。

黒田清輝氏筆(油画) 朝霧 巾一尺一寸 丈八寸五分 代価五十円
岡田三郎助氏筆(油画) 巳里郊外 巾九寸 丈七寸 代価六十円[8]

船戸洪は昭和三二(一九五七)年の『芸術新潮』(八月号)に寄せた「デパート美術部繁昌記」というエッセイのなかで「日本のギャラリーの主、画廊主たちは、他の国に類を見ないほどに巨大な組織を持つている。私の見たいくつかの画廊は、美術品ばかりか、電気洗濯機やトースター、あるいは女性たちのブラウスまで売つていた」というフランス人某氏の皮肉を引いて、「心、つまり芸術作品を洗濯機やブラウスと一緒に商つているのは、世界中で、まず日本のデパートをおいてほかにはないといえよう」としるしている。世界に類をみないデパート美術部の伝統はこうして、文展の副産物として誕生したわけであり、同時に、洋画の市場も、ともあれ一応ここにおいて緒につくことになったのである。

しかし、それによって洋画家たちの境遇が一躍向上したかというと、どうも、そうではないらしい。夏目漱石は、大正元（一九一二）年の第六回文展に関して書かれた「文展と芸術」のなかでこう述べている。

芸術を離れて単に坊間の需用といふ社会的関係から見ると、今の西洋画家は日本画家に比べて遥かに不利益の地位に立つてゐる。彼等の多数は隣り合せの文士と同じく、安らかに其日〱を送る糧すらも社会から供給されてゐない。彼等の製作の大部分は貨幣と交換され得べき市場に姿を現はす機会に会ふ的（あて）もなく、永久に画室の塵の中（うち）に葬むられ去るのである。画室！　彼等の或ものは恐らく自己の生命を葬るべき画室すら有（も）つてゐないだらう。彼らは食ふ為でなく、実に餓ゑる為、渇する為に画布に向ふ様なものである。［9］

美術館――〈制度〉としての美術

明治になるまで「美術」という概念も、したがって美術館というものも存在しなかったこの国において、常設美術館の建設をめざす動きが起こった早い例としては、明治一四

（一八八一）年に高橋由一がたった一人で起こした「螺旋展画閣」建設運動［402頁、図37］があり、美術界としては、明治三〇年代に最初の盛り上がりをみせた。この三〇年代の運動は、明治美術会、日本美術協会、東京彫工会などに拠るいわゆる旧派の作家たちによって、政府への美術保護要求運動の一環として展開されたものであるが、この運動は、目標を達成するまでにはついに至らなかった。博物館付属の美術品陳列館である表慶館が、美術家たちのはたらきかけによって、明治四二年に開館されており、これを美術館建設運動の成果とみなすこともできないではないものの、これは、しかし、美術家たちのもとめたところとはほど遠い施設であり、また、独立した美術館でもなかった。

ただし、三〇年代の美術館建設運動が、たとえはかばかしい成果を挙げなかったとしても、それは、あくまでも実際問題としてのはなしであって、これを理念的なレヴェルでみるならば、この運動は充分に目的を達したといえるのではないかと思われる。すなわち、美術館というものをたんなる施設としてみるのではなく、美術の自律性を保障する〈制度〉を具体化したものとして、あるいは、美術の〈制度〉のメタファーとして捉えるならば、明治の三〇年代に起こった美術館建設運動は、その所期するところをみごとに実現したとも考えられるのだ。

ここにいう〈制度〉とは、人間が作為した、自然に対立するシステムというほどの意味であるのだが、〈制度〉を意味する欧語 institution が公共施設（建築）をも意味する言葉であり、その語源が「打ちたてること」を意味するラテン語の instituere であることを思うならば、さほど無理なく、美術館と〈制度〉としての美術とをイコールで結ぶことができると思う。そして、このような見方にたつとき、美術館建設運動とは、とりもなおさず美術を一つの〈制度〉として確立せんとする動きであったということになるわけで、たとえば高橋由一の「螺旋展画閣」設立運動は、そうした意志の、いちはやい現れであったということができるし、また、明治三〇年代の美術界に起こった美術館建設運動は、かかる意志が、一般化したことを意味するといえるのである。

明治三〇年代の美術館建設運動が、美術を〈制度〉として確固たらしめんとする動きであったとするならば、その動きは、まず明治初期以来、美術というものを勧業の立場から捉えてきた官の姿勢を鋭く問題化せずにはおかぬであろうし、その結果、美術と産業のあいだに位置する工芸なるものの処遇が問われることになるはずである。この二点がはっきりと示されている史料を引いておこう。明治三六年の第五回内国勧業博覧会を批評した久米桂一郎の「博覧会出品部類法の不条理」の一節である。

今回の分類法の不備なる点は一々之れを指摘するに遑(いとま)あらずとするも、茲(ここ)に最も不都合なるは美術と美術工芸とを混同し、同じ性質の物品を美術部と工芸部とに離隔配置したのである。……美術の性質判然定まりたる絵画、彫塑、製版及び建築のみに限られてあれば、何の異論もないのであるが、あたら美術工芸品即ち金工、漆工、陶磁、七宝、染織、刺繍、印刷、写真等の如き、其美術範囲の判明なり難きものを網羅し来つて、之を一場に併せ納むるの組織を以てしたるは、僕等の最も遺憾とする所なるのみならず、亦日本今日の博覧会に於ける一大欠点である。欧米諸国の博覧会に在つては、ヨシ如何に美術的精巧品と雖も其性質の工芸に属するものは、決して之れを美術館に出品することを許さない。（傍点引用者）[10]

久米は、同じ博覧会を批評した「大阪博覧会に於ける美術の待遇」という文章のなかでは、工芸が、絵画や彫刻よりも優遇されていると指摘して、「美術は工芸の為めに蹂躙せられた」とまで書いている。しかし産業本位の官が主催する博覧会であれば、工芸こそは美術の目的、美術品の雄たるものということになって当然であろう。久米は、それに対して、「欧米諸国の博覧会」をひきあいに出して美術とは、そもそも「絵画、彫塑、製版及び建築」のことであると批判し、自律的な美術の在り方を主張したのである。あるいは、こういってもよい。久米は、官の勧業政策によってそれまで美術の枢軸とみなされてきた工芸を非美術として斥け――もしくは美術の周縁に追いやり――絵画、彫刻を中心とするような西欧流の（一九〇〇年のパリ万国博覧会で工芸と美術が区別して展観されたことにみられるような）〈制度〉を確立すべきであると主張したのだ、と。

なぜここで西欧流の〈制度〉がもち出されねばならなかったのかということについては、「美術」という語が、そもそも欧語からの翻訳によって作り出されたものであり、西欧の文化的コンテキストに連なるものであるということを想い出せばとりあえず納得がいくはずである。

ところで、いま引いた久米桂一郎の文章は三〇年代の美術館建設運動とは直接の関係はない。この文章が書かれたのは、運動が盛り上がりをみせた頃より少しあとのことであるし、三〇年代における美術館建設運動に白馬会は参加していなかった。また三〇年代の美術館建設運動には工芸家も参加しており、それは、必ずしも工芸を排除するものではなかった。しかし、美術館建設運動を、〈制度〉としての美術を確立せんとする動きとして捉え直すならば、久米の論と美術館建設運動を切り離して考えるほうが、むしろ不自然であるだろう。久米の論にみられるような構想は、美術館建設運動のゆきつくべきところを示したものとみられるはずなのである。換言すれば、ここに引いた久米桂一郎の論は、美術を美術として自律させる〈制度〉を、根源的に、つまり西欧流のやり方に従って確立するとはどういうことであるかということを同時代に示したものといえるのだ。

美術を自律せしめる institution＝制度。明治時代においてそれは、美術館という独立した institution＝公共施設（建築）としては、ついに実現されなかった。しかし、美術の institution＝制度は、別のかたちで立派に実現した、ということはできる。別のかたちとは、すなわち文展である。国家が、初めて文教の立場から開催したこの美術展覧会は、久米桂一郎の構想をなぞるかのように絵画・彫刻のみを内容として開かれ、工芸はこの美術展覧会から制度的に切りすてられてしまったのである。

明治四〇年代に入ると、洋画団体の主要な展観場であった竹の台陳列館の借館問題が起こったことや文展開設という刺激もあって、美術館建設運動は再び大きな盛り上がりをみせ、明治四三（一九一〇）年にピークをむかえる。そのさなかに『東京日日新聞』（明治四三年三月一九日号）は、常設美術館の必要を説く記事を掲げ、「新美術殿は東洋美術の歴史的宝庫たると同時に、明治美術の現代的表象たるを要とす。即ち此新美術殿は、動静二面の効用を兼ね、長へ(とこしへ)に世界芸苑のメッカたる可き者也」としるしている。「明治美術の現代的表象」としての美術館とは、三〇年代の運動において最も切実にもとめられたところであるのだが、すでに述べたように、それは、ついに明治においては実現されなかった。洋画のこととしていえば、三〇年代において洋画の知識や技法が普及し、文展の開設によってさらに広汎な公衆が形成されつつあったにもかかわらず、大正一五年に東京府美術館が開設されるまで、大展覧会の会場としては、竹の台陳列館など博覧会で用済みになった建物が主に利用されるという状態にあり、また、系統的なコレクションをめざす本格的な近代美術館の実現は、戦後の神奈川県立近代美術館の開館（昭和二六年）まで待たねばならなかったのである。

しかしながら、美術館＝institutionという見方をここに適用するならば、はなしの筋はちがってくる。先にも述べたように、同時代美術のためのinstitutionをめざした三〇年代の運動は、文展の開設というかたちで、所期の目的を達し（てしまっ）た、といえるからだ。けだし、文展とは、こうして「見えざる美術館」であったといえるのである。

大正へ——中間性ということ

フランスのサロンを模して創設された文部省美術展覧会は、明治三〇年代の美術が陥っていた小会分立状態を収束すると同時に、自発的な美術の動きに対する抑えともなった。文展は、こうして美術界に君臨しつつ、国家にとって望ましいかたちの美術を「国定芸術」として創出してゆく一方、副産物として洋画の市場を誕生させ、また、絵画・彫刻を中心とする美術のヒエラルキーを確立して、美術の制度化を推し進めてゆくことになる。しかも、文展をめぐって、にわかに活気づいてきた美術ジャーナリズムは〈批判的言説も含めて〉かかる制度化を民衆レヴェルで推し進めていった。こうした官民の動きが相俟って、美術とその鑑賞は、文化システムとして社会的に確立されていったのである。

しかし、明治も終わりに近づくと「国定芸術」と相い容れぬ動きがみられるようになり、やがて、そこから反官設展の立場をとるグループや展覧会が生まれることになる。だが、それらは、結局、文展において確立された〈制度〉としての美術を補強するものであり、いわば文展と地続きであったといえるばかりか、そこにはらまれた耽美主義的傾向において芸術家神話を誕生させてゆくことにもなるだろう。

一九二〇年代に入ると、今度は、このような反官設展の動きに対して、さらに〈反〉をつきつける前衛主義が台頭し、「美術」ならぬ「造型」を旗印に、「反芸術主義」が唱えられることになる。明治が築いた「美術」という〈制度〉じたいが、激しい批判にさらされることになるのである。大正時代は中間の時代といわれるが、その中間性が、かかるラディカリズムを生み出したのだ。

中間的というのは、折衷的、中庸的、微温的といった言葉と意味の重なりをもつ。しかし、すくなくとも大正時代を特徴づける中間性は、このような意味合いとは、いささか趣を異にするといわねばならない。つまり、この時代を特徴づける中間性とは、さまざまな次元、さまざまな方向、さまざまな水準へと分解してゆく可能性の別名であると理解できるのだ。そして、美術のこととしていえば、かかる中間性は、明治の文展作品においてすでにはらまれていたのであった。

それでは、文展とは可能性を秘めた一つの種子であったのだろうか。あるいは、そうかもしれない。文展風と称されるあの平俗で中間的な表情は、国家というものが、個へと傾く民心において相対化され始めた明治末のちょうどその時期に生み出されたものであるのだから。

註

[1] 正木直彦『回顧七十年』(学校美術協会出版部、一九三七)、二六一頁。

[2] [1] に同じ、二八五頁。

[3] 坂井犀水『黒田清輝』(聖文閣、一九三七)、一七九〜一八〇頁。

[4] 日展史編纂委員会編『日展史』第一巻「文展編一」(社団法人日展、一九八〇) および同第二巻「文展編二」による。

[5] [4] に同じ。

[6]「新聞の噂」、『絵画叢誌』二七二号、二頁。

[7]「時好彙報」、『時好』第六巻第一号、二七頁。

[8]「新設美術部陳列品」、[7] に同じ、図版頁。

[9] 夏目漱石「文展と芸術」、『漱石全集』第一六巻 (岩波書店、一九九五)、五三二頁。

[10] 久米桂一郎「博覧会出品分類の不条理」、『方眼美術論』(中央公論美術出版、一九八四)、五六〜五八頁。

国家という天蓋――「美術」の明治二〇年代

建築＝制度

明治二〇（一八八七）年四月発行の『大日本美術新報』第四二号に載った「明治十九年の美術世界」という無署名記事は、「美術」が世間から注目され、美術をめぐる制度の整備が着々と進められつつある成り行きに賛意を表明している。この記事における「美術」は、ウィーン万国博覧会参加に際して定義された諸芸術の意味ではなく、絵画と彫刻に代表される視覚芸術の意味に限定されている。近代文明における視覚の優位性に由来するこうした用法は、内国勧業博覧会や工部美術学校などの制度を通じて徐々に一般に浸透しはじめていたのである。記者は、「美術」の社会的な形成と定着に注目しながら、こう書いている。

今日美術の声世間に喧しく政府の用字となりたるは畢竟民間に於て龍池会、絵画鑑画（ママ）等の諸会数年の間幾百回の演説に集会に喋々之を弁ぜし結果にあらずや。然らば今日の美術の字面は数年間民間にありて磨洗されしものにしてはじめて世間の要用文字となりしなれば之を欣喜せずして可ならんや。[1]

「美術」の社会的定着を民間の啓蒙活動に帰しながら、しかし、この記事は、制度による官の動きを重視していないわけではない。どちらかといえば、官が「美術」の社会的な形成に主導的な役割を果たしつつあることを、この記事は積極的に認めている。記事は、このすぐあとで東京美術学校の設置計画にふれて、官によるバックアップを前提とする「美術家」の自助努力の必要を説いているのだ。記者は、官による「美術」の制度的構築と、民による社会的形成の相互的なかかわりを重視しているのである。

東京美術学校は、アーネスト・フェノロサと岡倉天心がひきいる革新的国粋主義の成果であったから、その方針については西洋派の美術家たちから批判が出たのはもちろんのこと、保守系の国粋主義者たちとも齟齬するところがあった。しかし、美術を制度的にバックアップすることじたいについては保革東西の別なく大方が賛同しており、その点について「明治十九年の美術世界」という記事は時の声を代表するものであったということができる。

とはいえ、なかには、たとえば明治二二年の『美術園』第九・一〇号に紫海小漁纂訳として載った「美術の文化に及ぼす影響を論じて其制度の良否に及ぶ」[2] のように、「行政は機械に運動して、技術上に唯随処不変の保護を与ふるのみ、行政は冷淡なる抽別的の保護を与ふるのみ」と「行政保護の危険」を指摘する論もあり、このような論の存在は、官尊民卑へと傾いてゆく明治という時代の在り方にかんがみて特筆すべきことではあるものの、美術関係者の大方が、美術は制度的に奨励し、保護すべきものであるとする考えに傾いていたのは確かで、これはフェノロサやワグネルらお雇い外国人たちの意見でもあった。というより、彼らの意見が世論の形成に大きな影響を与えていたのである。官によるにせよ、民によるにせよ、「美術」は制度的にバックアップされなければならない。これが「美術」界の公論であった。

たとえば、明治一五(一八八二)年に、国粋主義の拠点であった龍池会から出版されたフェノロサの『美術真説』は、美術の国粋主義運動に理論的脊柱を与えたことで名高いが、その末尾においてフェノロサは、官民いずれかによって美術協会を設立し、会館を建てて展覧会を開き、将来的には美術館の建設を期するべきであると具体的な主張をおこなっている。このようなフェノロサの主張を承けるかのようにして同年中に早速、農商務省主催の内国絵画共進会が開催され、また、フェノロサを中心とする鑑画会という名の美術協会が明治一七年に活動を開始することになるのである。

龍池会の後身である日本美術協会が、明治二一年に上野に竣工させた陳列館を兼ねる会館も——革新的な鑑画会に拠るフェノロサらと龍池会＝日本美術協会とは対立関係にあったとはいいながら――『美術真説』におけるフェノロサの提言とのかかわりで、おそらく捉えることができる。しかも、ここには、もう少し深い意味を読み取ることも可能である。制度を意味する英語 institution が公共建築の意味をもつように、制度は建築のかたちで最も明快かつ確固たるかたちを与えられるのであってみれば、日本美術協会の会館は、「美術」を制度として確立しようとする意志の現れとして捉えることができるはずなのだ。この建築は当初、「工芸美術館」として構想されたものであり、しかも、煉瓦による確固たる洋風建築になる予定であった。結局は、資金不足その他の理由で木造となったものの、龍池会＝日本美術協会は最後まで煉瓦造りに固執しており、こういうところにも、確固たる制度を求める心意をうかがうことができる。

建築といえば、フェノロサは、絵画と建築との結びつきが美術奨励の重要な手段であることを説いて、明治の建築が装飾を欠くことをしばしば批判している。これは、西洋における美術の在り方に照らして――また障壁画の伝統に照らしても――正統的な主張であった。美術の中心に建築を位置づけるこうした発想は、やがて、作品の自律性を極端に重んじるモダニズムの隆盛のなかに見失われてゆくことになるのだけれど、明治のこの時代には、いまだ重きをなしていたのであり、その最も重要な例は、明治二一年に竣工したいわゆる明治宮殿の奥宮殿を飾った杉戸絵に見出される。日本美術協会系の画家たちが中心となって制作したこの杉戸絵は、国粋主義絵画運動のモニュメントとなったばかりか、美術奨励の中心をなす一大事業でもあったのだ。明治宮殿の装飾画家を選定する意図を含んで内国絵画共進会が開催され〔3〕、宮殿装飾のために顔料の調査が進められ、また、杉戸絵制作に携わった画家たちは、明治二三年に創設される帝室技芸員に次々に任命されてゆくことになるのである。

事は国粋主義運動にばかりかかわるわけではない。明治宮殿の造営には、工部美術学校の出身者たちも加わっていた。日本初の美術学校であるこの学校は、「家屋装飾術」の習得を重要な目的の一つとして掲げていたのだ。

この時代の美術は、国粋派も西洋派も建築を美術の重要なよすがとしていたのであり、先に引いた『大日本美術新報』の記事は、そのような状況を「其筋に於ては議院諸省建築の一条より美術の必要なるを感じ、一時美術省を設置すべしとまで論ぜられし貴紳もありしやに伝聞せしが」云々としるしている。

画題としてのナショナリズム

日本美術協会は、陳列館に「行啓御休憩所」を建設するにあたって、明治宮殿造営の「残木」の下賜を願い出ている。協会は、また、龍池会時代に有栖川宮熾仁(ありすがわのみやたるひと)親王を総裁に迎え、日本美術協会となるにおよんでは「本会ハ皇族ヲ迎テ総裁ト為ス」と規則に定めるなど、天皇を最高権力者とする明治憲法体制の構築にみずからを積極的に組み込んでゆく岡の土地に建設されたのであった。

しかし、体制に擦り寄る動きをみせたのは日本美術協会ばかりではない。明治の美術は総じて「国家という天蓋」のもとにあった。しかも、国家体制への順応は、何も組織や制度の面にばかり認められるわけではない。絵画そのものもまた、たとえば明治宮殿や、明治天皇の事績を顕彰する聖徳記念絵画館にみられるように、国家の制度＝施設へと組み込まれてゆくことになるのであり、展覧会の絵画についても、画題のうえに、そのことははっきりと現れている。

花鳥の主題が、天皇制国家の情緒的根幹にかかわることはいうまでもないとして、近代化のなかで新たに台頭してきた主題として、まず第一に挙げられるべきは歴史という主題であろう。歴史が時代のテーマであることは、明治二二年の『國華』発刊の辞で、「歴史画ハ国体思想ノ発達ニ随テ益振興スベキモノナリ」と高らかに宣せられている。現象としては、『日本』新聞が、それに先だって歴史上の人物を主題とする絵画と彫刻の懸賞募集をおこない、また、『國華』創刊の翌年に開かれた第三回内国勧業博では、岡倉天心らの慫慂もあってか、歴史に取材した絵画が目立ち、西洋派を代表する明治美術会の画家たちも歴史・神話に取材した絵を出品して議論を呼んだ。また、フェノロサと岡倉天心の路線とは何かと抵触するところのあった日本美術協会も機関誌『日本美術協会報告』第二三号で「國華ノ発兌」を報じ、創刊の辞について「論旨高尚且的実ニシテ本会ノ目的ト符ヲ合スルガ如シ」とするしている。国家的主題として歴史画を重視する『國華』発刊の辞は美術界の世論であったといってよいだろう。

このほかにも、たとえば大森惟中は、明治二二年の『美術園』第一五号に独幹敖史の名で寄せた「歴史画の必要」で「夫れ忠臣孝子節婦義民の美談は大に世の風教を扶くるを以て其状態を写出して之を伝ふるは亦歴史画の必要とする所なり」と述べており、また、くだって明治二五年の『絵画叢誌』第六一巻の論説では、野口勝一が「歴史画を作るもの亦風教を忘るべからず、教育画を作るものも亦歴史を省みざるべからず」(「歴史教育画論」)と主張しているが、これらの発言はたんなる道徳論ではない。これらは、歴史をめぐる諸観念によって国民統合を果たそうとする、たとえば「教学聖旨」にみられるような政治的企てと呼応するものであった。国民国家という「想像の共同体」(ベネディクト・アンダーソン)を形成するべく、この時代の絵画は――「日本画」という名の近代絵画の創出に端的に示されるごとく[5]――政治の舞台で大きな役を振られていたのだ。

ところで岡倉天心は第三回内国勧業博の「審査報告」で「将来ニ発達スベキモノ極メテ多シト雖ドモ、先ヅ其重要ナルモノハ歴史画及ビ浮世画是レナリ」と指摘し、「顧フニ歴史画ハ即チ過去ノ浮世絵ナリ、而シテ浮世絵ハ則チ現在ノ歴史画ナリ」と述べている。また、鑑定家として知られる前田香雪は、明治一九年の『龍池会報告』第一七・一八・二〇号に寄せた「浮世絵師に一言す」で「現在の人物世態風俗の変化に応じて写すを職とする浮世絵師は却て世に用あり益ある者とこそ云ふべけれ」としるして、浮世絵が明治時代の風俗を後世に知らせる史料となることに注意を喚起し、さらには風俗改良の役にも立つと述べている。明治初期まで、正統的な絵画の埒外に置かれていた浮世絵の価値を見直そうとするこうした動きは、基本的には西洋における浮世絵評価を承けてのことであったとしても、刻々と変化して止まぬ同時代の記録を浮世絵にもとめる発想は、歴史の転換期ゆえの危機意識に発するものであったというべきだろう。そのことは、たとえば先に引いた大森惟中の「歴史画の必要」の次のようなくだりに明瞭に示されている。大森惟中は、「抑も明治維新の後制度風俗全く一変すといへども旧時を観るの人猶今日に少なからず、若し数十年を経て其人その法若くは其物或は一を欠き失ふときは決して事実を写すこと能はざらん」としるしているのである。

また、外山正一（とやままさかず）が、明治美術会における「日本絵画ノ未来」（『明治美術会第五回報告』所載）と題する講演で、第三回内国博に出品された歴史・神話画を批判しつつ、それに対して「人事的思想画」を提唱したのも、現在への関心に明治絵画の可能性を見出す点では前田香雪や大森惟中の発想と同笵（どうはん）といえるだろう。

近代国家草創期にふさわしい画題として見出されたのは歴史と風俗だけではなかった。近代国民風景もまた「ナショナルテースト」（柳源吉）にかかわる主題の一つであった。

国家と風景の関係といえば、日清戦争のさなかに出版された志賀重昂(しげたか)の『日本風景論』をさしおいて論ずるわけにはゆかないのだが、美術界においては、それに先立って早々と風景の発見がおこなわれていた。たとえば、志賀重昂が「「名山」中の最「名山」」、「全世界「名山」の標準」とした富士山は、室町時代には、すでに画題として一般化していたのだが、西洋と対峙する幕末以来の状況において、改めてナショナルなシンボルとして、あるいは「政治的風景」（マルティン・ヴァルンケ）として捉え返されていったのである。例を挙げれば、明治一七年に龍池会がパリで日本絵画展を開いた折に、会頭の佐野常民が画家たちを前におこなった演説の記録がある（『大日本美術新報』第一号所載）。そこで佐野は、探幽、常信ら狩野派の富士山図にふれて「漢土諸大家ノ長所ハ之ヲ取ルト雖モ自己ノ画ハ別ニ一機軸ヲ出スコト猶ホ富士山ノ美諸山ニ超過シテ固有ノ容姿ヲ具フルガ如キヲ示セシナルベシ」と、富士山を以て日本特有の美点を象徴させているのだ。また、佐野が事務副総裁を務めた明治六（一八七三）年のウィーン万国博のために高橋由一が《富嶽大図》を描いているのも見逃せない。明治政府が、初めて本腰を入

図7　高橋由一《富嶽大図》（高橋源吉縮図）
『日本』1894年　8月10日掲載

れて参加した万国博覧会に向けて描かれたこの絵に、「日本」という新興国家の名乗りの意識が込められていたのはいうまでもない。現在、この絵は行方不明だが、息子の高橋（柳）源吉による縮図［図7］が残されている。

風景について、もう一つ重要な言説を挙げておこう。伊澤修二が明治二二年一〇月の明治美術会臨時大会でおこなった講演の記録である（『明治美術会第四回報告』所載）。ここで、伊沢は、富士山に代表される日本の風景とアメリカの広大な自然を比較しながら、日本の風景の「組織構造」が火山と河川によって形成されたものであることを示し、日本が「美術国」であるのは、まさしくその風土によると、国土愛を込めて主張しているのである。明治の風景画の制作を技術的に支えたのは、目の当たりの風景を描き出そうとするリアリズムの構えであったが、作画の動機のなかに、伊澤修二の言説にみられるようなロマンティックな風土決定論を読み取ることも決して不可能ではないのである。

同様のことは、歴史画題についても指摘できる。歴史画の制作は、考証的リアリズムが重視される一方で、理想化、想像力などが当然ながら要求されるからである。この時代に、絵画における想像的なものを重視する発想が頭をもたげ始めたことは、外山正一、矢野龍渓（文雄）、井上哲次郎といった当時を代表する知識人たちが明治美術会でおこなった講演の記録にあきらかだ。たとえば井上哲次郎が明治二四（一八九一）年の明治美術会第三回大会でおこなった「日本ノ美術家ニ告グ」という講演の記録をひもといてみればよい。

そこには、「真ノ美術家ノ技倆」を「美術的想像」と同一視する発想が見出されるだろう(『明治美術会第一四回報告』所載)。

Kunst/Gewerbe

かくのごとく、絵画の明治は国家との深いかかわりのなかにあった。というより、明治の美術は、国家によってもとめられ、国家によって育まれていったのだった。美術をめぐる制度の確立や、何を描くべきかという問題は、国民文化の形成という、新興国家のアイデンティティに深くかかわる事柄だったのである。そればかりではない。美術は、国民経済の樹立という近代国家の基幹をなす事柄とも重要な関係をもっていた。すなわち、工業化とも密接なかかわりをもちつつ、明治の美術は展開していったのである。

ワグネルは、明治二〇年の夏に金沢の蓮池会でおこなった講演において「其古の名工は美術の考案と工芸の術と一人にして之を兼たる者多かりし」として、「欧洲も往昔は美術と工芸とは甚だ親密の関係を有せり。之れ往昔尚ほ工業地小にして其之に従事する人員も亦た随て小数なりしを以て一個人にして克(よ)く工芸家及び美術家たらざるを得ざりしが故なり」と述べている(『大日本美術新報』第四七号所載)。思うに、ここには、明治初期までの「工」なるものの在り方が的確に捉えられている。伝統的な「工」概念には、さまざまな実用品の製作とともに、絵画や彫刻の技術も含まれており、「工」の産物はすべてfineであることを期待される地平に置かれていたのであった。

ただし、ワグネルの発言が、歴史的現在に視点を定めて疑わない遠近法的な倒錯を含んでいることには注意を要する。というのも、明治初期以前のこの国には「美術」という概念は存在しなかったからである。つまり、ワグネルは明治の概念によって往昔の「工」について語っているのだ。

それから、ワグネルのいう「工芸」は、今日いうところの工芸のことでは必ずしもない。この点も注意を要する。「工芸」の一語が、現在のように美術工芸を意味するようになるのは明治三〇年代の半ば以降のことであって、それ以前には、工業の意味で用いられていたのだ。この点を押さえないとワグネルの主張を正確には理解できない。では、この時代において、いわゆる工芸は何と呼ばれていたのか。すなわち、「美術工芸」「美術工業」「応用美術」などというのが、その呼び名であった。このように明治期の工芸については、面倒な用語上の問題がつきまとうのである［6］。したがって、この時代の工芸に関する言説については、「工芸」や「工業」という熟語にこだわることなく、「工」一文字を指標として考察を進めるのが穏当であろう。

さて、「工」を目当てにこの時代の言説をたどってゆくと、明治初期に伝統的な「工」が向かうべき方向について二つの際立つ企てのあったことが認められる。一つは、機械工業をこそ興すべきだとする開明派官僚の企てであり、いま一つは、美術工芸立国論とでもいうべき企てである。いうまでもなく、結局のところ「工」の近代化は機械工業立国論の線に沿って展開されてゆくことになるのであるが、美術工芸の輸出に期待をかける美術工芸立国論も、かなり広く支持されており、「考古利今」をスローガンとする龍池会＝日本美術協会はいうにおよばず、明治美術会の規則にも、その事業の一つとして「工芸者ノ依頼ニ応ジテ其製品ニ品評ヲ与ヘ又ハ図按ノ需メニ応ズルコト」という一条が見出される。その根強さは、『特命全権大使米欧回覧実記』（以下『米欧回覧実記』）が、「炭鉄ノ欧州ニ於テ、工芸ヲ補助シ、国民ニ営業力ヲ増加セシムルコト、其功用ハ実ニ莫大ナルモノナリ……徒ニ手技ノ巧ヲ善ヒ、陶、銅、漆ノ工ニテ些少ノ輸出ヲナシ、工芸ハ此等ノ業ニアルト謂フハ、大ナル誤リナリ」（第五〇巻）と諭し、「東洋人ヤ、モスレハ、人民必要品ノ工業ヲ豊足ニスルコトヲ遺漏シ、直ニ美術ノ工ヲ以テ、工業ノ目的トナスハ、甚タ本末ヲ失ヘリ」（第九二巻）と牽制するほどであった。

美術工芸立国論の台頭は、岩倉使節団も立ち寄ったウィーン万国博で日本伝来の手工業品が好評を博したことに起因し、また、かかる主張の根底には日本が西洋に勝てるのは美術のみだという悲愴なナショナリズムがはたらいてもいた。美術工芸立国論は、機械工業では、とても西洋に太刀打ちできないとする敗北主義と表裏の関係にあったのだ。こうした発想は、たとえば明治一九（一八八六）年一一月の龍池会の例会でワグネルがおこなった「美術ノ要用」と題する講演に端的に認められる（『龍池会報告』第一九・二〇号所載）。

そこでワグネルは「工業ノ進歩ハ絶妙美術ノ進歩ト其応用トニアリ。日本工業ノ繁栄ハ全ク機械ノ作用ヤ理学ノ応用ノ如キ外国資本ヲ借リ得ベキ事ニ関スルト思フハ害アル誤ナリ」と主張しているのである。

ここにワグネルのいう「絶妙美術」とは現在のいわゆる純粋美術のことであり、ワグネルは、それと「工」との関係を重視したのだが、ちょうどこの講演がおこなわれた頃から、「絶妙美術」を「工」から分離しようとする「美術」観が頭をもたげ始める。「美術」の純粋な在り方が自覚的に探究され始め、かかる志向に沿って、絵画の精神性が強調されてゆくのである。それは、視覚的な純粋性を基準とする絵画―彫刻―工芸という視覚芸術の階層秩序の形成を意味してもいた。

こうして美術が純粋化される一方で、産業革命の進展にともなって「工」は、美術を遠く離れて、製造業としての合理的な在り方を追求し始める。その結果として、蓮池会におけるワグネルの講演に見出されるような往昔の「工」概念は分解を遂げざるをえない。日本美術協会の幹事であった農商務官僚の山本五郎が明治二〇年代の初めに金沢工業学校でおこなった講演の一節に、そのあたりの事情が如実に示されている。その講演で山本は、「工業」は「独逸語ゲウェルベ」、「美術」は「クンスト」のことであって、「工業」は化学や力学にもとづく分野、「美術」は美学や哲学にもとづく分野であるというように両者の差異を説いているのである(『日本美術協会報告』第二一号所載)。ウィーン万国博に参加するに際して造語された「美術」が、その初出でKunstgewerbe（工芸美術）に対応していたことを思うと、この山本の講演は、一つの時代の終結を示して、ほとんど象徴的ですらある。

とまれ、こうして「美術」という新語があてられたKunstgewerbeは、Kunst（美術）とGewerbe（工業）とに分解される。それは、また、KunstとGewerbeを融合的に含む旧来の「工」概念の解体にほかならなかった。

山本の言説に示されるような動きが、分類体系と分業体制の近代化の動きに対応するものであったことはいうまでもない。「美術」の純粋化は、「美学」という新しい学問の台頭、時代区分を踏まえた「美術史」の自覚的な論述、美術業界における分業化の進展——批評家、学者、作家、プロモーターの成長——などと連関しつつ、産業再編成全体の動きと連動していたのであり、このような観点からすれば、「美術」の純粋化は、産業革命を背景とする制度化の問題として捉え直すことができるだろう。

モダニズムの倒錯

明治二〇年代の美術は、一九世紀末の国際社会の動きを背景とする日本の政治経済と深い結びつきをもっていた。明治一〇年代から引き続くこのような美術の在り方は、たとえばアジア太平洋戦争における戦争記録画や、社会主義体制下におけるプロパガンダ芸術にみられるような美術と国家の悪縁を思わせずにはおかない。あるいは、それを、西洋から移植された美術思想の誤訳の実例とみることも可能だろう。

しかし、これは、あくまでも、一つの見方にすぎない。明治二〇年代の美術と国家の関係を悪縁と観じ、誤訳と断ずるのは、美術の自律性を金科玉条とするモダニズムの芸術観にとらわれているからなのだ。

そればかりか、かかる見方に対しては歴史的な遠近法の倒錯さえも指摘しなければならないだろう。美術のモダニズムは、美術と工業の分離にみられるように、政治経済的な事柄と連動する分業化の過程において――つまり、「美術」を含む近代の枠組みの確立と相即的に――形成されていったと考えられるからである[7]。

註

[1]「明治十九年の美術世界」、『大日本美術新報』第四二号、一頁。

[2]ただし、第一〇号のタイトルは「美術の社会に与ふる影響を論じて其制度の良否に及ぶ」となっている。

[3]関千代「内国絵画共進会」、東京国立文化財研究所美術部編『明治美術基礎資料集』(東京国立文化財研究所、一九七五)参照。

[4]佐藤道信「『龍池会報告』解説」、『近代美術雑誌叢書5』別冊(ゆまに書房、一九九一)参照。

［5］拙稿「日本画という名の近代絵画」、『武蔵野美術』第九九号参照。

［6］鈴木健二「工芸」、『原色現代日本の美術』第一四巻（小学館、一九八〇）参照。

［7］この過程はリアリズムの転位の過程としても捉えられるのだが、ここでは行論の便宜上、分業の過程に関説するにとどめる。拙著『岸田劉生と大正アヴァンギャルド』（岩波書店、一九九三）参照。

美術における「日本」、日本における「美術」――国境とジャンル

「国民」の形成

一つの国家を共有する単一民族というイメージが支配的なこの国においては、国境は――島国という地理的条件のせいもあって――ごく、自然な成り立ちをもつように思われがちである。しかし、たとえばドイツとオーストリアの歴史をみても、また、大韓民国と朝鮮民主主義人民共和国の関係や、中華人民共和国と中華民国の関係をみても、一つの民族が一つの国家を形成するとはかぎらない。アメリカや旧ユーゴスラビア連邦に典型的にみられるように、多民族がひとまとめに国境で囲まれる場合もある。民族を自然と考える立場からするならば、国境はしばしば不自然な在り方を示す。これについては、じつは日本も例外ではない。

近代日本における国境問題は、対馬や小笠原諸島の帰属もさることながら、その焦点は――げんに北方領土問題や尖閣諸島問題に示されているように――列島の南北両端に認められる。そもそも、明治維新後、近代国家としての日本の領土は、千島列島と、沖縄とい

う南北のボーダーを画定することで、一応のまとまりを得たのであった。ただし、いうまでもなく、これは領土の広がりという量的な問題にとどまる事柄ではない。事柄は、文化の質にも深くかかわっている。これによって、日本国家はアイヌ文化圏と琉球文化圏を明確なボーダーの内に含み込むことになったからだ。

もっとも、沖縄に関しては、本土との文化的差異は地方差にすぎないと一般にはみなされがちである。しかし、民俗学の福田アジオの指摘によると、事はそれほど単純ではない。洗骨改葬の風習がみられることや、仏教の普及が上層階級にかぎられたこと、村落に氏神・鎮守がみられないことなど本土の文化とひとしなみに捉えることのできない独自性を沖縄の文化はもっている[1]。また、沖縄学の外間守善(ほかましゅぜん)は、沖縄の言葉と本土の言葉は、フランス語とイタリア語ほどの開きがあり、英語とドイツ語より開きが大きいと認めている[2]。単一言語と単一文化が、しばしば民族の条件とされることからすれば、こうした隔たりがあることは決定的である。琉球文化と本土の文化のちがいを単純に地方差と捉えるのは無理があるのだ。

要するに、国境の南北に注目すると、日本は、多民族国家であるといわざるをえないわけであり、しかも、これは、国土の南北についていいうるばかりではない。たとえば正月に餅を飾らない芋正月の事例など、文化的亀裂は、国境の奥深く、本土の内部においても認められる。稲作農耕民としての「常民」の文化とは異なる文化の保持者が存在するわけである。

しかも、日清戦争で台湾を領有することとなって以後敗戦に至るまで、日本国は、諸民族を公然とその支配下に置いていたのであるから、すくなくともその時期の日本が単一民族国家でなかったことは明白な事実であり、日本国家論の主流も、戦前は、そうした政治状況に応じて混合民族論へと傾いていったのだった。現在の日本においては、むしろ単一民族説が常識化しているものの、それが主流になるのは、小熊英二が『単一民族神話の起源』で述べているように、敗戦によって植民地を失い果てた戦後のことなのである［3］。この単一民族国家観が──たとえば国籍法の運用にみられるような──同化主義の拠り所とされてきたこと、それによって、さまざまな抑圧を生んできたことは、いまさら指摘するまでもあるまい。

それでは、抑圧に関して戦前の混合民族国家論はどうであったかというと、これも、日本民族というものを実体化し、そこへ植民地の多くの民族を同化させようとする発想を含んでおり、単一民族国家観以上に抑圧的な機能を果たしたといわなければならない。日本帝国主義のイデオロギーとして機能した混合民族国家論は、「混合」というレトリックによって共和的幻想を振りまき、そうすることで異民族の他者性を曖昧化し、小熊のいうように、「出来そこないの日本人」［4］に変えてしまうトリックとして用いられたのだ。その行き着くところが、日本語使用の強要や、日本名への強制的な改名などにみられる、偏狭かつ極端な同化政策であったことはいうまでもない。こうした発想から、アイヌ民族と琉球民族は、のちにみるように、「日本人」の人種的なボーダーラインとして捉えられることになる。

このようにみてくると、一つの領土、一つの国家を共有する単一民族というイメージが、いかに蒙昧な発想であるか判然としてくるのだが、じつはさまざまな亀裂や差異を覆い隠してしまう、この単一民族という幻想こそ、日本「国民」というものの正体にほかならず、近代の日本は、こうした「国民」を本体とする「国民国家」としてみずからを虚構していったのだった。

もっとも、「民族」をいかに定義し、「国民国家」をどう定義するか、これは、なかなかむつかしい問題である。しかし、ここで考察を進めるためには、さほどの厳密さは必要あるまい。「民族」については、とりあえず「文化的共通性を軸に形成された共同体」というほどの定義で充分事足りるだろうし、「国民国家」については、以下のような専門家の定義を援用しておくことにしたいと思う。歴史学研究会がまとめた『国民国家を問う』にみられる木畑洋一の定義である。

国民国家（ネイション・ステイト）とは、国境線に区切られた一定の領域から成る、主権を備えた国家で、その中に住む人々（ネイション＝国民）が国民的一体性の意識（ナショナル・アイデンティティ＝国民的アイデンティティ）を共有している国家のことをいう。

［5］

「国民国家」がいかに虚構されたかという観点から、この定義を読み返してみると、そこから、〈統合〉と〈分類〉という二つの手続きを引き出すことができる。すなわち、「国民国家」を構成するということは、まず、国境内に人々を囲い込んで形式的に〈分類〉し、さらにその集団に「国民」としての内実を与えるべく、それを権力によって〈統合〉してゆくことにほかならない。

近代日本における〈統合〉は、「日本人」を、天皇を奉戴する稲作農耕民として想い描くことによっておこなわれた。マジョリティの「民族」性——もしくは自己規定——によって、すべてのエスニシティを〈統合〉することがもくろまれたわけである。いいかえれば「大和民族」によって「日本人」を代表させようという企みであり、かかる発想から明治政府は、交易と狩猟の民であるアイヌ民族を「北海道旧土人保護法」（明治三二年）のもとで農業に従事させようと試み、沖縄においても、方言の使用を禁止するなどの「皇民化」を進めてゆくことになる。

〈統合〉は、とりもなおさず統治にかかわる問題であり、維新革命の主体は、新たな〈統合〉のための政治体制を編み出さなければならなかった。すなわち、中央集権と地方分権の関係のうえに成り立っていた幕藩体制を純正な中央集権制に改めるプロセスが、こうして始まる。二六一の藩を解消して行政区画に国土を再〈分類〉し、さらに、身分制を超えて国民的絆を人々のあいだに創出する体制を整えてゆくことになる。廃藩置県（明治四年）、徴兵制の施行（六年）、学制の発布（五年）、地租改正（六年）、内国勧業博覧会の開催（一〇年）、憲法の制定（二二年）、議会の開設（二三年）、日清（二七年）・日露（三七年）戦争……これらを通じて、明治政府は、〈統合〉と〈分類〉の事業を着々と推し進めていったのだ。

こうした〈分類〉と〈統合〉への意志は、明治初期の造型史のうえにも大きな影を投げかけている。近代化へ向けて大きく再編されていった明治初期の造型史は、国民国家「日本」の構築プロセスと深いかかわりをもつのである。国家と美術というと、歴史画など主題性にかかわる事柄が、まず思い浮かべられるが、「美術」と称されるジャンルの編成じたいが、国民国家の形成へ向かうのと同じ意志の力、発想によって進められていったのだ。「美術」という分類枠の成り立ちを顧みながら、そのプロセスをたどってみることにしたい。

「美術」という〈分類〉

日本における「美術」という分類枠の成り立ちに関して第一に指摘しなければならない

のは、それが社会的な過程を通じて自然に形成されたものではなく、「文明開化」のなかで、きわめて人為的に作り出されたということだ。いいかえれば「はじめに言葉ありき」というのが「美術」概念形成の実情であった。「美術」という言葉が投げ込まれることで、それを中心に領域化が始まったわけだが、概念の社会的成熟を前提としないその領域化は、きわめて不安定なものであり、外延を定めるボーダー＝境界の設定は試行錯誤を繰り返すことになる。もっとも、こうした不安定さは、「美術」に特殊な事情だったわけではない。これは、翻訳によってもたらされる概念一般について認めうるところであり、「美術」もその例に漏れなかったというにすぎない。

いきなり「美術」という語がもち込まれ、それによって、上記のようなボーダー＝境界が形成の緒についたわけだから、これを受け入れる側にとっては謎々みたいなものであったにちがいない。アーネスト・フェノロサの『美術真説』（明治一五年刊行）のように「美術ノ真理」[6]に関する啓蒙的な講演と出版が企てられたり、『大日本美術新報』（明治一六年創刊）などの雑誌も「美術」とは何かについて積極的な啓蒙活動を展開しはしたのだけれど、メディアの性質上、それが与えた影響は、世間一般に関するかぎり、あまり大きく見積もるわけにはゆかない。「美術」概念の学習については、それよりも、むしろ、一〇万、一〇〇万単位の人々が見に出かけた内国勧業博覧会などのほうが、よほど与って力があったと考えられる。明治期に計五回開催された内国勧業博覧会では明治一〇（一八七七）年の第一回以来、毎回、「美術館」が設けられており、ここを訪れた人々は、体験的に「美術」の何たるかを学んでいったのである。

では、博覧会において「美術」概念は、どのように規定されたのであろうか。一般にこの時代には、「美術」という語は諸芸術の意味で用いられていたのだが、内国勧業博の美術館における「美術」は、視覚芸術の意味に絞り込まれて用いられた。これが、今日の一般的な「美術」概念と重なることはいうまでもない。なぜ、内国勧業博で、「美術」が視覚芸術に絞り込まれたのか。それについては博覧会が「見ること」による「文明開化」をめざす社会教育の場であったということが最も大きな要因であったように思われる。

「千島樺太交換条約」は明治八年、琉球王国を植民地化したいわゆる「琉球処分」は明治一二年のことであったから、現在に通ずる「美術」という分類枠は、日本の国境線が明確化されるのとほぼ同じ時期にひとびとの前に姿を現し始めたわけであり、フェノロサが「美術ト非美術トヲ分判スル」［7］ボーダー＝境界を『美術真説』で理論的に論述したのも、ほぼ同時期のことであった。とはいえ、内国勧業博美術館の〈分類〉は最初から確定されていたわけではない。そこには、いくたびかの変遷がみられる。その最たるものは、明治二三（一八九〇）年に開かれた第三回内国博における改編であった。

第一回内国勧業博の「美術」部門の〈分類〉では、筆頭に「彫像術」があって、次に「書画」が置かれている。この並びは、恣意的なものではない。公的な催しにおけるこうした順列は価値に従うものとみるのが自然である。とすれば、この並びは、彫刻を絵画の上に置く価値観を示していることになる。こうした価値観が、何に由来するのか詳らかにしないものの、その理由はともあれ、これが現在の価値序列と異なることだけは、あきらかである。絵画、そして彫刻という序列が、今日では一般的であるからだ。

「書画」という〈分類〉名が、ここで用いられているのも注意を引く。「書画」というのは、いうまでもなく「書画一致」という理念にもとづく東洋の造型史に独特な〈分類〉だが、これが「美術」という外来の〈分類〉枠のもとに収められているのである。この分類名は、すぐあとでみるように、やがて「書」と「絵画」に分解され、しかも、両者のあいだに序列が設けられることになる。

さらに、もう一つ注意を促したいことがある。それは、この「書画」部門に、書や絵画ばかりではなく、花瓶や箪笥なども展示されていたという事実である。四角い平面に収まる、われわれには親しい絵や書というもののあの形態が、ここでは、標準となってはおらず、絵や書が施されているものならなんでも「書画」の部門に編入されたのである。こうした事態は、「工芸」という〈分類〉枠が、いまだ設けられていなかったことと関連づけて捉えることができる。鑑賞性と実用性の兼備によって定義される「工芸」概念は、この時代には、まだ成立しておらず、「工芸」の語は、美術用語としてではなく、近代工業の意味で用いられていたのであった。

このような在り方は、第二回内国勧業博（明治一四年）でも基本的にはなんら変わっていない。変化が起こるのは第三回内国勧業博（明治二三年）においてである。この回で、「書画」という〈分類〉枠が解体され、「書」は分類の末尾に、「画」は「絵画」と名を変えて分類の筆頭にそれぞれ配置されることになるのだ。こうして、「絵画」を筆頭に置く現在とほぼ同様の序列が登場することになる。「絵画」がまずあって、次に「彫刻」がくるという序列である。

それから、この回において、「美術工業」という枠が設けられることも注意を引く。これは、現在のいわゆる「工芸」にほかならない。工芸部門が、内国勧業博の歴史上、ここで、初めて登場してきたわけで、これは、「絵画」を載く体制と関連づけて理解することができる。花瓶や簞笥の受け皿ができたことで、「画」は、実用的機能形態から解き放たれ、額絵に絞られることになるのであり、これによって、視覚的な表現媒体として純化され、視覚芸術としての「美術」を名実ともに代表する存在となってゆく。「絵画」ジャンルの成立、すなわち、「美術」におけるモダニズムの進発である。

このような再編を通じて絵画を筆頭に〈統合〉される今日の美術の体制が、ようやく歴史の表に登場し、そのなかで工芸と書はヒエラルキーの末端に位置づけられることになる。つまり、工芸と書は分離独立するやいなや「美術」のボーダーランドに配置されることになったわけだ。

もう一つ、第三回内国勧業博覧会に関して指摘しておきたいことがある。それは、この回から、美術部門にかぎって出品鑑査がおこなわれるようになったということである。「美術」と「非美術」のボーダーが強化されたわけだが、これは、ただし「美術」の定義が厳密になったということを必ずしも意味しない。鑑査の方針は――「秀麗高雅にして美術の巧妙を顕はし、意匠、知識、技術、及新機軸の四者に基けるもの」[8]にかぎるという程度の――いたって大雑把なものであった。「新機軸」の語が注意を引くものの、とりたてて論ずるほどのものではなかった。事柄の焦点は、だから、鑑査の内容にはない。焦点は、美術とそうでないものの区分が公的な権力によって強化されたということにこそある。絵画によって代表される「美術」という〈分類〉が、これによって、急速に現実味と実体性とを帯び始めるのだ。

国民国家と美術

美術をめぐる諸制度、諸施設の整備は、明治二〇年代の初頭に山場をむかえ、東京美術学校の設置(明治二〇年)および開校(二二年)、宮内省臨時全国宝物取調局の設置(二一年)、帝国博物館の設置(二二年)、明治美術会の結成(二二年)、雑誌『國華』の創刊(二二年)、帝室技芸員制度の発足(二三年)、そうして第三回内国勧業博覧会における規則の大変革と、たてつづけに制度=施設の整備、拡充、改編がおこなわれた。この時期は、また、明治憲法体制の樹立によって日本が国民国家としての体裁を整えた時期でもあった。これは決して偶然ではない。制度としての「美術」の確立と国民国家の構築は、あきらかに対応していた。「美術」という〈分類〉が社会的に定着した動因じたいが、そもそも国民国家創出と深い因縁をもっていたわけである。

明治初期から一〇年代にかけて、官による美術奨励の動機は経済的な次元にかかわるものであった。すなわち、ヨーロッパにおけるジャポネズリの流行に投じて輸出高を伸ばそうという目論見から「美術」は奨励されたのであり、そこでの主役は、ジャポネズリに対応する工芸であった（すでに述べたように、この時代には「工芸」という概念も用語もいまだ成立していなかったのだが、ここは、便宜上、そう呼んでおくことにする）。

しかし、明治一〇年代半ば頃から、状況が変わってくる。変化の兆しは、まず明治一五（一八八二）年の内国絵画共進会において現れた。この展覧会において、「絵画」を頂点とする現在の「美術」の体制が準備され、また、美術奨励の動機が経済から政治、あるいは精神へと転換され始める。国民経済にかかわる事柄から、国民文化に関する事柄へと、美術の社会的機能が転換されてゆく。西洋画法を拒絶しつつ、江戸時代までに流派を形成し終えた種々の絵を束ねて主軸に据えた同展の構成に、このことは端的に見て取られる。すなわち、伝統諸派の〈統合〉、これが内国絵画共進会のポリシーであった。西洋画法を拒絶したことに示されるように、日本の絵画を糾合しようとする同展の企ては、西洋という他者との出会いが呼び起こした自意識の表現であり、アイデンティティの模索であったとみることができる。

こうした〈統合〉への意志は、流派の分類法にも明瞭に示されている。江戸時代以前に形成された〈分類〉枠である流派が、この展覧会では、第一区から第六区に再〈分類〉されたのだ。これは、各流派が、「絵画」という大〈分類〉の細目に割り付けられたということを意味している。いいかえれば、流派の垣根を超えて、ただ一つの絵画へと〈統合〉しようとする意図から、個別性の際立つ旧来の〈分類〉が否定されたわけだ。とすれば、この展覧会が企てたのはアイデンティティの模索であるよりも、むしろ、その創出であったという方がより適切だろう。

この内国絵画共進会は、フェノロサの『美術真説』における提案――「毎年一二回時ヲ期シテ（一ケ月或ハ二ケ月間）新画ノ展観会ヲ開キ」云々［9］――を受けて開かれた節があるのだが、フェノロサは、これと同じ時期に、絵画は国民の最も偉大な精神を表現するもので、国民精神を〈統合〉に導くと主張している。フェノロサはまた明治一九（一八八六）年の講演で「蓋シ今日ハ一定共同ノ事業ヲナスベキノ時ナリ。今日ハ従来ノ旧習ヲ墨守シ宗派ノ遺伝ニ執着スルノ時ニ非ザルナリ」［10］とも述べており、こうした発想は、憲法体制へ向けて人心の〈統合〉を企てていた当時の為政者らの大いに肯(うべな)うところであったのにちがいない。

要するに、〈国民の〈統合〉という目的意識において絵画の流派の〈統合〉が、この時期にもくろまれたわけで、こうした目論見から形成されたのが、いわゆる「日本画」であった。内国絵画共進会の〈分類〉は、「日本画」の創出へ向けておこなわれた、いわば、絵画における「廃藩置県」であった。そして、その際、再〈分類〉の指標とされたのは純粋さであり、それを求める手段は排除であった。

内国絵画共進会が、西洋画法によるものを排除して開かれたことは先にふれたが、「日本画」の形成において排除されたのは、西洋画法ばかりではなかった。文人画もまた、そこから排除されたのであり、その急先鋒はフェノロサであった。フェノロサは、文人画にみられる詩との親和性を視覚芸術としての不純さとみなして、文人画を排撃したのである。

フェノロサが文人画を否定した理由は、もう一つあった。それは、文人画が中国絵画の影を引きずっていたということである。フェノロサは、明治一八年のある講演のなかで、「支那文人画ノ輸入」によって「日本美術特殊ノ妙所」が失われたと嘆いているのだ［11］。

つまり、フェノロサは、二重の意味での純化を――「美術」と「日本」とに関する純化を――おこなうべく文人画を「日本画」の中心部から排除したわけだが、フェノロサが称揚したいわゆる「日本画」には、しかし、西洋画法を受容した跡がありありとうかがわれる。これは矛盾というほかない。しかし、フェノロサには、またフェノロサの影響下にあった当時の美術関係者たちにも、そのことは、おそらく自覚されていなかった。フェノロサは近代西洋のリアリズムを否定したけれど、たとえばイデーの表現といった西洋絵画史の根幹を否定したわけではなく、むしろ、それを絵画の普遍性として捉えていた節があるからである。

排除による純化という発想は、芸術思潮のうえにみられるばかりではない。それは、国民国家の構築の過程においても見出される。

先に、日本国家の構築過程でとられた異民族に対する同化政策にふれたが、それは、同化とはいいながら、あくまでも差別をともなう同化であった。このことについて、歴史社会学の冨山一郎は「国民の誕生と「日本人種」」という論文で、明治期の人類学の果たしたイデオロギー的機能について論じたうえでこのように述べている。

分類という技法は、客体化された「アイヌ」と「琉球人」に自己と他者の境界を縁どる徴候を発見しながら展開した。しかし人類学の語りは、たんなる境界線を縁どっていっただけではない。「未開」を他者として分類することにより、自己である「日本人種」に「開化」の歴史を与えようとしたのである。〔12〕

アイヌ民族と琉球民族を、「日本国民」の人種的なボーダー＝縁として、つまり、日本人と非日本人の境に位置づけることで、「日本」という〈分類〉を明確化しようとする企ては、「未開」と「開化」の差別化がはたらいていたということであり、このような〈分類〉の手法が、美術のジャンルが形成される過程においても見出されることは、第三回内国勧業博で「美術工業」という〈分類〉枠が登場したことに関してすでにふれた。「美術工業」という〈分類〉枠は、その名に端的に示されるように、二つの〈分類〉にまたがる「境界」的性格をもつのであって、それゆえ、工芸は、純化の動きのなかで、一段、価値の低いものとみなされることになったのである。それにもかかわらず、工芸が、なおも「美術」の一ジャンルとして遇されたのは、純粋に視覚的な表現媒体であることをめざす「絵画」によって〈統合〉された「美術」の〈分類〉、そのボーダー＝縁に不純なものを配置し、それによって、逆に、「美術」の純粋性を際立てるという仕組みが必要とされたことを、おそらく意味している。工芸は、日本帝国のイデオロギーとしての混合民族論が作り出した「出来そこないの日本人」の、いわば「美術」版であったわけだ。「できそこないの美術」、それが工芸に与えられた割り付けであった。

第三回内国勧業博で「絵画」から分離され、やがて第五回では、美術部門から姿を消してしまう「書」もまた、工芸と同様の境遇にあった。当時の書家たちは、書は文人の為すところであって、美術という〝職人技〟とひとしなみにできるものではないと考えていたのだが、こうした書家たちの思惑とは別のところで、美術という体制の構築は、ボーダーとしての書を、さしあたり必要としたのである。明治一五（一八八二）年に岡倉天心と小山正太郎が、「書」が美術であるかどうかをめぐっておこなった有名な議論は、書家を棚にあげた、ずいぶん身勝手な論争であったわけで、アイヌ民族や琉球民族を主体とみなす発想を欠いたまま、彼らを「日本人」のボーダーに位置づけようとした近代初期の人類学者たちと同じ発想が、そこには見て取られるのだ。

アイヌ民族や琉球民族が、日本国家に〈分類〉され、それによって日本国家の周縁に位置づけられるようになったのと同じように、工芸と書は、「美術」という外来の概念に包摂されることで、ボーダー＝辺境に位置づけられることになったのである。

「美術」と不合理なもの

「美術」の形成と「国民国家」の形成とのあいだには、このように〈統合〉と〈分類〉の手法において照応するところがあるのだが、じつは、〈分類〉という体系的な手続きじたいが、当時の人々にとっては真新しい体験であった。加藤秀俊が「「見物」の精神」というエッセーのなかで述べているように、江戸時代までの知の在り方においては「網羅性が体系性に優越していた」[13]と考えられるからである。要するに物知りが尊ばれたわけで、このことは、江戸時代の学問の基体を成した「随筆」の在り方を思えば誰しも納得がゆくのにちがいない。「国民国家」にせよ、「美術」にせよ、明治以後に、西洋に倣っておこなわれた体系的〈分類〉の作業は、すくなくとも、その当初においては、〈分類〉の動機やそれがはらむ意味にもまして、体系的に分けるというそのことじたいにおいて近代性をもったのである。明治五（一八七二）年に文部省が開催した博覧会に際して版行された一枚もののカタログ（『博覧会図式』［図8］）を見るならば、近代化へ向けて動き始めた当初の分類意識の有りようを窺い知ることができるだろう。そこには体系化の意識はなく、漠然たるグルーピングが見て取られるばかりなのである。

図8　博覧会図式　1872年

しかし、明治二〇年代以降になると、美術と国家の関係は、〈分類〉の手つきばかりではなく、その内容において関係を深めてゆくことになる。明治二〇年代初頭には、西洋派の画家たちが、日本の歴史や宗教に主題をもとめた絵を描き始め、やがて三〇年代には日本画の画家たちも歴史主題におもむき、彫刻家たちも、二〇年代以降、国家英雄の銅像の制作に携わることで、こうした動きに合流してゆくのだ。

明治七年の『学問のすゝめ』で福澤諭吉が「日本にはただ政府ありて未だ国民あらずと云うも可な

り」［14］と喝破しているように、明治政府は、その出発当初、政治制度と経済体制の刷新を急ぐあまり、とかく国民的な合意の形成を怠りがちであった。また、思想界においても、西洋を師表と仰ぐあまり、国民性のポジティヴな規定に関しては、きわめて手薄であった。国民性を育むことが、政治的課題として本格的かつ広汎に浮上してくるのは、ようやく憲法体制に向けての制度的な整備を終えようかという明治二〇年代初頭のことなのである。思想史的にみると、志賀重昂や陸羯南（くがかつなん）らの国粋保存主義の運動が登場してくるのがこの時代であり、美術に関していうと、先に挙げた歴史画や銅像が対応している。また、美術をめぐる言説に目を向ければ、明治二三年に東京美術学校でおこなわれた岡倉天心の日本美術史の講義や、その一〇年後に刊行された『稿本日本帝国美術略史』など「日本美術史」の企てが見出される。

「美術」と「日本」という二つの〈分類〉枠が互いにアイデンティティを保証しつつ、歴史において結ばれるところに成り立つ「日本美術史」は、日本文化のアイデンティティを打ち立てようとする切実な企てであり、美術は、ここにおいて──つまり、国家との交点において──精神的なものとして捉え返されることになった。しかも、「美術」と「日本」という枠は歴史を規定する枠組みとされることで、時の腐食作用をまぬかれる普遍的な存在として歴史の彼方に措定されることになる。日本における「美術」と、美術における「日本」が相俟って、「日本美術」を、ホブズボームのいう「創り出された伝統」［15］として根付かせてゆくのだ。「美術」と「日本」の歴史的起源の集団的な忘却を引き起こしながら。

「美術」という〈分類〉枠の受容は、当初は、合理主義的な文明へ向けての啓蒙の一環をなすものであった。このことは、「文明開化」の教育装置であった博覧会において「美術」概念の形成が緒についたことに示されている。しかし、明治一〇年代以降、「美術」は、「日本」を主題として引き受けることによって、徐々に非合理なものを宿すようになる。その非合理なものとはナショナリズムにほかならない。すなわち、啓蒙活動としての〈分類〉作業のなかで、「美術」と「国家」は、複雑かつ緊密な関係を結んでゆき、日本の「美術」は、合理と非合理の弁証法的な関係のなかで、近代美術としての光と影を身にまとうことになるのである。

次に引くのは、『稿本日本帝国美術略史』の「序論」の一節である。大正五（一九一六）年刊行の縮刷版から引く。

日本美術を創せる人民は、所謂大和民族なり。此の民族の性格や、他の民族に於けるが如く、人種的遺伝若しくは地勢風土等の感化に因りて、今や頗る複雑を極めたりと雖も、二千余年来万世一系の皇統を戴きて、此の国に定住せるがゆゑに、国を通じ、古今に亘りて、一貫せる一種特異なる性質著からざるにあらず。而して此の性質や、帝国文明の種子となり、文学美術等の精華とはなれるものなり。……古来哲学、文学、美術、工芸の何たるを問はず、一旦邦人の耳目に触れたるもの、悉く日本化せられ、別種の趣を呈するに至れる、又以て了するを得べし。[16]

ここには、明治における「美術」と「日本」の成り立ちの秘密があからさまに語られている。一九〇〇(明治三三)年のパリ万国博に出品するために、この本のフランス語版[53頁、図5]が出版されたのが、「北海道旧土人保護法」が公布された翌年にあたるのが何か因縁めいて感じられるほど、ここに語られた事柄は重く深い。

註

[1] 福田アジオ「日本単一民族論再考」(川田順造・福井勝義編『民族とは何か』(岩波書店、一九九〇)、一〇三頁。

[2] 外間守善「沖縄の言葉」、『日本語の世界』第九巻(中央公論社、一九八一)、二九二〜二九三頁。

[3] 小熊英二『単一民族神話の起源』(新曜社、一九九五)、三二五〜三六一頁。

[4] [3] に同じ、三七一頁。

[5] 木畑洋一「世界史の構造と国民国家」、『国民国家を問う』(青木書店、一九九六)、五頁。

[6] アーネスト・フェノロサ/大森惟中筆記『美術真説』、青木茂・酒井忠康編『日本近代思想大系』

第一七巻「美術」(岩波書店、一九八九)、三五頁。

[7]［6］に同じ、三九頁。

[8]「第三回内国勧業博覧会出品主心得緒言」、第三回内国勧業博覧会事務局編『第三回内国勧業博覧会事務報告』(第三回内国勧業博覧会事務局、一八九一)、二〇八頁。

[9]［6］に同じ、六四頁。

[10] アーネスト・フェノロサ「フヱノルサ氏演述筆記」、［6］に同じ、六七頁。

[11] アーネスト・フェノロサ(津田道太郎訳)「日本美術工芸ハ果シテ欧米ノ需要ニ適スルヤ否ヤ」、山口静一編『フェノロサ美術論集』(中央公論美術出版、一九八八)、七三頁。

[12] 冨山一郎「国民の誕生と「日本人種」」、『思想』八四五号(一九九四)、五〇頁。

[13] 加藤秀俊「「見物」の精神」、加藤秀俊・前田愛『明治メディア考』(中公文庫、一九八三)、二二一頁。

[14] 福澤諭吉『学問のすゝめ』(岩波文庫、一九九七)、四一頁。

[15] エリック・ホブズボウム「序論」、E・ホブズボウム・T・レンジャー編/前川啓治・梶原景昭ほか訳『創られた伝統』(紀伊國屋書店、一九九六)、九頁。

[16] 東京帝室博物館『稿本日本帝国美術略史』(隆文館図書、一九一六)、六〜八頁。

Ⅱ　性と国家

裸体と美術——違式詿違条例を軸に

周知のように日本の造型表現は、西洋の美術との出会いを通じて本格的な近代化の端緒をつかんでいったのだが、その過程で、西洋美術に特徴的な裸体表現が社会に激しい拒否反応を引き起こした。明治二〇年代のことである。

ジャーナリスティックな言説に端的なかたちで見出されるその拒否反応は、当時の日本社会が西洋の表現思想を受け入れる際に直面した根本的な困難を示していて、まことに興味深い。そこで、こうした言説に注目しつつ、明治期の裸体表現にまつわる問題について、絵画を中心に、いささか考察を加えてみようと思う。まず最初に次の三点を考察の前提として確認しておきたい。

第一に、明治期において裸体表現を積極的におこなったのは西洋派の画家たちであったから、以下の考察は、いきおい、彼ら西洋派の仕事に照準を合わせたものになる。第二に、近代絵画における裸体表現の中心をなすのは裸婦像であり、しかも、近代社会は、男性が支配する社会であり続けてきたから、ここでの考察の焦点は当然ながら女性の裸像において結ばれる。第三に、時代としては、明治初期から明治二〇年代にかけてを対象とする。これは裸像をめぐる最初の論争状況が現出した時代であり、また、「美術」をめぐる諸制度が整えられていった時代にもあたっていた。

以上の三点を前提として考察を進めていくこととする。

「美術」という翻訳語

われわれは、現在、絵画、彫刻、工芸、書などを「美術」という言葉で総称しているが、明治初期に翻訳によってもたらされたこの言葉について人々が理解をもち、その値打ちのほどが社会的に一応の了解を得るのに、甚大な努力と、多大な時間とを要したのはいうまでもない。「美術」が明治の社会でいかに理解されていったかということを、その内容に即して具体的に説明するのはむつかしいことであるし、「美術」とは何かという問題については多様な理解があるのだけれど、出来事に即して歴史をたどっていくと、展覧会や博覧会という「美術」をめぐる諸制度が、「美術」の社会的な了解を促し、理解を深め、しかも、「美術」という言葉が現在のように視覚芸術の意味で用いられるようになるうえで大きな役割を果したことに気づく。

なかでも、官が設けた博覧会や展覧会の影響はじつに大きいものがあった。日本国民のあいだに「美術」の社会的価値を決定的に印象づけたのは明治四〇（一九〇七）年に開設された文部省美術展覧会だが、それ以前にも内国勧業博覧会や内国絵画共進会といった官設の催しが、美術への社会的関心を高め、かつその在り方を規定していったのである。

官設の催しが「美術」をどのように規定していったかということについては、視覚芸術を「美術」と呼ぶ慣例の形成に大きな影響を与えたこと、そうして、展示と鑑賞のためのパブリックな場で絵画や彫刻を見るという慣習を形成していったことの二点が重要であり〔1〕、裸体表現をめぐる問題に関しては、とくに後者が重視される。

では、展示と鑑賞の制度と裸体表現とのあいだに、いったいいかなるかかわりが見出されるのか。それについて述べるためには、しかし、いささか遠回りをしなければならない。

西洋と日本の捩れ

裸体画に関する言説の早い例としては、明治二〇（一八八七）年に龍池会でおこなわれた細川潤次郎の講演の記録がある〔2〕。細川は、米国留学の体験をもつ法制学者で、その当時、龍池会の副会頭であった。ここで細川は、西洋において裸体は日常おおやけの場から排除されていながら、「美術」としては頻繁に表現されるのに対して、日本においては、日常では裸体を人目にさらすことを厭わないにもかかわらず、それが絵画や彫刻に表現されることは少ないと述べ、裸体をはさんだ日本と西洋の捩れた関係を指摘している。

ただし、細川は、裸体に関する観念が東洋と西洋で、まったく異なるというように考えていたわけではない。細川は裸体を不体裁と感ずるのは東西共通の感じ方であるというのである。それにもかかわらず、西洋の「美術」において裸体の表現がおこなわれるのはなぜかという問題について、細川潤次郎は、西洋文明の源流の一つである古代ギリシャにおける裸体賛美に発する伝統、および解剖学にもとづく科学的な客観性を備えた人体表現に焦点化された「美術」の存立という二つの理由を挙げている。

そうして、この二つの理由は、二つながら日本にはあてはまらないというのが細川の結論であった。日本には裸体賛美の伝統はないし、たとえ絵画――「美術」としての絵――の修練において裸体を描く必要があるとしても、それはあくまでも修練としておこなわれればよいのであって、作品としての裸体表現は日本に必要ないというのである。細川潤次郎は、猥褻な図画を取り締まる重要な根拠となった出版条例の起草に携わった人物であり、この結論は、いかにもそういう人らしい保守的で常識的な発想であるといえるだろう。しかし、それにもかかわらず、この講演には注目すべきところがある。裸体表現にまつわる非常に重要な二つの事柄を、この講演は指し示しているのだ。第一に、猥褻さというよりも、裸体そのものに対する忌避ということが裸体画問題の核心にあると考えられるという点、第二に、裸体をめぐる東西の振れが「美術」というものの社会的存立にかかわっているという点である。

まず第一の点について述べれば、これは明治期の日本人の西洋観にかかわる事柄である。

いうまでもなく、西洋観というのは西洋のイメージということであり、それは西洋社会の実態に即しているとはかぎらない。文明の手本としての西洋社会を当時の人々がどうみていたかということを、それは意味する。

西洋人は裸体を人目にさらすのを嫌う。しかるに日本人は、不体裁と感じながらも「深ク裸体ヲ嫌忌スル」ことなく、しばしば日常において裸体を人目にさらす。これは文明の作法に悖るおこないであるから、すべからく公衆の前から裸体を放逐しなければならない。すなわち、これが西洋のイメージにもとづく「文明開化」の論理であった。

しかも、この論理は法律化され、現在の軽犯罪法の祖型ともいうべき違式詿違条例として、まず明治五（一八七二）年に東京府の達をもって施行されたのを手始めに、日本各地で同様の法律が施行されていくことになる。この条例では猥褻な図画や物品の販売、刺青、公衆浴場における男女混浴、猥褻な見世物などと並んで、裸体や半裸体を公然と人目にさらすことや、股や脛を露出することが禁じられたのである［3］。

いまではほとんど見かけなくなったけれど、その当時の日本の街々には裸体があふれており、それは高温多湿の夏をもつ日本のような風土においては、開放的な建築と同じく合理的な風俗であった。それゆえ柳田國男は、裸体のことを仕事着の「一様式」と呼びもしたのだが［4］、西洋化をめざす当時の支配層は、裸体をおおやけの場から排除することをもって、普遍的な文明の条件と考えたのである。

《朝妝》スキャンダル

このような論理は現実の世界ばかりか、「美術」として存立すべき表現の世界にもおよぼされた。すなわち、裸体画もまた道ばたの裸体同様に法的な禁止の対象とされ、遵法精神に富んだ識者たちの批判を受けるところとなった。現在、裸体表現の問題といえば、局部の露出にかかわる猥褻論議にとかく終始しがちであるけれど、明治期の裸体画の取り締まりや裸体表現への批判には、猥褻さとともに裸体そのものを悪とみる意識が、はたらいていたのだ。たとえば、渡辺省亭が山田美妙の小説「蝴蝶」のために描いた挿絵（明治二二年［図9］）、裸体表現が物議をかもした最初の例とされるこの絵には局所の描写はみられないのである。

とはいえ、摘発の目安が局部もしくは下半身の描写にあったのは否めない。たとえば、黒田清輝が明治三四（一九〇一）年の第六回白馬会展に出品した《裸体婦人像》（明治三四年）の場合は、裸婦像の下半身が、警察の命令で、布で覆われたのであった［185頁、図20参照］。しかし、それにもかかわらず、当時の裸体画への非難には、裸体そのものを禁忌の対象とみなす発想がたしかにともなわれていたように思われる。

やはり黒田清輝の作品で、明治二八（一八九五）年の第四回内国勧業博覧会に出品されて物議をかもした《朝妝（ちょうしょう）》（明治二六年［図10］）の場合に目を向けてみることにしよう。

図9（右）　渡辺省亭　「蝴蝶」の挿絵『国民之友』第37号（1889年1月）付録
図10（左）　黒田清輝　朝妝　1893年　焼失

次に引くのは『日本』の雑報欄の投書である。

博覧会の裸美人は、其長け五六尺の大画像を、正面に陰部露出して敢て一絲掩はず、殊に最上の好位置に掲げ、万衆をして見ざらんと欲して得ざらしむ。人力曳の脛を少し顕すさへ八釜しき世の中に、斯る大それた物を、場所もあらうに博覧会に持出すとは如何なる事ぞ。[5]

この絵はすでに焼けてしまって残っていないのだが、写真によって判断すると、この投書に述べられているように、局所のあきらかな描写が、たしかに認められる。読んでの通り、この投書の攻撃目標は、まさしくそこにあった。しかし、この投書が車夫の脛を引き合いに出していることにも、同時に注意を払う必要がある。これは、あきらかに違式詿違条例に始まる裸体禁忌の法律を念頭に置いて書かれたものなのだ。股や脛の露出を禁じた東京違式詿違条例の第二二条を、このくだりは思い出させずにはおかないのである[6]。《朝妝》は、むろん往来ではなく博覧会の美術館に展示されたのだが、「場所もあらうに博覧会に」という一節にみられるように、この投書は、「美術」のための公開の場も、人力車夫が行き来する街頭も、おおやけという一点において同様に扱っている。「美術」に編入されるべき表現の世界と現実の世界とをひとしなみに捉えるというのは、いまからみれば混乱としかいいようがない。この投書を嗤うのはたやすい。現代のわれわれは、それを一笑に付すことができる。しかし、そのような判断を下すまえに、われわれは、こうした発想のもつ歴史性に注意を向けるべきだろう。この当時は「美術」というものがいまだ充分には社会的認知を得ておらず、したがって博覧会や美術館という施設や制度の意義もまた、社会的に認知・了解されていなかったのだ。裸体をはさむ日本と西洋の捩れに関して注目すべき点として挙げた事柄――すなわち「美術」の存立と裸体表現の関係が、ここで問題になってくるのである。

「美術」という社会的枠組み

裸体表現をめぐる東西のちがいは「美術」観のちがいに由来すると一般には考えられがちである。しかし、すでに述べたところからあきらかなように、明治期の表現――すくなくとも明治前半のそれについては、これを「美術」観の違いとして論ずるのは問題があるといわねばならない。細川潤次郎のいうように、当時の西洋「美術」が解剖学にもとづく科学的な人体表現に焦点を定めるものであったとして、しかし、この当時の日本に、それと対照されるべき「美術」が存立していたかというと、それが頗る怪しい状態だったからである。細川潤次郎の講演がおこなわれた明治二〇年といえば、いまだ東京美術学校は開校されておらず、日本美術史の編纂もおこなわれていないという、そういう状況であったのだ。

もっとも、細川の講演の五年前には、アーネスト・フェノロサが『美術真説』の講演をおこない、「美術」というものがideaの表現であることを啓蒙的に説いていたし、また『美術真説』と同じ年には、農商務省が主催する内国絵画共進会において、会場芸術としての絵画の体裁を「美術」の名のもとに制度的に整えることが企てられてもいた［7］。しかし、これをもって「美術」が確立されたとするわけにはもちろんいかない。「美術」をめぐる制度や思考は、ようやくかたちをなし始めたばかりであり、したがって「美術」に対する一般社会の了解も未だしであった。そうして、このことを、最もよく示しているのが、当時における裸体表現の境遇にほかならないのである。

要するに、裸体表現をめぐって見出されるべきなのは、日本と西洋の「美術」の対照性などではなく、裸体表現が位置づけられるべき「美術」という社会的な枠組みがいまだ日本には確立されていなかったという東西間の非対称的な事態であると考えられるのだが、裸体画をめぐる言説から、こうした事態を示す例を挙げると、細川潤次郎の講演の四年後に明治美術会が開催した「裸体ノ絵画彫刻ハ本邦ノ風俗ニ害アリヤ否ヤ」という討論会がある。

『明治美術会第十一回報告』［8］に載ったその記録をみると、この討論会は、「美術」としての裸体表現が、日本の風俗におよぼす影響について討究することを目的とするものであったにもかかわらず、議論は、風俗と裸体表現一般との関係へと拡散しがちであった。この討論への参加者の多くは、「美術」なるものについての社会的な了解が成り立っていないことを口々に指摘しており、議論が表現一般に拡散した原因は、まさしくここにあったと思われる。そもそも彼らが、「美術」としての裸体表現が風俗におよぼすかもしれない害悪について——現実の裸体や、猥褻な図画についてと同じように——深刻に配慮しなければならなかったのは、「美術」としての裸体表現と風俗とを分かつ制度的な枠組みが、一つの価値として、いまだ社会的に存立しえていなかったからなのである。いってみれば、この当時の美術家たちは、「美術」という社会的な衣装をもたぬ裸の王様だったのであり、「美術」も、「美術家」も、「美術」の観衆も、すべてが未成の域にあるこの時代にあって、写実を事とする当時の西洋派の裸体表現が、裸体そのもの、ないしは性的な娯楽と選ぶところなく風俗問題として論じられることになるのは当然の成り行きであったのだ。

それでは、「美術」という枠組みは、いったい、どのようにして成立していったのか、次に、この問題を裸体表現との関係において考えてみることにしたい。

「美術」の存立と裸体表現

違式詿違条例という法律は、西洋人向けの日本人のイメージを、西洋文明のイメージに合わせて正そうとするものであり、いわば日本人の展示的価値を高めようとする発想にもとづいていた。展示的価値を重視するその発想は、いうまでもなく「美術」の拠って立つところにほかならない。「展示」とは、あるものを視覚の対象として人々に示すことであり、美術作品は、まさしく「展示」において、その価値をはかられるのである。

これは、あまりにあたりまえのことのように思われるかもしれない。しかし、たとえば絵のすべてが展示的価値において——あるいは、そこに力点を置いて——評価されるかといえば決してそうではない。礼拝対象としての宗教画は、ヴァルター・ベンヤミンが指摘しているように、絵がそこに存在している事実が重要であるのだし[9]、衝立、屏風、襖などの形をとる伝統的な日本絵画は、調度や建具の類として、展示以外の実用性を兼ね備えつつ、生活の場と密接に結びついていたのである。

加藤周一は「近代日本の文明史的位置」[10]という昭和三二（一九五七）年の論文で、こうした日本絵画の在り方について興味深い意見を述べている。すなわち、キリスト教におけるような超越的な神が考えられなかった日本においては、すべての価値は人生を超越することがなく、したがって、価値の意識はつねに日常生活の直接の経験から生み出されることになったとして、加藤は、伝統的な日本絵画の調度的在り方を、こういう精神風土に基礎づけているのだ。伝統的な日本絵画における価値の意識を、日常生活の直接の経験にばかり結びつけてしまってよいものかどうか疑問がないではないものの、伝統的な日本絵画の表装が、絵画を生活の地平に係留する役割を果たしてきたことは疑いようがない。

されればこそ、横山大観と菱田春草は『絵画について』(明治三八年)というモダニズム宣言のなかで、伝統的な表装を、絵画の自由と独立を奪うものとして激しく批判しなければならなかったのである[11]。

周知のように大観と春草は、フェノロサと岡倉天心が路線を敷いた国粋主義的絵画改良の実践者であり、そのめざすところは、伝統的な日本絵画を「美術」としての絵画に仕立て上げていくことにあった。ただし、フェノロサ、岡倉天心の絵画改良運動はたんに実作のうえで展開されただけではない。国粋主義運動は、学校、展覧会、美術協会、美術館といった西洋伝来の施設や制度の実現を通して絵画の社会的な在り方全般にかかわる改良を進めていったのである。明治二〇年代から三〇年代初頭にかけて設けられた東京美術学校、日本絵画協会、日本美術院は、こうした企てから実現されたものであり、これは、日常の用から絵画を解放し、それに「美術」としての独立性を与えるうえできわめて有効な戦略であった。しかも、「美術」をめぐる制度や施設の構築は、彼ら改良主義的国粋派ばかりではなく、彼らの対抗勢力である西洋派にとっても焦眉の急であった。絵画を生活の地平から独立させ、「美術」としての絵画をこの国に打ち立てることは、当時の日本の画家たちに共通の目的だったのである。

ただし、急いで断っておかねばならないが、絵画を「美術」として確立するというのは、生活からのたんなる離脱を意味するのではない。『美術真説』の言葉を借りるならば、それは「美術」のideaを実現することであり、日常生活ないしは現実の世界から垂直方向へと超脱することでなければならない。すなわち、「美術」としての裸体表現が――現実の地平に展開される風俗一般から引き離されたところで――「美術」としての価値を安んじて担いうるためには、このような超脱が社会的な了解を得ることが必要だったのである。いいかえれば、「美術」というものを仲間うちだけで了解し合っている、ひとりよがりの裸の王様のような発想を捨てて、社会的な衣服としての「美術」を――いわば批判者を封じ込める大義として――裸体画に着せかけなければならなかったのだ。

しかも、当時にあって「美術」という衣服を必要としていたのは裸体表現ばかりではなかった。たとえば初期の西洋派の写実的な静物画は、「美術」としてではなく、本物と見まがうほどにそっくりであるという点で大方の観衆の関心を引いていたのである。

とはいえ、モティーフとしての裸体が、他のモティーフのあいだに埋没させることのできない特殊性をもっていることも見落とせない。裸体表現は、ケネス・クラークがいうように、性欲という本能に訴える力をはらむがゆえに「芸術作品を独立した生命たらしめる統一的な反応を覆す危険をもっている」[12]のである。それゆえ西洋においても、たとえばマネの《草上の昼食》(一八六三年)や《オランピア》(同年)の例にみられるように、型破りな裸体画が風俗問題とのかかわりで批判されることが起こりもしたわけだ。これらの絵画は、神話や歴史に飾り立てられた「美術」という衣服を脱いで、裸身を社会にさらしたのである。とすれば、「美術」をめぐる諸制度はいまだ成らず、しかも、生活の強い引力を受けやすい造型の伝統がしっかりと生きていた明治期の日本において、裸体画が――たとえ、それが、きまじめに「美術」の約束事を墨守する裸体表現であったとしても――強力な風俗の引力圏を脱するのが困難であったのは当然であろう。ましてや、写実的な西洋画法による裸体表現がはらむ「危険」な魅力は、西洋の写実表現に馴れ始めたばかりの明治の日本においては、西洋とは比較にならぬほど強烈であったにちがいない。つまり、明治における裸体美術は、いうなれば、すべて《オランピア》の境遇にあったわけだ。

裸体画に対する肯定的な議論のなかには、「美術」に関する啓蒙的意図をもつものも見出されるものの、啓蒙とは、この場合、結局のところ西洋からの借り着を勧めることでしかなく、そのうえ、この借り着は――そのままでは――日本人の身の丈に合わなかった。しかも、「美術」という衣服を日本という精神風土に合わせて改良するのは、非常な努力を必要とするはてしなく困難な仕事であり、その作業は、おそらく今日もなお進行中なのである。

幻の衣服

これまでみてきたように、裸体表現をめぐる明治期の社会の反応は、作品世界を現実から上昇的に差別する「美術」という制度的な枠組みが構築されてゆく、その過程の困難さを鮮烈に照らし出す。しかし「美術」受容－形成史上の難関であった裸体表現は、一方で、「美術」をこの国に根づかせる積極的な役割を果たしもした。裸体表現に対するさまざまな反応は、西洋文化のなかに生まれた「美術」というものを日本の文化的条件に即して受容しようとする批判的態度を促し、また、現実に対峙する「美術」という別の秩序の存在を人々に強く印象づけたはずなのだ。たとえば男子校であった東京美術学校でおこなう裸婦のデッサンは、若者たちの性的欲望を抑圧することによって「美術」という精神的秩序を身につけさせるスパルタ教育でもあり、そのことはモデルが吉原に身を沈めたと知るや、学生たちが人力車で駆けつけたという、明治期のエピソードが、アイロニカルに裏づけているだろう［13］。

さて最後に重要な問題が残った。裸体批判の先頭に立った明治の知識階級や支配層はさておき、裸体であることを日常では恥ずかしがらなかったはずの当時の一般の日本人——違式詿違条例や刑法違警罪にもとづく取り締まりの主な対象となった庶民たちは展覧会の裸体画をどうみていたのかという問題である。しかし、それについては残念ながら充分な準備ができていない。ただ、ここで一つだけ手がかりを挙げるならば、ジョルジュ・ビゴーが《朝妝》スキャンダルを描いたカリカチュアがある［図11］［14］。よく知られているこのカリカチュアの中央には、あきらかに庶民の一人である着物姿の娘が、恥ずかしそうに袖で顔を覆っている姿が描かれているのだ。しかも、彼女は、なんと裾をはしょり、脛と腿をあらわにしているのである。これが実景にもとづくものであるかどうかはともかく、もし、ここに一般庶民の裸体画に対する態度の反映がいくばくなりともうかがいうるのだとすれば、これを、われわれは、どう解釈すればよいのであろうか。

結論を用意しているわけではない。しかし、これに関しては、ハンス・ペーター・デュルの『裸体とはじらいの文化史』に興味深い指摘がある。すなわちデュルは、日本における男女混浴の慣習を例に引きながら、日本人が他人に裸身を見られるのを恥ずかしがらないのは、じつはそう見えるだけであって、「むしろ反対にこの混浴のためには、より大きな〈衝動の断念〉が要求されたと思われる」[15]として、混浴する日本人は「幻の衣服」を身に着けていたのだと説いているのである[16]。

図11　ジョルジュ・ビゴー　黒田氏の裸婦『ショッキング・オ・ジャポン』(1895年) 掲載

なかなか穿ったところのあるこの見解にもとづいて考えると、まじまじと見るためにこそ設けられた展覧会という場所は、公衆浴場とは異なり、見えていても見えないふりをする社会習慣の「幻の衣服」が通用しない場所であり、そうだとすれば、《朝妝》の前で娘が顔を覆わなければならなかったのは、たんに裸体のイメージを目のあたりにしたからではなく、むしろ彼女の眼が裸にされたからだと考えるべきなのだ。

要するに、ビゴーのカリカチュアに登場する娘は、《朝妝》を非難した投書の言葉を借りれば「見ざらんと欲して得ざらしむ」ような状況に置かれていたのであり、彼女がまっすぐに顔を上げて裸体画に向かい合うためには、その裸の眼と裸婦のあいだに、「美術」という名のもう一つの「幻の衣服」が、いわば「《見る》ことの厚み」（宮川淳）として、しっかりと織り成されなければならなかったのである［17］。

裸体画をめぐるコメディの幕開け

大久保利通が、博物館の建設に関する明治八（一八七五）年の上申のなかで、文明は「眼視ノ力」［18］によって開かれると述べているように、眼という器官が日本の近代化において果たした役割の大きさははかりしれない。人民を展示的価値において捉えようとする違式詿違条例も、見ることの精華としての「美術」も、ともに「見せること」と「見ること」の関係にもとづく制度であり、明治二〇年代に起こった一連の裸体画問題は、違式詿違条例にみられる裸体禁忌の発想と形成途上の「美術」とが交錯するところで演じられたコメディであった。ともに西洋文明を志向しながら、まさにその志向ゆえに小突き合いを演じたわけで、これは、つまり、肉体を賛美するヘレニズムと肉体を蔑むヘブライズムという西洋文明の二つの源泉にまつわるドタバタ喜劇であったとみることができる。そうして、このドタバタ騒ぎは、当時の日本における「美術」をめぐる制度と、その内実の落差に由来してもいた。明治二〇年代は、美術の制度が一応整い、その内実が問われ始める時代であり、裸体画は、その焦点に位置していたのだ。

「美術」という衣装を着込んだつもりになっている裸の王様のような美術家たち、社会的な「幻の衣服」を剝ぎ取られて困惑する庶民、そうした庶民を統率しようとするたぶんに偽善的な支配層――この三者が繰り広げるコメディは、こうして喧噪のなかに幕を開けたのである。

註

［1］拙著『眼の神殿――「美術」受容史ノート』（ちくま学芸文庫、二〇二〇）参照。

［2］細川潤次郎「裸体ノ彫像画像ヲ諭ス」、『龍池会報告』第二四号、一九～二八頁。

［3］「違式詿違条例」、『日本近代思想大系』第二三巻「風俗　性」（岩波書店、一九九〇）、三～二六頁。

［4］柳田國男『明治大正史　世相篇』、『定本　柳田國男集』第二四巻（筑摩書房、一九七〇）、一五二頁。

［5］「京都の見物人投」、『日本』二〇四九号、五頁。

［6］明治五（一八七二）年一一月八日東京府達の「違式詿違条例」の第二二条（違式罪目）に「罪目」のひとつとして「裸体又ハ袒裼〈カタヌギ〉シ、或ハ股脛〈モモハギ〉ヲ露ハシ」云々とある。［3］

［7］［1］を参照。

［8］「裸体の絵画彫刻ハ本邦ノ風俗ニ害アリヤ否ヤ」、『明治美術会第十一回報告』、一二三〜七四頁。この討論会は明治二四年一月二九日と二月二〇日に二回にわたっておこなわれた。問題を提起したのは本多錦吉郎である。

［9］ヴァルター・ベンヤミン／高木久雄・高原宏平訳「複製技術の時代における芸術作品」、『ヴァルター・ベンヤミン著作集2』（晶文社、一九七〇）、一九頁。

［10］加藤周一「近代日本の文明史的位置」、『加藤周一著作集7』（平凡社、一九七九）、七四〜七五頁。

［11］「斯くの如くにして活ける芸術は死せる調度となり、絵画の独立を奪ひて掛軸屏風の装飾となし、建築の手足となし、習慣の奴隷となして了らんとする非運に候」とある。菱田春草、横山大観『絵画について』、青木茂編『明治日本画史料』（中央公論美術出版、一九九一）、二七九頁。

［12］ケネス・クラーク／高階秀爾・佐々木英也訳『ザ・ヌード（新装版）』（美術出版社、一九八八）、二三頁。

［13］徳坊「美術学校生活（四）」、『中央美術』大正五年五月号、九八頁。

［14］このカリカチュアはフェルナン・ガネスコ『日本におけるショッキング（Shocking au Japon）』（明治二八年）に掲載された。

［15］ハンス・ペーター・デュル／藤代幸一・三谷尚子訳『裸体とはじらいの文化史――文明化の過程の神話I』（法政大学出版局、一九九〇）、一四一頁。

［16］［15］に同じ、一六一頁。

[17] 漱石は明治四〇年刊行の『文学論』のなかで、西洋人が「画館」に足を踏み入れるや「道徳情緒」を除きうるのを「不思議の現象」としたうえで、次のように述べている。「而して此不思議なる現象の由つて来る所を問へば道心と美感とを截然と区別して、一の世界より他の世界に移るとき未練なく之を亡失するが為めにあらずんばあらず。故にもしある社会ありて、其社会の状態は此両者を一刀に劃断する事能はざれば、此社会に生存する人は裸体画に対して一種不安の念を禁ずるを得ざるべし。吾邦の現時は多少之に似たり。」(『漱石全集』第一八巻〈岩波書店、一九七九〉、一五三頁)。

[18] 『大久保利通文書』第六(大久保家蔵版、一九二八)、三九八頁。この上申は、ウィーン万国博覧会の報告書(明治八年)に収められた佐野常民の意見書にもとづくものであり、「眼視ノ力」という語も佐野の意見書に由来する。

美術における政治表現と性表現の限界

1 「美術に対する規制」と「美術という規制」――『頓智協会雑誌』の発禁

宮武外骨は、明治二二（一八八九）年二月発行の『頓智協会雑誌』二八号に、その直前に発布された「大日本帝国憲法」発布式をパロディ化する記事と挿し絵を掲載した。「第一条　大頓智協会ハ讃岐平民ノ外骨之ヲ統轄ス」［1］で始まる「大日本頓智研法」にカリカチュアを添えて掲載したのである。カリカチュアには、外骨ならぬ骸骨が明治天皇に成り代わって「研法」を下賜している儀式のさまが描かれていた［図12］。これが、いわゆる「不敬罪」に問われ、編集兼発行人の宮武外骨には重禁錮三年、罰金一〇〇円、監視一年、口絵の作者安達平七（吟光）には重禁錮一年、罰金五〇円、監視八カ月の刑が、それぞれ言い渡され、同誌は発行停止に追い込まれる。「不敬」の名のもとに、政治にまつわる視覚表現への規制がおこなわれたのである。視覚表現を、いま「美術」によって代表させるならば、これを「美術に対する規制」と呼ぶこともできるだろう。

規則にもとづいてものごとを制限することを一般に「規制」と呼ぶ。ただし、規制は必ず規則によって加えられるとはかぎらない。そこには、さまざまな権力関係がはたらいており、権力は、しばしば規則を超えて発動する。また、権力は外的に作用するばかりではない。規制は内的におこなわれる場合もある。「国家」が政治の最も重要な単位とされる近代においては、権力の大部分は国家によって掌握され、権力行使は、しばしば、警察や軍隊など国家の暴力装置による弾圧や抑圧というかたちであらわれるが、規制は、物理的な暴力に頼るばかりでは効力を充分に発揮できない。外的規制が個々人に内面化されることによって規制はまっとうされる。規制の内在化は、メディア、学校、家庭、職場などさまざまなイデオロギー装置によっておこなわれる。美術に関しても事情に変わりはない。

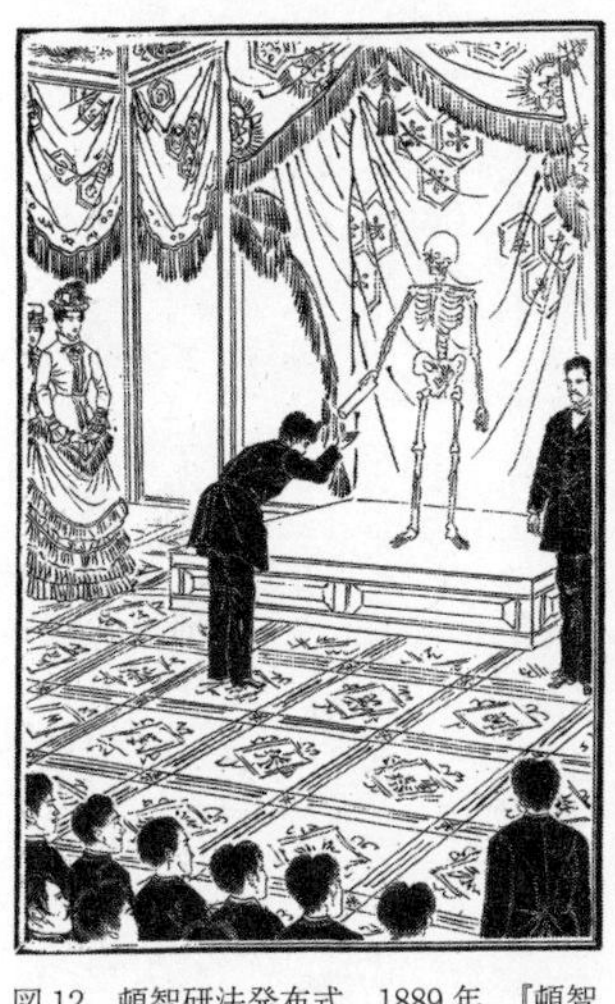

図12　頓智研法発布式　1889年　『頓智協会雑誌』第28号所収

「美術」という言葉は、明治六（一八七三）年に明治政府がウィーン万国博覧会に参加したさいに欧語からの翻訳によって日本語の語彙にもたらされたのだが［2］、それ以後、この言葉をめぐって、展覧会、美術館、美術学校、美術ジャーナリズムなど、「美術」をめぐるさまざまなイデオロギー装置が形成されてゆく。それは、言説実践を通じて視覚芸術としての「美術」の概念が形成されてゆく過程でもあった。これらのイデオロギー装置は言説編成の結節点とでもいうべきものであり、また、それを作動させるのも美術にかかわる言説であった。言説の、こうした主導性が、言語に取り憑かれた人間存在の在り方に根ざしていることはいうまでもない。

不平等条約下の輸出伸張政策とのかかわりにおいて、また、固有の文化を有することが国民国家の要件であるという事理にしたがって、さらには民族自決の促しとして、「美術」をめぐる言説は社会に繁茂していった。経済的、政治的な要請によって活気立つ美術の言説は、イデオロギー装置を通じて、やがて「美術」を、造型表現にかかわる「社会的部分システム」［3］として成立させることになる。そして、美術がひとたび社会的部分システムとして成り立つと、それは造型表現を律するようになる。近代日本の場合、西洋近代が育んだ美術の在り方にしたがって、精神性や創造性が求められ、技法的にはリアリズムが重視され始めるのである。また、江戸時代までの造型の主流が、鑑賞性と実用性を複合する工芸的な在り方を示していたのに対して、美術館や展覧会というイデオロギー装置は、工芸性に傾く従来の造型を生活のトポスから切り離し、展示‐鑑賞というシステムに組み込んでいった。つまり、脱＝工芸化し、脱＝トポス化していった。こうして「美術」の在り方が規定され、それにもとづいて、造型表現へのさまざまな規制が内的、外的に加えられるようになるのである。

美術という社会的システムによって規制されるのは作者ばかりではない。鑑賞者も、さまざまな規制を受ける。たとえば美術館を支配する静けさは、いうまでもなく規制の結果にほかならない。ただし、規制は美術館によって——具体的な場面においては監視員によって——外的におこなわれるとはかぎらない。それは学校や家庭における規制の内面化の結果でもある。規制の内面化とは、いいかえれば規律を身につけるための訓練すなわち「しつけ」である。子どもたちは、マナーを、見ることへの集中、精神性の重視、他人の鑑賞行為の尊重といった信念もしくはマナーを、言葉と実体験を通して植え付けられてゆくのだ。美術館の静けさは、内外両面にわたる規制によって保たれているのである。

学校教育に関していうと、美術というシステムは美術科の授業を通じて国民のあいだに再生産されてゆく。そこでは表現技法の習得ばかりではなく、古典として規範化された「よさや美しさ」[4]を内的に受け入れさせることにも力がそそがれる。古典もまた表現への規制として作用するのである。

美術のプロフェッショナルの養成は、主として美術学校が、それをおこなってきた。美術学校では、美術に関する規律を、身体的な訓練によって内在化させることに主眼がおかれるのだが、古典の内面化もカリキュラムの重要な一環を成す。これらが両々相まって、美術にたずさわる者としての主体性が形成されてゆくのである。

「美術という規制」が内面化されてゆく以上のような過程は、美術における制作主体を形成する権力の発動過程として捉えることができる。すなわち、美術学校というイデオロギー装置は、美術における主体形成権力のメカニズムにほかならない。「美術」というシステムに自発的に従いつつ、それを再生産する主体が、これによって生み出されてゆくのである。フーコーのいわゆる「臣下＝主体化 assujettissement」〔5〕である。ただし、これは、むろん美術に特有の事柄ではない。いたるところにその過程は見出される。「大日本帝国憲法」が、国民を「臣民」と表現していることに示されるように、日本における国民の形成は、民衆を文字どおり「臣下＝主体化」してゆく過程であった。

2　国家と美術——ノモスへの意志

言説がさきわう社会空間は、国家の次元に関していえば、法の支配する場である。法的発想は、網目状に展開してゆく言説に体系性をもちこみ、言説編成を国家として具体化する。言説によって形成されるアモルフな権力の場に骨格を与える。権力空間は言説編成と実定的な法体系のセットによって成り立つのだ。

明治政府が、封建支配への批判意識から法支配を重視したことは、よく知られている。たとえば、寺島宗則は、大久保利通に宛てた書簡のなかで、「吾国ニ法律ナキカ或ハ法律アツテモ公平ニ之ヲ応用セサレハ此政府ノ管轄ヲ受クル民ヲ自由ノ権ナキ民ト謂フ」と述べている［6］。ここで注意を要するのは、寺島が「自由ノ権(リベルチ)」を、「自然自由」に対する「開化自由」の意味で捉えていたことだ［7］。すなわち、「自由ノ権(リベルチ)」とは、あくまでも「開化」＝ノモスにもとづくものであって、「自然」＝ピュシスにもとづく自由ではなかったのである。もっとも、明治憲法体制下において「自由ノ権」は、いずれにせよ著しく制限されることになるのだが、ノモスへの意志だけは、強固に貫かれていった。「大日本帝国憲法」は、かかるノモスへの意志の実定的な表現にほかならない。「西欧」と称される異文化の社会的受容、そして、世界資本主義システムへの参入＝組み込みを承けて発現する新たな人工的世界構築の意志、すなわちノモスへの意志が、そこに、はっきりと見出される。

『頓智協会雑誌』の発行停止処分を告げる警視総監折田平内(へいない)名の通達には、「治安ニ妨害アル者ト認メ自今発行停止ノ旨其筋ヨリ達アリタルニ付此旨相達ス」［8］という文言が見出されるが、ここにいう「治安」とは、法的な骨格を与えられた権力空間、つまりノモスの場を保持することにほかならない。ようやく組み上げられた権力空間の骨格のかなめに、いいかえれば権力の源泉であり焦点でもある存在に諧謔の矢を撃ち込む外骨たちの所為は——たとえ単なる戯れ事であったとしても——ノモス護持の立場からは、決して見過ごしにできるものではなかったのである。

ノモスへの意志は、政治的場面においてばかり見出されるわけではない。美術もまた、ノモスへの意志の産物であったということができる。人為的な約束事として成り立つというだけではなく、そこには法の重視もまた見出される。「美学」や「芸術学」は、美術のノモスを実定的に制定しようとする企てにほかならないのだ。

さて、それでは、政治という権力空間の源泉に外骨＝吟光が撃ち込んだカリカチュアの矢は、ノモスとしての美術に対して、どのようなかかわりをもったのだろうか。

帝国憲法が発布された明治二二年は、美術が、ノモスとしての基本的な体制を整えた時期にあたっていた。この年、国粋派勢力によって官立の「東京美術学校」が開校し、西洋派の画家や彫刻家たちも、それに対抗するようにして明治美術会を結成している。美術雑誌『國華』が創刊されたのもこの年だ。「博物館」が「帝国博物館」と名を変え、東京、京都、奈良の三館体制を取ることになったのも同年のことである。また、東京美術学校で、日本人による初めての日本美術史の講義が岡倉天心によって開始されたのは翌二三年のことだった。そして、同年に開かれた政府主催の第三回内国勧業博覧会では、前回までの彫刻を首位におく序列（この背景には、発足まもない明治国家が政治的にモニュメントを必要としていた事情が、おそらくひかえていた）と「書画」という江戸時代以来の枠組みが解体され、「絵画」を筆頭に置き、「彫刻」を次位に置く、現在に通ずるモダニスティックな体制が整えられることになる。西洋派の画家たちが、国粋主義への傾斜に沿って、神話や歴史に取材した作品を出品したのも、この第三回内国博だった。西洋のリアリズム画法を一種のテクノロジーとして受容してきた幕末以来の西洋派の画家たちは、ナショナリズムの高潮に巻き込まれるようにして、絵画に精神性を付与し始めるのである。また、博覧会が、絵画を、生活の場から連れ出し、展示‐鑑賞のシステムに組み込む上でも大きなはたらきをしたということを、ここで改めて指摘しておくべきだろう。

憲法体制構築に向けてノモスへの意志が動き出した明治一〇年代なかば以降、それと並行するように美術というノモスの実定化を目指すさまざまな動きも始まっていた。フェノロサが『美術真説』の講演において――ヘーゲル美学を踏まえて――美術はイデーの表現であるべきことを説きつつ、そこからフォーマリズムの絵画論を展開したのは明治一五(一八八二)年、国会開設の勅諭がくだった翌年のことであり、明治一〇年代末には、東京大学において「審美学」が独立して講述され始めていたのである。

以上のような動きを主導したのは、憲法体制構築と足並みをそろえる国粋派であった。つまり、美術という社会的部分システムが、国家と国粋主義の主導によって、国家に内属するようなかたちで形成の緒についたのであり[9]、こうした美術の在り方に、外骨＝吟光のカリカチュアはあきらかに抵触していた。「不敬」という意味ばかりではない。それは実定化された美術のノモスにも抵触していた。明治一九年に開催された国粋派の東洋絵画共進会は、規則のなかで「猥雑戯狂ニ属スル図画ノ類」を「美術ノ資格ナキモノ」と規定していたのである[10]。戯文とカリカチュアを武器に、『滑稽新聞』などに拠って抵抗の姿勢を貫いていった外骨一派の仕事は、まさしくこの規則のとおりに、美術の領域から除外され、近年に至って赤瀬川原平が、日本近代におけるアヴァンギャルドの先駆として、それを見出すまで、美術の外なる出来事として美術史から抹消されてきたのであった[11]。

3　天皇制のノモス――「限界」と「境界」

ノモスに抵触するとは、ノモスの限界に触れることにほかならない。権力は、つねにノモスの限界付近において発動し、規制は、ノモスの限界付近において強まるのである。では、ノモスの限界は、どこに、どのようにして見出されるのか。先に「自由ノ権」にかんして用いたノモス／ピュシスという対に拠って考えるならば、ノモスの限界は、それがピュシスと接する周縁に、まずは想定することができる。ただし、周縁ばかりが限界を成すわけではない。ノモスの中心もまた限界を成す。たとえば、「天皇制」のノモスは、天皇を権力の中心に据えるが、この場合、中心とは権力の源泉であり、したがって権力空間はここで終わる。とはいえ、限界は、明確な区切りとして見出されるとはかぎらない。それは、しばしば曖昧な在り方を示す。

「限界」と類似の概念に「境界」があるが、「境界」は、異なる領域の接する辺際、つまり、領域を分かつところに成り立つ。すなわち、それは、いずれの領域にもかかわりながら、しかし、いずれの領域にも属さない。つまり、「境界」は、どちらつかずの曖昧さを属性とする。「限界」もまた辺際に関する概念であり、それゆえ、このような曖昧さを共有している。とはいえ、むろん、「限界」と「境界」は概念を異にする。「境界」が——いわば鳥瞰的に——その外部を具体的に想定させるのに対して、「限界」は、世界の果て、可能性の地平がきわまるところを指し示す。「限界」概念は、具体的な外部を想定しない。あるいは、外部を可能性の外に置く。国家というノモスの限界＝中心を射抜いた外骨＝吟光の諧謔の矢は、死の表象によって国家の限界（＝中心）を遥かに越え、「戯狂」ゆえに美術の限界をも越え出ていたがために、「発禁」というかたちで存在を否定され、美術史の頁からも抹消されることになったのであった。

外骨＝吟光の矢が、憲法でよろわれた権力の中心を射抜いて遠く飛び去ったのち、「天皇制」のノモスが着々と構築され、「臣下＝主体化」のプロセスを通じて、やがてそれが内面化されてゆくことになる。天皇制国家は、日本社会を制圧してゆく。しかし、国家は、もとより社会の取りうるひとつのかたちにすぎない。その可能性のすべてではない。国家は社会という地の上に描かれた図にすぎない。国家は、いわば社会を環境として成り立っている。とすれば、国家の辺際は、社会との「境界」として捉え返すことができる。あるいはまた、ノモス／ピュシスという対において考えるとき、国家の「限界」は、ピュシスとの「境界」として捉え直すことができる。それゆえ、国家の「限界」は、「境界」としての曖昧さを帯びるのであり、同じことは美術に関しても指摘できる。美術は造型表現のすべてではないのだ。

ノモスの限界がもつこのような曖昧さに留意しつつ、美術と国家に関する限界的な表現の有りようを探るならば、それは、いったい、どこに、どのようにして見出されるだろうか。近代日本における美術が、天皇制国家に内属するという基本的事実をふまえ、国家と美術という二つのノモスが、まがりなりにもかたちをととのえた明治二〇年代に的を絞って考えると、外骨＝吟光のカリカチュアは、ノモスに対する否定の身振りによってノモスの限界を示しているかにみえる。それは、死の表象と天皇像の結合においてノモスの限界にかかわっている。しかし、それは美術というノモスを越え出てしまうことによって、つまり、ノモスに対する明確な外在性において、限界を却って見えにくくさせているともいえる。この点にかんがみるならば、指標は、別に求められなければならない。そこで、改めて明治二〇年代の美術に目を向けると、いわゆる「御真影」と「裸体画」が、限界にふさわしい曖昧さを帯びて浮かび上がってくる。「御真影」は権力の源泉＝限界である天皇を描くことで、また、「裸体画」は性を介してピュシスとかかわることで、それぞれノモスのきわまる場所を示しているのである。

4　視覚の権力——「見られる天皇」と「見る天皇」

大久保利通は、見ることにきわめて意識的な政治家だった。眼の政治をおこなったひとだといってもよい。このことは、大久保が、明治一〇（一八七七）年に、内務卿として内国勧業博覧会を開催したことに端的に示されている。この博覧会は、見ることによって「文明開化」を推進するイデオロギー装置であったのだ。大久保は、「眼視ノ力」［12］こそ近代化の推進力であることを見抜いていたのである。一七世紀のヨーロッパにおける望遠鏡と顕微鏡の発明に示されるように、まさしく近代は視覚優位の文明であった。

視覚の重視は第一回内国勧業博覧会において、パビリオン配置のかなめの位置に日本で最初の「美術館」が建てられたことにも示されている［図13］。「美術」の語は、当時一般には諸芸術の意味で用いられていたのだが、この「美術館」では、視覚的な鑑賞の対象に絞って展示がおこなわれたのだ。これ以後、美術館は、見ることによる「文明開化」を表象＝代表する存在となってゆくことになるのである。

博覧会のかなめである美術館の前庭は国家的なセレモニーの場ともなった。楊洲周延の

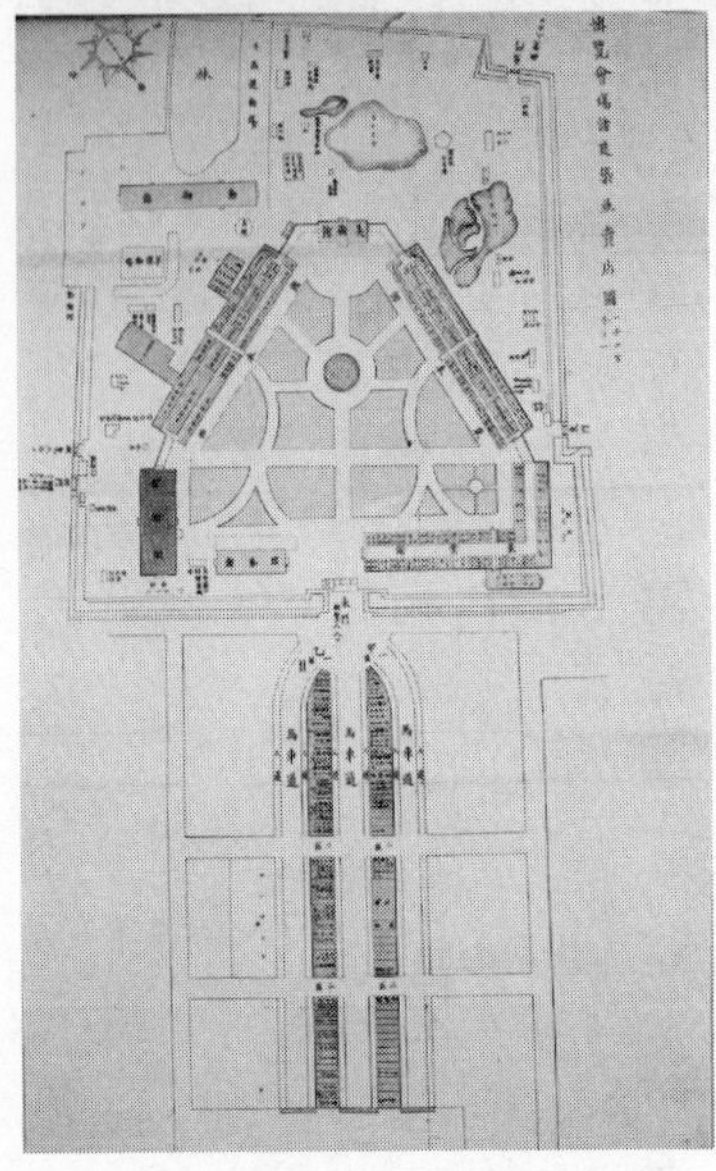

図 13（左） 大日本東京内国勧業博覧会場全図 1877 年『明治十年内国勧業博覧会場案内』所収
図 14（上） 楊洲周延 内国勧業博覧会開場御式の図 1877 年 国立国会図書館

錦絵《内国勧業博覧会開場御式の図》（一八七七）［図14］には、美術館の前で、明治天皇を中心に執りおこなわれる開会式のようすが描かれている。これは天皇の容貌が錦絵に描かれたはやい例のひとつであり、この頃を境に天皇の容貌は――しばしば不正確なものながら――錦絵に頻繁に登場するようになる。幕末維新期の錦絵にも、天皇が描かれなかったわけではないが、それは、「見立て」の手法によるカリカチュアにとどまっていた［13］。そればかりか、そもそも天皇が、ひとびとの前に姿をあらわすということじたい、きわめて異例のことであった。近世における天皇は、禁裏の奥深く、民衆のまなざしのとどかぬところに秘めおかれていたのだ。

天皇が、民衆の前にはっきりと生身の姿をあらわすのは第一回内国勧業博の前年の東北・北海道巡幸に際してであった［14］。天皇は、美術館の出現と、ほぼ時を同じくして民衆の眼前に姿をあらわしたわけだが、これは決して偶然ではない。そこには、大久保利通をはじめとする官僚や政治家たちの、視覚にまつわる政治学がはたらいていた。大久保は「大坂遷都の建白書」（一八六八）のなかで、「玉簾ノ内ニ在シ人間ニ替ラセ玉フ様ニ纔（わずか）ニ限リタル公卿方ノ外拝シ奉ルコトノ出来ヌ様ナル御サマニテハ民ノ父母タル天賦ノ御職掌ニハ乖戻（かいれい）シタル訳ナレハ」と天皇旧来の在り方を批判し、「即今外国ニ於テモ、帝王従者一二ヲ率シテ国中ヲ歩キ万民ヲ撫育スルハ、実ニ君道ヲ行フモノト謂ヘシ」［15］と主張していたのである。巡幸は、こうした発想にもとづく施策であったわけだが、原武史が

図15　柳源吉　陸海軍連合大演習　1890年　宮内庁三の丸尚蔵館

指摘するように、それは、参勤交代の大名行列に見られるような江戸以来の「御威光」の視覚的演出を引き継ぐ企てであったともいえる［16］。しかし、大久保的な視覚の政治学は、権力の所在を、単にパレードによって示すにとどまらず、パレードの中心を剔き出しのかたちで衆目に示してみせるところまでゆかなければ、やまなかった。この点に、大名行列とは異なる発想が窺われるのである。

大久保利通の企ては、要するに権力の中心がどこにあるのかを民衆に対して視覚的にアピールすることであった。それは、しかし、在来の天皇を、あるがままに現前させることではなかった。天皇顕現の企てと並行して、近代国家にふさわしい天皇の造型がもくろまれたのである。まず、それまで束帯であった正服を洋装に改め、洋装は、やがて軍服仕立てに定まって、一般の目に触れる天皇は、いわゆる「肋骨服」に身をつつんだ軍人としての姿に絞られるようになっていったのだ。「富国強兵」のスローガンを掲げて軍国主義路線を取る近代国家日本の基本的なイメージが、そこに託されていたのはいうまでもない。明治最初期には、人民に向けて「日本国ノ父母」[17]と宣伝されていた天皇が、「父」としての天皇へ、つまり、アンドロギュノス的存在から家父長的存在へと転換されたのである。こうした指向が姿形のうえではっきり示されたのは、明治六年三月に天皇が断髪したときだった。それまで天皇は結髪し、薄化粧をした伝統的スタイルを踏襲していたのだが、これをさかいに男性的なイメージへと変貌をとげるのである。

断髪した翌年の九月、明治天皇は、歩兵、騎兵、工兵三三七〇人、砲一八門を率い、楽隊をともなって、武蔵国豊島郡本蓮沼村におもむき、大演習をみずから指揮している。軍服姿の天皇は、兵士たちの視線を一身に浴びつつ、兵士たちを閲し、兵士たちに号令する主体、つまり、見つつ見られる主体として——しかし、あくまでも見る主体への傾きにおいて——兵士たちの前にあらわれたのである。すなわち国民形成にかかわる主体化権力が典型的に発現する場である軍の演習は、また、天皇の主体化の場でもあった［図15］。天皇において「見ること」が、統率し統治すること、つまり「知ろしめす」ことを意味していたのはいうまでもない。巡幸の在り方にもそのことは認められる。巡幸の途次、天皇は、工場、学校、鉱山などへ赴き、それらをつぶさに視察しているのである。天皇の視覚化のもくろみである巡幸は、天皇が国家を「知ろしめす」旅でもあった［18］。

5　写真と絵画――「御真影」とリアリズムの変質

こうして軍服をまとい髭をたくわえた明治天皇のイメージが形成の緒につき、錦絵や石版画などの民衆向けの視覚メディアによって、ひとびとのあいだに定着してゆくことになる。また、天皇像は、高橋由一らによって油絵に仕立てられることで美術史の一角を占めることにもなった［図16］。こうしたイメージ形成の総仕上げをしたのが「御真影」と呼ばれる画像にほかならない［図17］。

やがて学校教育を通じて知れわたることになる「御真影」は、そのリアリティと「真影」の語ゆえに、しばしば写真と信じられている。しかし、「御真影」は撮影によるものではない。当時の為政者は、大蔵省印刷局の技師エドアルド・キヨッソーネが描いたコンテによる肖像を写真に撮るという手続きをとったのである。

絵を写真にした最大の理由は学校に配布するべく大量に複製する必要があったためだが、写真というメディアのもつ直接性の効果に対する期待もあったのにちがいない。スーザン・ソンタグが指摘するように、写真は「足跡やデス・マスクのようにひとつの痕跡、現実から直接刷り取ったあるもの」［19］と、しばしば思いなされるからである。すなわち、天皇の現前性を、よりあらたかにしようという思惑である。しかし、一方、同じ理由から、写真による天皇像においては、「不敬」にあたる行為もまた直接性を帯びるのを避けがたい。明治政府が、天皇の姿を描く錦絵や石版画の流布については比較的寛大であったのに、こと写真に関しては、しばしば厳しい規制をおこなったのは、思うに、そのためであった。絵を介在させる「御真影」の手続きも、この点に配慮したものであったにちがいない。この屈折した手続きは、写真の直接性がかもしだすマジカルな効果を保持しつつ、そのじつ絵を介することによって写真の直接性から玉体を守るという周到なたくらみであったと考えられるのだ。

図16　高橋由一　明治天皇御肖像画　1880年　宮内庁

図17　キヨッソーネ／丸木利陽　明治天皇御尊影　1888年　明治神宮

　ただし、写真ではなく絵姿が選ばれたことには、これとは別の理由もあった。すなわち、画手による理想化への期待である。げんにキヨッソーネの肖像は、権力の源泉として、また家父長制の代表者として申し分ない威厳ある慈愛に満ちた落ち着きを示している。もっとも、佐々木克が指摘するように、内田九一が明治六年に撮影した軍装に身を固めた天皇の写真にも理想

図18　原田直次郎　騎龍観音　1890年　護国寺（東京国立近代美術館寄託）

化の跡が認められはするものの［20］、それは、絵画の場合とはくらべものにならないほど限定されたものにとどまっている。

絵画に仕立てられたことに関しては、もうひとつ、リアリズム観の変質が背後にあったことを指摘しなければならない。幕末以来、記録や伝達のテクノロジーとして扱われてきたリアリズム画法は、この頃をさかいに精神的な次元を求めるようになり、たとえば原田直次郎が第三回内国博に出品した《騎龍観音》（明治二三年）［図18］に見られるように、ロマン主義的な傾きを示し始めるのだ。絵画は、写真のもつ直接性から遠ざかり始めていたのである。

このような事情を背景としてキヨッソーネが制作した明治天皇の肖像は、さっそく写真撮影され、明治二〇年代以降、公教育の基盤である公立の小学校へと公式に持ち込まれることになる。これ以後「御真影」は、徐々に学校教育の場に広がり始め、明治二〇年代末には、宮内省下賜のものにかぎっても尋常高等小学校、高等小学校のおよそ半数にゆきわたり、複写されたものまで含めると、明治期に「御真影」を「奉置」した小学校は、長野県の例でいえば七〇パーセント近くにまで達している〔21〕。こうした動きの背後には、「見られる天皇」に関する重大な発想の転換があった。「御真影」は、巡幸のパレードと入れ替わるようにして、学校教育の場に広がっていったのだ。明治天皇の生身の姿は、「御真影」の彼方へと遠のいてゆくのである〔22〕。

天皇の生身を衆人の前にさらすのは大きなリスクがともなう。天皇が権力の中枢であるという認識が定着するにつれ、その度合いは当然ながら高まる。そればかりではない。そのころ既に憲法体制の構築に取りかかっていた政府としては、天皇を法体系としてのノモスの内に位置づけ直す必要があった。そのためには、天皇は概念化の手続を経て抽象化されなければならない。しかし、ひとびとの種々雑多な思惑が言説のかたちで行き交う権力空間を統制するためには、ノモスの源泉を目に見えるかたちで示す必要も依然としてある。

そこで、為政者たちが注目したのが学校教育であった。明治一四(一八八一)年の「小学校教則綱領」以来、学校現場では国民教化が着々と推し進められ、皇国史観による歴史教育と修身を軸とする教育が施されていたのである。その実績の上に立って、「御真影」は、「教育勅語」とともに学校行事における儀礼の中心に位置づけられてゆくことになるのだ。

6 展示と礼拝――「御真影」の二重性

多木浩二は『天皇の肖像』において、肖像画家としてのキヨッソーネを「職人的美術家であり、また技術者でもあった」[23]と評している。大蔵省印刷局にあって紙幣のデザインを担当していたキヨッソーネは、たしかに「職人的美術家」と呼ぶことができるのだが、このことは、時代の動きとキヨッソーネのズレを示してもいる。ロマン主義へと傾斜する「美術」において、「職人的美術家」は、やがて中心から遠ざけられる運命にあったからだ。キヨッソーネの天皇像は、理想化を施されてはいたものの、《騎龍観音》にみられるようなロマン主義的理想化とは一線を画す穏健なものにとどまっており、内面化のベクトルは、ほとんど感じ取ることができない。しかし、それゆえにこそ彼は「御真影」の画手として選ばれもしたのであった。権力の源泉を指し示すには、理想化と実態との微妙な兼ね合いが必要とされるのだ。やがて、黒田清輝の帰国を契機に絵画の理想が個的な内面性への傾きを強めるなかで、このようなキヨッソーネの画技と絵画状況のズレは決定的なものとなるだろう。

同じことは、天皇の肖像制作にたずさわった他の画家たち――高橋由一や五姓田芳柳(ごせだほうりゅう)らについてもいえる。幕末期に西洋画法を身につけた彼らにとって西洋画法とは、なによりもまず如実な再現を可能とするテクノロジーであったからだ。とはいえ、高橋由一が、肖像画における理想化について何も知らなかったわけではないし、歴史に題材をとったロマン主義的な絵を描かなかったわけでもない。しかし、その企ては、ついに功を奏することはなかった。彼の絵画を、生涯にわたって規定しつづけたのは――その腕前はともかく――愚直な再現志向であった。また、西洋人のためにスーヴニールとしての肖像画を描いた五姓田芳柳は、理想化の機微を職業上こころえていたとしても、それは、むしろ粉飾というに近いものであった。つまり、彼らは美術家であるにはちがいないものの、ロマン主義的な歴史・神話主題に沿って精神性へと絵画が傾いてゆく状況下にあっては、美術の周縁に――美術が美術でなくなる限界の方へ――追いやられる運命にあったのだ。

限界に位置していたのは、天皇像制作に携わった画家たちばかりではない。「御真影」という絵画じたいもまた、いくつかの理由によって美術と非美術の曖昧な限界に位置していたということができる。その写真的なスタイルは、上述のように、既に過去のものとなりつつあったし、その複製的性格も、近代絵画の一点主義に背反するものであった。そして、なによりもまず礼拝対象であることにおいて美術の限界に「御真影」は位置していた。展示が見ることを目的とするのに対して、礼拝の対象は必ずしも見える必要はない。それは、たとえば秘仏がそうであるように、存在することにおいて価値をもつ[24]。「御真影」は、儀礼において本尊さながらの扱いを受けたばかりか、ふだんは厳重な管理のもとにおかれ、のちには「奉安殿」と称する神明造の施設さえ考案されているのである[25]。こうした在り方は、「御真影」という名称が、もともと仏教における礼拝像を意味する言葉であることにも示されている。このように「御真影」は、美術館にみられるような展示‐鑑賞のシステムには組み込みがたい存在なのである。

学校儀礼の場において『教育勅語』とセットで奉戴される「御真影」は、このように、もはや、たんに「見られる天皇」の像ではなかった。それは、ビザンチンのモザイクに描かれた神像のように威厳をもって民を見下ろす「見る天皇」としての在り方を示している。ジャン・パリスは、ビザンチンの神像について、こう書いている。

崇められるために神は目に見えるものでなければならないなら、しかし目に見えるものになることによって神が失墜するのなら、神を不敬ないし冒瀆から救うにはどうすればよいか？　その解決法は単純で、しかも驚くべきものである。見る者と見られる者の関係を逆転すればよいのだ。神を、もはや観照の対象ではなく、私たちを見つめる主体として、天上の全空間を通してのように、金色の背景から私たちを見つめるものとして描けばよいのである〔26〕。

菊の紋章を染め出した紫縮緬の幕を掲げ、交差する国旗の彼方に奉戴される「御真影」の前に整列し、最敬礼して、唱歌を斉唱する生徒や教師たちは〔27〕、ひとしく天皇の「知ろしめす」対象となる。天皇像の前に展開される儀礼は、そのような自覚を生み出す。すなわち、『〈漢英仏独〉教育勅語訳纂』（明治四二年）にみえるA Nos sujetsという『教育勅語』の公式仏語訳〔28〕の呼びかけのとおりに、「臣下＝主体化 assujettissement」のイデオロギー装置として、それは機能してゆくのである。

ただし、「御真影」は、「見る天皇」として、ひとびとに君臨したばかりではない。それは、あいかわらず権力の中心を具象化する「見られる天皇」でもあった。それは展示性をも微妙ながら兼備していた。たとえば仏像に関してもちいられる「拝観」というような折衷性が、そこには認められるのだ。「見る天皇」への傾きにおいて、しかし、なお権力の源泉として、それは仰ぎ見られる存在であった。

仰ぎ見られる天皇の肖像は、展示性をもつとはいえ、しかし、鑑賞の対象として掲げられるわけではない。まじまじと見ることなくして鑑賞はありえず、まじまじと見ることは、この場合「不敬」にあたる。「神聖ニシテ侵スベカラズ」と憲法第三条に規定された存在に、展示‐鑑賞のシステムはなじまない。にもかかわらず、「見られる天皇」という側面を、そこでなお保持しようとすれば、通常の鑑賞とは異なるかたちで天皇の肖像を国民に示すシステムが必要となる。それが、「御真影」をめぐる儀礼であった。すなわち、「御真影」をめぐる儀礼は、ソフィスティケイトされた——あるいはカモフラージュされた——展示システムであったのだ。美術という規制にもとづく展覧会も、「見ること」にかかわる規制であるという点では「御真影」をめぐる儀礼と選ぶところはないものの、「御真影」が、「見ること」じたいに対する規制でもある点で、両者は決定的に異なる。視覚の力による近代化の過程から生まれた美術という社会的部分システムと「見られる天皇」は、ここにおいてあやふやなかたちで袂を分かつことになるのだ。

この見つつ見られるという「御真影」の曖昧な二重性は、権力の源泉であるがゆえにノモスの限界を成す存在に、いかにもふさわしい。国家というノモスの限界がもつ曖昧さを「御真影」と、それをめぐる儀礼の在り方は体現している。国家というノモスの限界を示す「御真影」は、また——画手においても、複製である点でも、展示‐鑑賞のシステムに関しても——美術の限界に位置してもいた。美術と美術ならざるものの境に位置していた。すなわち、天皇像という、天皇制国家における最高に政治的な表現において、国家というノモスと美術というノモスの限界が、限界ゆえの曖昧さをともないつつ、二つながら、そこに見出されるのである。向かって左にわずかに流れるような「御真影」の視線は——パリスなら「即座に恩寵を与えることを拒んでいる」[29]というところだろうが——見下しつつも、見られる隙を与える巧妙な誘いによって、まさに限界的存在としての曖昧さを体現しているといえるだろう。

7 スラッシュ上の裸体画——ノモス／ピュシス

外骨＝吟光のパロディの矢は、「御真影」をエックス線のように突き抜け、ノモスの外部、無限定なピュシスにまで達していた。骸骨という死の表象は、人為の限界に穴を穿つことでピュシスの風をノモスの領域に吹き込ませずにはおかない。天皇を骸骨に見立てるということは、国家というノモスの無化であり、さらには、ノモスそのものに対する否定でもあった。

しかし、ノモスを危険にさらすのは死ばかりではない。性もまた、ノモスにとっては、きわめて危険なはたらきをする。性は、ノモスとして馴致しがたい領域、ノモスとしての社会が、日常的にピュシスと接するところだからである。むろん、性や死にかぎらずピュシスは日常のいたるところに口をあけているのだが、性は、生命の再生産にかかわる点で、きわめて重大な社会的・国家的関心事でありつづけてきた。死が葬儀によって管理されるように、ノモスを維持するためには性もまた厳重な管理のもとにおかれなければならない

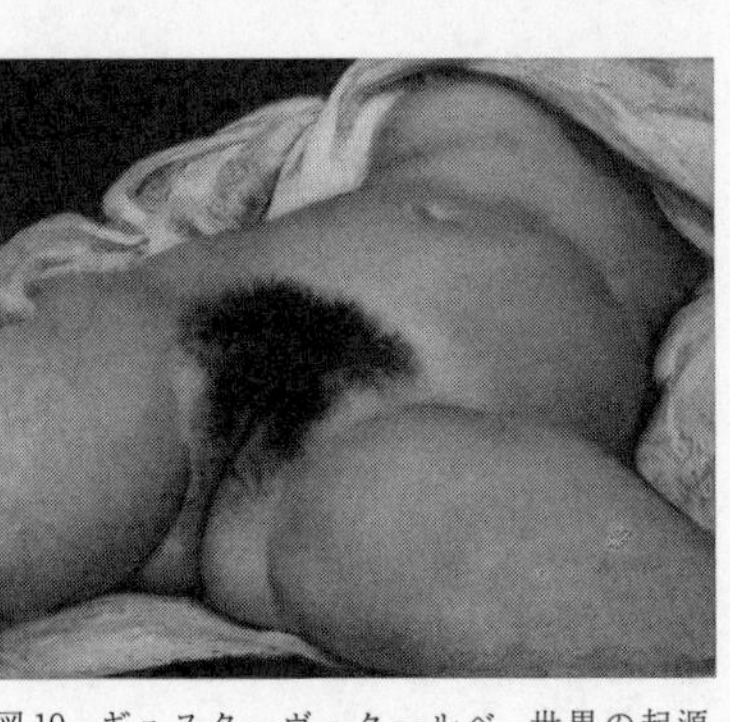

図19　ギュスターヴ・クールベ　世界の起源　1866年　オルセー美術館

のだ。親族関係を示す戸籍による国民の管理は、端的にそのことを示している。国民国家は、「人間の剝き出しの生」[30]を主権の基礎に据えているのである。美術においても性にまつわるこうした事情に何らかわりはない。それゆえ裸体表現は、明治以降、たびたび取り締まりの対象となってきたのであった。

「御真影」が公立学校に持ち込まれることとなった明治二〇（一八八七）年、それから二年を経て内務省は、裸婦を描いた印刷物の販売、頒布の取締りに乗り出している。これは、国家というノモスへの意志が憲法発布において最高潮に達した年に、いかにもふさわしい出来事であった。ノモスへの意志が、裸婦像に敏感に反応したのは、それがノモスの限界、いいかえればピュシスとの境界に位置するものとして捉えられたことを示しているのだ。盛り上がるような陰毛を中心に女性の腰部を描いたギュスターヴ・クールベの絵は《世界の起源》（一八六六年）[図19]と題されているが、このように女性を世界の起源とみなす発想からすれば、女性を描くことは世界の限界に触れることであり、限界を成す曖昧な場所に分け入ることを意味する。ノモスとピュシスが対立しつつ関係し合うスラッシュ上の場所といってもよい。「開化自由」を「自然自由」の優位に置くノモスへの意志にとって、それが危険な場所であることはいうまでもない。

ただし、裸婦像への禁圧が国家権力の一方的な規制でなかったことは注意を要する。たとえば明治二二年一一月一七日付の『朝野新聞』が、「裸体画の一度新聞紙雑誌の挿画に登りし以来、種々の裸体画は絵双紙屋の店頭の大立者となりて大いに世人の批評する所となり、遂に新聞紙上の議論とまで成りて内務大臣は風俗を害するものとし尽く売買を禁止し」[31] 云々と報じていることからわかるように、この規制は、そもそも社会的な言説を承けたものであったのだ。

もっとも、赤川学によれば、言説編成において性欲と国家のかかわりの意識が明確に認められるようになるのは、明治末期以降に「通俗性欲学」が性にまつわる言説をリードするようになってからなのだが [32]、権力は、いわば予期的にノモスに対する性の侵犯を警戒していたとみることは可能であろう。たとえば明治二一年に文部省編輯局が編纂上梓した『〈中学校師範学校〉教科用書　倫理書』は、「性慾」を含む意味での「体慾（Appetite)」に関して、「体慾ハ、其自然ノ起リニ就テハ、固ヨリ善悪ヲ以テ論ズベキ者ニ非ズ。然レドモ若シ適当ノ度ヲ超エ、為ニ人類生存ノ法ヲ壊（やぶ）ルコトアレバ、悪行トナルナリ」[33] と戒めている。江戸以来の『養生訓』的な発想にもとづく戒めにとどまるとはいいながら、この『倫理書』が、国家主義的教育制度確立の中心人物にして、「御真影」の礼拝を学校儀礼に組み込んでいった初代文部大臣森有礼の徳育観を盛り込んだものであることを踏まえて考えるならば、「人類生存ノ法」という言葉に、国家主義的なノモスへの意志を読み取ることもあながち牽強とはいえまい。また、裸体画への国家権力による規制にまつわる言説のなかには、美術というノモスへの意志を見出すこともできる。

美術としての裸体画に関して事柄の焦点となったのは、裸体画を「世界普通のエステチツク」〔34〕と信じる西洋派の美術家たちの作品であった。彼らの作品は基本的にリアリズムをふまえるがゆえに、「美術」というノモスを越えて現実の裸体と同視されやすかったからである。そこには、西洋画法によるリアリスティックな表現に観衆が不慣れであったという事情も絡んでいた。要するに、裸体画は、美術というノモスを確立するうえでアポリアを成していたのであり〔35〕、それゆえ、裸体画への規制は、このような状況を慮る美術家たちによって自己規制のかたちでおこなわれることにもなった。明治美術会が明治二四年に催した「裸体ノ絵画彫刻ハ本邦ノ風俗ニ害アリヤ否ヤ」という座談会において小山正太郎が「将来ハ知ラズ今日ノ処日本人多数ガ真ニ美術ノ美ノミヲ感スルト云フハ実際上甚ダ疑ハシイ、否ナ寧ロ一種ノ猥褻ナル思想ヲ起ス者ガ多イト思ヒマス」〔36〕と述べていることに、それは、はっきりと示されている。小山の発言は、「美術ノ美」を前提としている点で、「美術という規制」にまつわるものであったといえるのだ。

「美術という規制」の例は、これにつきない。「美学」という実定法に直接もとづく発言も見出すことができる。たとえば、『絵画叢誌』は、内務省が裸体画の取り締まりに乗り出したのを機に裸体画論を幾たびか掲載しているが、そのなかに『東京新報』からの転載記事があり、そこには、あきらかに『美術真説』の影響が認められる。記事は、「余輩は美術を以て天真の模写となすものに非ず。材料を天真に取り布置湊合（そうごう）して以て理想を発揮するものとするなり」という美術観に立って、西洋のすぐれた裸体画は、「淫猥柔媚の俗縁を脱し其渾成の美形をして独り物外に超然たらしむる」ものであると述べているのだ[37]。絵画は、写実に跼蹐（きょくせき）することなく、すべからく自然を超えた「理想」をこそ描くべきだとする主張は『美術真説』のライト・モティーフであり、また、unity の訳語である「湊合」も『美術真説』におけるキー・ワードのひとつであった。

8　裸体画のアンビヴァレンス——男性／女性

もうひとつ『絵画叢誌』から例を引いておこう。明治二八年に三回にわたって連載された深田無光「裸体画論者に啓す」である。深田は、「裸体画」が、西洋の造型に固有の価値観に由来する新語であることを指摘し、次のようにしるしている。

在来の習慣感情がかくありとして、新方面の開拓を否むこと能はず。社会は日に〳〵新たなるを要す、世界の交通は封建の制度を基礎より破壊し終れり、美術上の鎖港論の如きは抑も迂愚の甚だしきものに非ずや。裸体画を抽象的に非難するの人は多くは新思想の趣味を解せざるか、若くは新思想が免る可らざる少弊害に恐れて其好処迄も埋没し終らんとするものなり。[38]

このような発想から、論者は「同一の事情を有せざる我邦に於ては欧洲を以て論ずること能はず。然れども我邦には我邦の裸体画あるべし」と結論している[39]。この論を貫くものは、「美術」という新しい社会的部分システムを、日本社会の歴史性をふまえつついかに成り立たせるかというノモスへの意志にほかならない。裸体画は、いわば、その試金石であり、また美術のノモスを無限定なピュシスから分かつスラッシュでもあった。つまり、美術のノモスがピュシスと接しつつ、みずからをピュシスから分け隔てるアンビヴァレントな場であった。深田が、「真に成効せられたる裸体画は毒薬の反て良薬となるが如く人の美術思想を喚起するに於て非常の勢力あるは」[40]云々と述べているのは、そのことを意味する。裸体画は「毒薬」ともなれば「良薬」ともなる両価的な存在と考えられていたのだ。

この深田の指摘は、ケネス・クラークが「芸術形式」としてのヌードについて「他人の身体をつかみこれと合体しようとする欲望は、人間の本性のきわめて根源的な部分をなし、したがって「純粋形式」とよばれるものに関するわれわれの判断もその影響を受けざるを得ない」〔41〕と述べているのを思い出させずにはおかない。まことに性は御しがたい力、やむことなきピュシスの誘惑であり、それゆえ裸体画は、美術というノモスのクリティカル・ポイントを成すのであって、「猥褻か芸術か」という問題も、こうした在り方ゆえに生じてくるのだが、ここで注意を要するのは、「猥褻」にまつわる問題が、明治以来、ほとんどつねに女性像をめぐって提起されてきた事実である。このことは、むろん、女性を「世界の起源」とみなす発想にかかわるものの、単にそれだけではなく、美術というノモスが、異性愛の男性によって支配される領域であることを如実に示してもいる。女性性へと傾く伝統的なイメージを脱却して軍服に着替えた天皇が「統治」する国家、そこに内属する美術は、異性愛の男性が領導するノモスとして成立したのであった。

このことに関しては、裸体画を「世界普通のエステチック」とする発想が、そもそも西欧における男性中心主義的な言説編成のなかで形成されたものであったという点にも、もちろん留意する必要がある。先のケネス・クラークの言葉を引用しながらリンダ・ニードが『女性のヌード――美術・猥褻・セクシュアリティ』で指摘するように、西洋の文化において、男性／女性という二項は、前項の優位性において、文化／自然、理性／情念、主体／客体というさまざまな対と関連づけられてきたのであった〔42〕。ノモスへの意志にもとづく裸婦像への忌避が、こうした西洋伝来の発想に由来することはいうにおよばず、軍服姿の天皇像もまた、かかる非対称的な二項対立を、武家社会に伝統的な男性優位の発想と結びあわせることによって形成されたのである。

ところで、深田無光の先の評論は、黒田清輝の裸体画《朝妝》（明治二六年）〔137頁、図10参照〕をめぐるスキャンダルに触れて書き始められている。明治二六（一八九三）年にフランス留学から帰国した黒田は、表現性への傾きを示す《昼寝》（明治二七年）、《大磯鴫立庵》（明治二九年）〔452頁、図41参照〕などの作品を描く一方で、鏡に向かう裸婦をモティーフとする通俗性に富んだこの作品を第四回内国博（明治二八年）に出品し、物議をかもしていたのだ。しかも、《朝妝》をめぐる物議は、印刷物の裸婦像の取り締まり以降の状況を承けて裸体画一般に関する議論を再燃させ、議論は、やがて陰部の表現に焦点を結ぶこととなった。たとえば『日本』に掲載された投書は、この作品を、「正面に陰部露出して敢て一絲掩はず、殊に最上の好位置に掲げ、万衆をして見ざらんと欲して得ざらしむ」〔43〕と非難し、元良（もとら）勇次郎も、『帝国文学』に、独特の物心一元論的立場から「人躰と美醜と善悪との関係」という一文を寄せて、陰部の表現に言及している。「倫理上殊に裸体を嫌ふは畢竟陰部を顕はすにあり」と指摘し、「今若し腰の辺に少しの衣を纏ふときは美術上故障少くして又風俗上左迄害を生ずることあらざるべし」〔44〕と具体的な解決策に

図21　黒田清輝　裸体婦人像
1901年

図20　布で覆われた黒田清輝《裸体婦人像》
『明星』第17号（1901年11月15日）

まで説きおよんでいるのである。

元良の提言が、制作者へ向けた提言であるのはいうまでもないことながら、これを最初に実行に移したのは画家ではなく警察であった。数年後に、みずから主催する白馬会に黒田が出品した《裸体婦人像》（明治三四年）［図21］が警察の規制を受け、腹部から下を――キャンヴァスと額もろとも――布で覆われることになったのである［図20］。このほかにも裸体画への規制としては特別室で専門家のみに鑑賞を許すといった手段が取られたりもしたのだが、この隠しつつ見せ、見せつつ隠すという曖昧さは、美術における裸体画の位置をよく示している。裸体画もまた、「御真影」と同じく、展示－鑑賞システムの外れに位置していたのである。

裸体画に関する「美術という規制」は、むろん教育のうえでも貫徹された。そのことは女性のヌードモデルを使うデッサンの場面に端的に示されている。それは、ピュシスに支配されがちな若い男性たちの異性愛を、美術というノモスへと昇華し、そのことを通じて、ピュシスの表象としての女性を、美術というノモスへと馴致する特訓だったのである。すなわち、学生たちを美術家として鍛え上げるための「臣下＝主体化」のスパルタ教育、それがヌード・デッサンであった。モデルとなった女性が遊郭に出たと知るや、学生たちが人力車で駆けつけたというエピソード〔45〕は、そのことを裏側から証しているといえるだろう。もっとも、駆けつけた先で彼らが出逢うことになるのは、むろん、ピュシスそのものではありえず、公娼制度というノモスにおいて表象される女性にすぎなかったのではあるのだけれど。

9　裸体と玉体――父権的秩序と女性＝男性像

リンダ・ニードは先に引用した著書において、父権制下の文化に潜む女性性への深層の恐怖と嫌悪を指摘したうえで、裸婦像は、しばしば男性性に従属させられて描かれると指摘している。無形式な自然――カオスとしてのピュシス――としての女性を、芸術という形式に馴致するべく、男性の身体の理想形に合致させる表現が、しばしばおこなわれるというのである〔46〕。

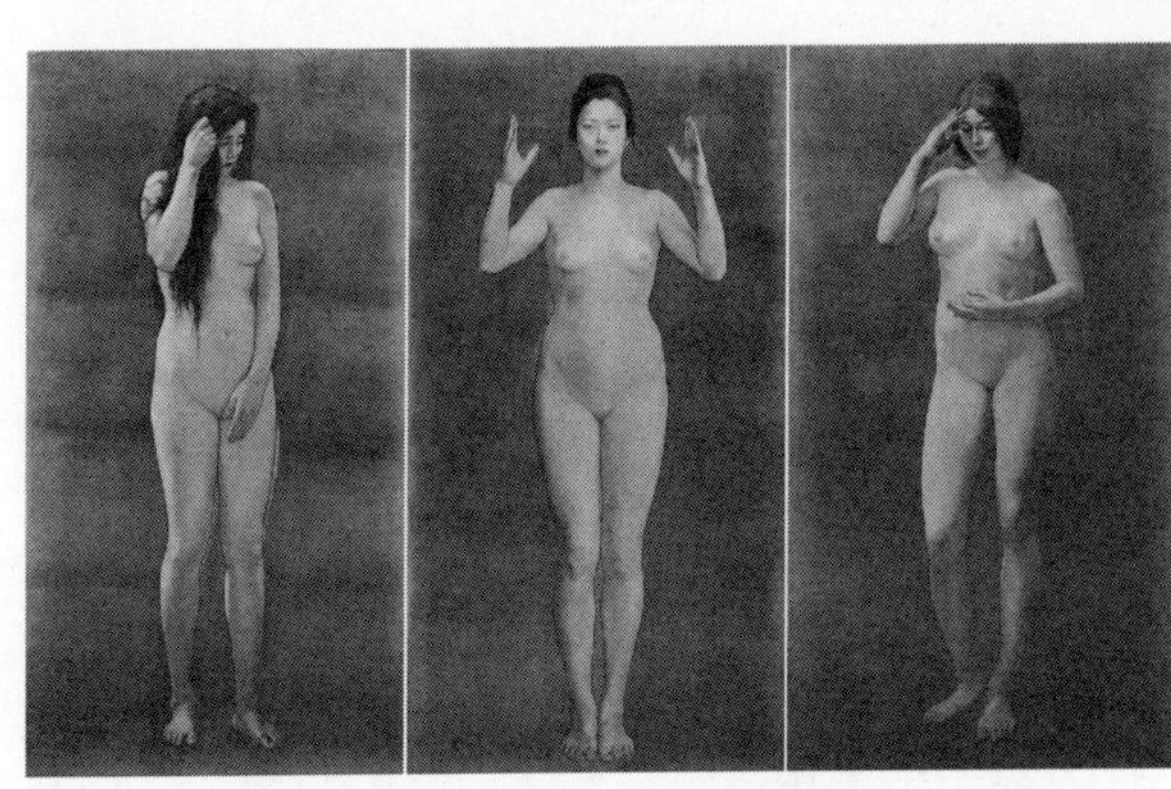

図22　黒田清輝　智・感・情　1899年　東京国立博物館

この逆説は興味深い。ニードが指摘するような事態は明治期の代表的な裸体画にも見出すことができる。黒田の《裸体婦人像》の形態は堂々たる構築性を有しているし、一九〇〇（明治三三）年のパリ万国博覧会で銀賞を獲得した《智・感・情》（明治三二年）［図22］の女性像も硬質な形式性を湛えていた。理想化へと傾くリアリズムが、当為としての男性性への傾きにおいて成就されてゆくさまをそこに認めることができるのだ。それはあらたなノモスの確立をめざす意志のあらわれであり、女性の身体に対する「美術という規制」の結果でもあった。

「御真影」にみられる軍服の天皇像と、女性を描いた裸体画は、一見すると対極に位置するようにみえる。しかし、両者は、ノモスへの意志を介して重なりあい、奇妙な二重像を

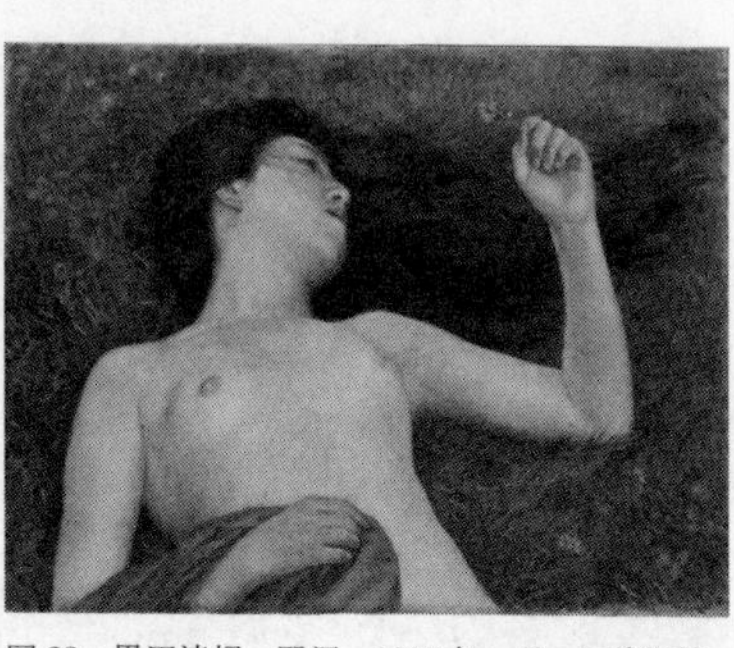

図23　黒田清輝　野辺　1907年　ポーラ美術館

結んでいる。すなわち裸体は玉体と重なり合う。どこかしら「日本国ノ父母」の面影をうっすらと宿すキヨッソーネによる「御真影」の表情と、《裸体婦人像》の堅固な構築性とは、軍服のフォーマルないかめしさと、裸婦の豊満さと相俟って両者が重なり合う契機を成している。つまり、そこには男性性と女性性のアンドロギュノス的な混在がみとめられるのだ。このような曖昧さが、限界に位置するものに通有の在り方であることは既に指摘したとおりである。

黒田清輝は、師のラファエル・コランを彷彿とさせる優美な裸婦像を、やがて描くようになる。それらの裸婦は、流体的でやわらかそうな身体を自然のなかに横たえている［図23］。しかし、これをピュシスと見誤ってはなるまい。これもまた、美術というノモスが映し出す影、美術と社会を網目状に覆いつくすジェンダーという名の言説編成に由来する表象であり、それは、いまだにひとびとの女性観を支配しつづけている。

近代化最深部まで突き進んだ現在において、もし、その脱化をもくろむのであれば、言説編成を組み替えてゆく知略によってあらたな表象の戦略を立ててゆくほかないと思われるのだが、その行く手には、軍服の天皇を祖型とする近代天皇制というアポリアが待ち受けている。女性にまつわる表象の戦略は、このアポリアを——それがいかに衰残の相を呈していようとも——決して避けてとおることはできない。しかし、これについて考えるためには、「御真影」が、明治天皇と昭憲皇太后のセットのかたちで下賜されたことの意味を問いなおさねばならず〔47〕、その作業は、本稿で取り扱いうる「限界」を越えている。玉体と裸体の重なりを見届けたところで、ここは、ひとまず論を結ばなければならない。

註

〔1〕宮武外骨「大日本頓智研法」、『頓智協会雑誌』第二八号、三頁。

〔2〕北澤憲昭『眼の神殿——「美術」受容史ノート』（ちくま学芸文庫、二〇二〇）参照。

〔3〕社会システムの一部を形成する相対的に独立したシステムを、ペーター・ビュルガーの das gesellschaftliche Teilsystem Kunst に倣って、こう呼ぶことにする。P・ビュルガー／浅井健二郎訳『アヴァンギャルドの理論』（ありな書房、一九八七）第一章第二節参照。

〔4〕『中学校学習指導要領』美術編の「解説」に頻出するキー・ワード。『中学校学習指導要領（平成十年十二月）解説——美術編』（開隆堂出版、一九九九）参照。

〔5〕M. Foucault, *Histoire de la sexualité 1, La volonté de savoir*, Gallimard, 1976, p. 18. 同書の邦訳では「服従＝主体‐化」となっている（渡辺守章訳『性の歴史Ⅰ——知への意志』〈新潮社、一九八六〉、七九頁）。ここでは、杉田敦『権力の系譜学』（岩波書店、一九九八）の「臣下‐

主体化」という訳語をとった。

［6］寺島宗則、一八七三年四月二日付大久保利通宛書翰、日本史籍協会編『大久保利通文書』四（東京大学出版会、一九六八）、五〇六頁。

［7］［6］に同じ、五〇五頁。

［8］吉野孝雄「解説」、『雑誌集成 宮武外骨 此中にあり』第五巻「頓智協会雑誌 下」（ゆまに書房、一九九三）、四八一頁。

［9］本書所収「国家という天蓋――「美術」の明治二〇年代」および［2］を参照。

［10］「私立東洋絵画共進会規則」第四条、『大日本美術新報』第二八号、一五頁。

［11］赤瀬川原平『学術小説 外骨という人がいた！』（白水社、一九八五）参照。

［12］大久保利通「博物館ノ議」、日本史籍協会編『大久保利通文書』六（東京大学出版会、一九六八）、三九八頁。

［13］奈倉哲三『諷刺眼維新変革――民衆は天皇をどう見ていたか』（校倉書房、二〇〇四）参照。

［14］『東巡録』乾、我部政男・広瀬順晧・岩壁義光・小坂肇編『太政官期地方巡幸史料集成』第四巻「明治九年東北・北海道巡幸2」（柏書房、一九九七）所収。広瀬順晧・岩壁義光編著『太政官期地方巡幸研究便覧』（柏書房、二〇〇一）参照。

［15］「大坂遷都の建白書」、日本史籍協会編『大久保利通文書』二（東京大学出版会、一九六七）、一九二～一九三頁。

［16］原武史『可視化された帝国』（みすず書房、二〇〇一）、一三―一九頁。

［17］太政官「奥羽人民告諭」、内閣法制局編『法令全書』第二巻（原書房、一九七四）、九〇頁。

[18] 佐々木克「明治天皇のイメージ形成と民衆」、西川長夫・松宮秀治編『幕末・明治期の国民国家形成と文化変容』(新曜社、一九九五)、一二七頁。
[19] スーザン・ソンタグ/近藤耕人訳『写真論』(晶文社、一九七九)、一五六頁。
[20] [18] に同じ、一二四~一二六頁。
[21] 小林輝行「学校への「御真影」の浸透過程」、鈴木博雄編『日本近代教育史の研究』(振学出版、一九九〇)参照。
[22] [16] に同じ、八三~八六頁。
[23] 多木浩二『天皇の肖像』(岩波新書、一九八八)、一七九頁。
[24] ヴァルター・ベンヤミンは、礼拝対象について「それをひとびとが眺めることよりも、それが存在しているという事実のほうが、重要であった」と述べている。W・ベンヤミン/高木久雄・高原宏平訳『複製技術時代の芸術』(晶文社、一九七〇)、一九頁。
[25] 佐藤秀夫「解説」、『続・現代史資料』(8)「教育 御真影と教育勅語1」(みすず書房、一九九四)、三八~三九頁。
[26] ジャン・パリス/岩崎力訳『空間と視線』(美術公論社、一九七九)、二一四頁。
[27] 「御真影拝戴式記事」、千葉県教育百年史編纂委員会編『千葉県教育百年史』第三巻「史料編(明治)」(千葉県教育委員会、一九七一)、三四九頁。
[28] 「〈漢英仏独〉教育勅語訳纂」、『続・現代史資料』(8)「教育 御真影と教育勅語1」、四六四頁。
[29] [26] に同じ、二一四頁。
[30] ジョルジョ・アガンベン/高桑和巳訳『人権の彼方に――政治哲学ノート』(以文社、二〇〇〇)、

二八頁。

[31]『朝野新聞』四八三五号、一頁。

[32] 赤川学『セクシュアリティの歴史社会学』(勁草書房、一九九九)、二二六頁。

[33] 文部省編輯局『〈中学校師範学校〉教科用書 倫理書』(文部省、一八八八)、一九頁。

[34] 明治二八(一八九五)年三月二八日付の黒田清輝の書簡のなかの言葉。坂井犀水『黒田清輝』(聖文閣、一九三七)より引用(八三頁)。

[35] 本書所収「裸体と美術」参照。

[36]「裸体ノ絵画彫刻ハ本邦ノ風俗ニ害アリヤ否ヤ」、『明治美術会第十一回報告』、五二頁。

[37]「裸体の美人」、『絵画叢誌』第二九巻、三丁。

[38] 深田無光「裸体画論者に啓す(続き)」、『絵画叢誌』第一〇三巻、六丁。

[39] 深田無光「裸体画論者に啓す(続)」、『絵画叢誌』第一〇四巻、三丁。

[40][39]に同じ。

[41] ケネス・クラーク/高階秀爾・佐々木英也訳『ザ・ヌード 裸体芸術論――理想的形態の研究』(美術出版社、一九七一)、二三頁。

[42] Lynda Nead, *The Female Nude: Art, Obscenity, and Sexualty*, Routledge 1992, p 14.(邦訳:藤井麻利・藤井雅実訳『ヌードの反美学――美術・猥褻・セクシュアリティ』〈青弓社、一九九七〉、三六頁)。

[43]『日本』二〇四九号、五頁。

[44] 元良勇次郎「人躰と美醜と善悪との関係」、『帝国文学』第七、一一頁。

[45] 徳坊「美術学校生活(四)」、『中央美術』一九一六年五月号、九八頁。
[46] [42] に同じ、第一章第三節。
[47] 若桑みどり『皇后の肖像――昭憲皇太后の表象と女性の国民化』(筑摩書房、二〇〇一)参照。

Ⅲ　美術の境界——ジャンルの形成

「日本画」概念の形成に関する試論

「日本画」という言葉は、いったいいつの頃から一般に用いられ始めたのだろうか。これは一見、瑣末な問いのように思われるかもしれない。しかし、言葉の起源にさかのぼって意味の形成なり変容なりをさぐってみることは、語が指し示すものの理解を深めるうえで決して無用の仕業ではあるまい。「日本画」のように象徴的な意味合いにおいて用いられてきた言葉の場合は、むしろ必要ですらあるだろう。瑣末であるどころか、それは「日本画」について考えるための最も基本的な作業の一つなのである。概念史を語るに足る充分な準備があるわけではないが、現在までに知りえたことの報告を兼ねてアプローチを試みたい。

1 「日本画」という言葉

まず手がかりとして、手元にある美術辞典の類で「にほんが」を引いてみると、『日本美術史事典』（石田尚豊、田辺三郎助、辻惟雄、中村正樹監修、昭和六二年）に「明治以後、西洋伝来の油絵具を使う油絵（洋画）と区別して、これに対して用いられた言葉である」という記述があり、『新潮世界美術辞典』（昭和六〇年）では「明治以降に慣用されるようになった言葉」となっている。また、いささか古いところでは『日本美術辞典』（野間清六、谷信一共編、昭和二七年）が「明治時代から使われる言葉」としるしている。要するに、代表的な美術辞（事）典類を引くと、「日本画」という言葉は明治になってから慣用されるようになったという見解が示されているのである。

国語辞典も、これらと、だいたい同様の見解をとっている。たとえば『広辞苑（第一版）』（新村出編、昭和三〇年）には「（主に油絵・水彩画などの洋画に対していう）我国で発達した絵画。顔料は多く岩絵具を用い、我国伝来の技法・形式・様式によって、絹・紙などに毛筆で描く」とあり、『日本国語大辞典』（日本大辞典刊行会編、昭和四七～五一年）をみると、「わが国で発達した絵画。絹・紙に毛筆で書き、絵の具は多く岩絵の具を用い、独特の技法・形式・様式をもつ。特に、明治以後のものを指す場合が多い。油絵や水彩画などの洋画に対していう」と記述されている。

ただし、現行の辞書がこぞって指摘するように、明治以後に慣用されるようになったのだとしても、江戸時代以前に「日本画」という文字が用いられなかったわけではない。たとえば『〈学画問答〉崋椿尺牘』（神木鷗津編）をひもとくと椿椿山の弘化二（一八四五）年頃のものとみられる書簡に「日本画皆写生なり」とみえる。しかし、だからといって「日本画」という語が江戸時代から広く用いられていたかどうか、にわかには判断しがたい。ただ、「日本画」が必ずしも語として熟したものでなかったらしいことは、この語が以下のような明治期の代表的な辞書に登場しないということから察することができる。『和漢雅俗いろは辞典』（高橋五郎著、明治二一～二二年）、『言海』（大槻文彦著、明治二二～二四年）、『日本大辞書』（山田武太郎〈美妙〉編、明治二五～二六年）、『日本大辞林』（物集高見纂、明治二七年）、『日本大辞典』（大和田建樹編、明治二九年）、『ことばの泉』（落合直文著、明治三一年）、『辞林』（金澤庄三郎著、明治四〇年）、『大辞典』（山田武太郎〈美妙〉著、明治四五年）。

これらの辞典のなかには「にほんぐわ」も「につぽんぐわ」も、それから「やまとゑ」に「日本画」をあてた例も見出されない。それどころか、大正時代の辞典——『大日本国語辞典』（上田萬年・松井簡治共著、大正四～八年）や『辞海』（郁文舎編、大正三年）にもこの語は見出されず、近代の主だった国語辞典を年代順に引いていって「日本画（にほんぐわ）」という項目に初めて出くわすのは昭和二（一九二七）年に初版が出た『言泉』（落合直文著、芳賀矢一改修）においてなのだ。ちなみに、『古事類苑』（明治一二～四〇年）の「絵画」の項にも、やはり「日本画」という見出しは設けられていない。

『言泉』以後の辞典についてみると、『辞苑』（新村出編、昭和一〇年）と『大辞典』（下中弥三郎編、昭和九～一一年）には「日本画（にほんが）」の項目があるが、『大言海』（大槻文彦著、昭和七〜一〇年）には「にほんぐわ」も「にっぽんぐわ」もない。ただし美術用語の辞典では大正三（一九一四）年の『美術辞典』（石井柏亭・黒田鵬心・結城素明共編）に、すでに「にほんぐわ」の項があり、「仏教渡来以後日本に産出した画の全部を指す」としている。つぶさにみれば、国語辞典においても、もっと早くに「日本画」の項目が見出されるかもしれないし、ことは絵事一般が各辞書においてどれほど重きをなしているかにもかかわっているのだけれど、「日本画」という三文字が日常的な日本語の語彙に組み込まれたのは近代以降であったということは、おそらく動かないだろう。

もちろん、一つの語が流通し、言葉として熟し始めてから辞書に登録されるまでにはかなりの時間がかかる。そこには遅延がある。とすれば、「日本画」が辞書に登録される前段階こそが当然ながら調査、検討されなければならない。では、その前段階にあたる時期の始まりは、いったいどこに見出されるのであろうか。明治後期の新語や術語を登録したことで知られる『辞林』や山田美妙の『大辞典』にも「日本画」が見出されないところをみると、明治もそんなに早い時期のことではなさそうなのだが、そこへ踏み込んでゆく前に、辞書についてみておきたいことが、まだ二つばかりある。

その一つは、昭和期に入って辞書に登録された「日本画」が当初どのように定義されていたかということだ。

まず『言泉』をみると「我国在来の画風、又その画」としてあるのみで、じつにそっけない。これに対して下中弥三郎編の『大辞典』の定義は懇切であり、考察を進めるよすがとなる。いささか長くなるが引いておくことにしよう。

> 西洋画に対する称。本来日本国土に於て邦人の手によりて諄化されたる絵をいふのであるが、現今一般には西洋風の画に対して、邦人の手になる東洋風の画を凡て日本画と呼んでゐる。古くは漢絵(からゑ)に対して大和絵の称あり、漢画(かんぐわ)に対して和画(わぐわ)の称があつた。絹紙に毛筆を以て画を作り墨線を基調とし、絵具としては岩絵具・泥絵具・水絵具を用ひ、描法としては白描・水墨・設色等の種別がある。［1］

まず、「設色」と並べて「水墨」「白描」が描法として挙げられているのが注意を引く。というのも、先に引いた『日本国語大辞典』や『広辞苑（第二版）』などの現行の辞書では、あたかも「日本画」が彩色画であることを前提とするかのように、墨画にまったくふれていないからだ。このちがいは、まことに興味深い。「日本画」が明治以後の日本絵画を指すのだとするならば、それを彩色画とする戦後の辞書類の見方のほうが歴史的に妥当性をもち、「水墨」を含める『大辞典』の記述は特異性を帯びてみえるのである。つまり、近代における日本絵画の展開は色彩表現を主軸としておこなわれたのであって、『大辞典』の記述には、その事実に対する批判意識がはたらいているようにも思われるのだ。『大辞典』の刊行と同時期に書かれた瀧精一の「日本画と墨画」(『國華』第五〇六号、昭和八年)のなかに、そのことに関する次のような記述がみられる。

明治年代に於ては一時墨画を排斥する風習が行はれた事があつた。墨画は日本画から駆逐されなければならぬ、画は著色で画かなければ真の画でないと考へる者が大分多かつた事もあるが、今日ではそう云ふ議論は次第に屏息(へいそく)しつゝある。[2]

この文章が書かれた昭和八(一九三三)年といえば、佐野学と鍋山貞親の共同転向声明に象徴されるように日本回帰の風気が社会に満ちる兆しが現れ、「王道」主義による「楽土」建設と「五族協和」とをめざす「東亜連盟」論が形成されつつある時期にあたっており、瀧精一が、ここで指摘している事態は、そうした思想状況の造型表現における現れであったとみることができる。たとえば横山大観が、東洋的ないし国粋主義的精神主義への傾きを、臆面もなく強め始めるのが、ちょうど、この頃のことなのである。こういう美術界の動きにかんがみていうならば、『大辞典』に見出される、「現今一般には西洋風の画に対して、邦人の手になる東洋風の画を凡て日本画と呼んでゐる」という記述は、「水墨」と「設色」の並記と相俟って、日本がアジア侵略へ乗り出してゆく時代の動きに応ずるものであったと考えることができるだろう。佐野・鍋山の転向声明が天皇制との和解を説きつつ、日本をアジアの「指導的民族」と規定したことに端的に示されるように、日本を以て東洋を代表させようという夜郎自大の妄想的気分が、ここには感じられるのだ。

要するに「東洋」とともに「水墨」が回帰してきたということだが、しかし、それでは明治からここに至る歴史において「日本画」が「東洋」ないし「東洋画」という概念から切り離されたことが一度でもあったかというと、そういうことはなかったように思われる。ただ、両者のあいだの力関係が変転したということはあったし、この変転こそが絵画の在り方を規定してきたのであった。

具体的にいえば、「日本画」の色彩重視という在り方は水墨表現を排除こそしないものの、水墨画に代表される東洋的な絵画観の足もとを掘り崩す動きにほかならない。これは、のちにふれるように明治以後の絵画概念が西洋の絵画概念の影響を強く受けて形成された、ということに由来していた。色彩中心の絵画観しかり、また、そのことと関連して塗ることに重きを置く絵画の在り方も西欧画に由来すると考えられるのである。西洋の絵画＝painting（塗る絵）こそが絵画の主役であるのだとすれば、筆墨で描かれる絵がdrawing（線画・素描）の類としてワキに追いやられるのは当然の成り行きであるだろう。もっとも、塗ることに重きを置く彩色画が、大和絵の伝統を豊かに形成してきたのも事実であるが、光琳派も含む大和絵の絵画観が日本絵画史を代表するようになったのは、西洋絵画の受容を契機に色彩絵画が重視されるようになったことの結果と考えることができるのである。

もっとも、以上に述べてきたことどもは、「日本画」を狭く限定し過ぎているのではないかという疑問も想定することができる。たしかに、「日本画」という語は近現代の作物についてばかりではなく、江戸時代以前の絵画史を語るうえでも用いられる言葉であるのにちがいない。しかしながら、明治以後に一般化したらしいこの「日本画」という語によって歴史的な作物の数々が語られるとき、それは、はたして近代以降の制作史とまったく無縁におこなわれうるものであろうか。これに対する答えは歴史認識の在り方によって分かれるところであるとしても、「日本画」をめぐる思考の焦点がここに――つまり、こういう議論を惹起するようなところにあるのは疑いようがない。日本絵画の全体を指す言葉であると同時に、明治以後の絵画をとくに意味する言葉として、その内に近代日本表現史の理想なり目標なりを含み込んでしまったということ、思うに、これこそが「日本画」問題の焦点にほかならないのだ。「日本画」という語には、日本近代絵画史における制作現場の匂いが深く染み込んでいるのである。ここでは、これ以上踏み込んで考えることをしないけれど、「日本画」概念の歴史への適用については、のちに改めて考えてみなければならないだろう。

ちなみに『広辞苑（第一版）』の前身にあたる昭和一〇（一九三五）年発行の『辞苑』は「日本画」の特徴について「墨を基調とし、描線に重きを置くを特徴とする」としるして『広辞苑（第一版）』との認識のちがいをみせているが、この差異には、色彩本位に再び大きく傾いた第二次世界大戦後の「日本画」の展開が影を落としているように思われる。また、『広辞苑（第二版）』でも「墨や岩絵具を主として若干の有機色料を併せ用い」云々というように記述に変化がみられるけれど、これについては助言者ないし執筆者の交代など、辞書の成り立ちに踏み込んだ考察を必要とする。しかし、これは本稿の埒を逸する事柄ゆえ、立ち入ることはしない。

「日本」という国号

もう一つ辞書から引いておきたいことがある。それは『大言海』が日本を定義して「外国ニ示サムガタメニ、殊更ニ建テラレタル称」としていることだ。これは注目すべき見解である。

「日本」という国号は七、八世紀頃から用いられていたらしく、このことは『日本書紀』という書名にみられる通りである。さかのぼって大和政権による統合が成った頃はヤマトと自称していたらしい。また、東アジア文化圏における「倭」という呼び名を承けて、これを自称として用いることもあった。それが、いかなる経緯で「日本」を名乗るようになっていったのか、詳しいことはわかっていない。だが、『旧唐書』の「東夷伝」に、「倭国、自ら其の名の雅ならざるを悪(にく)み、改めて日本と為す」とあることが、つとに知られており、本居宣長は、「国号考」で、『旧唐書』や『新唐書』などの史料を引きながら、「異国(アダシクニ)へ示(シメ)

さむために、ことさらに建(タテ)られたる号なり」としている。伴信友や明治以後のたとえば飯田武郷(たけさと)、内田銀蔵、それから明治三〇年代の初めに国号の起源に関する論争をおこなった木村正辞(まさこと)と星野恒(ひさし)の二人もまた、対外的な名称として、いいかえれば、外からの視線に対して殊更に建てられた国号として「日本」を捉えている。『大言海』の記述が、この系譜に属するものであることはいうまでもない。

また、その名の由来については、吉田孝が指摘するように「日の御子」の統べる国という意味で天皇の起源にかかわるものであると同時に、唐から見て「日出ずる処の天子」（『隋書』）の国という意味でもあったと考えるのが妥当であると思われる（『古代国家の歩み　大系日本の歴史』3）。当時、日本は唐から冊封を受けてはいなかったものの、文化的にも政治意識のうえでも唐の冊封体制に組み込まれていたのである。

もっとも、たとえば「唐絵」に対する「大和絵」、「漢画」に対する「和画（倭画）」の例からも知られるように「大和」も「和（倭）」も「日本」と同じく外国に対する称として用いられる語であるにはちがいない。しかし、これらには「ことさら」の感はない。『大言海』も「やまと」については「大和国ノ称。帝都ノアル国ヲ中心トシテ、四方ニ及ビ、奈良朝ノ頃ハ、外国ニ対シテ、日本(ニホン)ト云ヒシナリ」とし、「わ」についても「ヤマト。日本。支那ニテ称セル号ナリ」としてあるだけで、「日本」の特異性をむしろ際立たせている。「大和絵」や「和画（倭画）」の例にしても、「殊更」の語感があるようには思われない。「唐画」や「漢画」に対立しながらも、つまるところ絵画伝統を共有する文化圏における分類名にすぎなかったというべきだろう。それに対して、「日本」が「外国ニ示サムガタメニ、殊更ニ建テラレタル称」であるという『大言海』の記述は、王政復古を欧米諸国に告げる国書の「日本国天皇、告ニ各国帝王及其臣人ニ」という書き出しをはじめとする近代の諸例に照らして、充分、うべなえるように思われる。明治憲法が標題において「大日本帝国」という国号を定めたのは、思うに、本居宣長＝大槻文彦が指摘する語感ゆえのことであったのだ。

要するに、名乗り出る感じの強い「日本」という語を冠した明治の言葉には、民族国家建設期にあったこの国の対外的な意識が多かれ少なかれ影を落としていると考えてよいはずであり、この点に関して「日本画」ももちろん例外ではない。もしかすると椿山の書簡にしても、西洋の影が日本に差し始めた時期なればこそ「日本」の字が、そこに用いられたのであったかもしれないのである。しかし、たとえそうだとしても、椿山書簡の「日本画」が「にほんぐわ」ないしは「につぽんぐわ」と読まれたかというと、それは疑わしい。「唐絵」に対する「大和絵」という伝統を踏まえて「やまとゑ」という読みが意識されていたと考えるのが、おそらく妥当だろう。

「やまとゑ」の古語としての来歴についてはここで説明するまでもあるまいが、念のため前記の明治時代の辞書にあたってみると『日本大辞林』『日本大辞典』『ことばの泉』『大辞典』が「大和絵」の項目を設けている。また、「和画」は辞書にあたるかぎりでは一般的でなかったようにみえるものの、『古事類苑』では見出しに出ている。これに対して、「にほんぐわ」ないし「につぽんぐわ」は、すでにみたように、いずれの辞書にも登場せず、『古事類苑』の見出しにもなっていない。

「日本画」の類語としては、「大和絵」「和画」のほかに、菱川師宣の画面にしるされている「日本絵」の文字が思い浮かぶ。しかし、これも「やまとゑ」と読まれていたと考えるのが自然であろう。もっとも明治の談話筆記で「日本絵」に「にほんゑ」と振り仮名を振ったものもあり、宣長も先ほどの「国号考」で、異国に示すために設けた名であるからには初めから「ニホム」と字音で読んだであろうと述べており、断定は留保すべきかもしれない。

師宣の「日本絵」に関して、アーネスト・フェノロサは、明治二二（一八八九）年に『國華』に連載した「浮世絵史考」において、「以テ古来ノ支那風ノ文化ニ対シ日本全般ノ動力ヲ発揮セント企テタリ」（第六号）と述べている。「日本絵」という名称は、民族の統合性の自覚とエネルギーとを対外（中国）的な意識において表示するものであったというわけで、ここから、「やまとゑ」という名称もまた対外的な名乗りの意識で受け取られることもあった可能性が想定できる。述べられている内容は別に取り立てて言うほどのことでもないのだが、ここで忘れてならないのは、フェノロサの言説が、明治の日本の構えを代弁していたということであろう。明治の日本は、西洋列強から受ける高い圧力の下で民族国家としてのアイデンティティを確認＝創出しつつ、対外的に民族のエネルギーを存分に発揮してゆかねばならぬ状況にあったわけで、お雇い外国人の大学教師として民族国家建設期の明治政府に仕えたフェノロサの立場を思うならば、この片言隻句は、重みを感じさせずにはおかないのだ。

国家意識を担う絵画の名としては、このほかにも、たとえば高橋由一の「招魂社地展額館奉創設布告書」（青木茂編『高橋由一油画史料』所収）に「皇国画」という語が、「海外ノ画」との対で見出される。「日本画」は、このような言葉と概念の核を共有しつつ、やがて類語を凌駕して、社会的な定着を果たすことになるのである。

ところで、「日本絵」が「にほんゑ」と読まれた例があることからすれば、「日本画」も、明治の頃には「にほんゑ」と読まれていた可能性がある。しかし前記の近代初期の辞書を明治二〇年代までたどってみても、そのような読みは見当たらなかった。では、「日本画」の現在のような字音読みが一般化したのは、いったいいつの頃からなのか。明確にはいえないものの、新聞などの振り仮名から推すに、明治が終わるまでには「にほんぐわ」もしくは「につぽんぐわ」に落ち着いたもののようである。

以上みてきたところによると、「日本画」は明治以後に国家意識にともなわれて使われ始めた言葉であるように思われる。では、「日本画」という語が明治以降に一般化していった過程とは、いったいいかなるものであったのだろうか。いま、その詳しい経緯について述べる用意はない。しかし、「日本画」という語が頭をもたげてくるだいたいの過程については、絵画をめぐる制度の歴史をたどることによって察することができる。

2 制度のなかの「日本画」

「絵画」をめぐる諸制度

絵画をめぐる制度といえば、展覧会や美術館のことが、まず思い浮かぶ。しかし、現在では、ごくあたりまえの存在になってしまったこれらの制度は、そんなに昔からこの国に存在していたわけではない。これらは明治以後になってこの国にもたらされた舶来の制度であり、これらの制度が日本に定着する端緒を作ったのは、これまた舶来の制度である博覧会であった。この国で初めて美術館が建てられたのは、明治一〇（一八七七）年に開かれた第一回内国勧業博覧会においてであり、これ以後、美術館は内国勧業博のたびに設けられ、そこで開かれる展覧会によって、従来の書画会とは異なる近代的な展示の制度も、この国に定着していったのであった。しかも、展覧会という近代的な展示制度の形成は、決して絵画にとって外在的な事柄ではなく、画面の有りようにもかかわっていた。それは、いわゆる会場芸術の形成と一体の過程であり、また、絵画の近代化の過程とも重なっていた。会場芸術の形成は、絵画を自律的な存在として生活のなかから取り出し、隔離することによって、自律性を要件とする絵画の近代化を推進したのである。

展覧会や美術館という制度の重要さは、これにつきない。これらの制度は、観衆の絵画観の近代化——新しい絵画の理解と、絵画との新しい付き合い方——をも促していった。博覧会や展覧会と一般庶民とのかかわりのほどについては、明治の新聞が博覧会をつぶさに報道していることからもうかがうことができるし、また、たとえば、「各校ノ教員ニ謀リ日用ノ文題文例ヲ集記」したという『〈頭書類語〉小学作文五百題』(明治一四年)に「博覧会同伴ヲ約スル文」や「展覧会ヲ通スル文」という文例のあることからも、それを察することができる。展覧会、美術館、それに博覧会という制度は、ジャーナリズムや学校教育と相俟って、見ることと作ることの意識を二つながら変革しつつ、新しい作者と新しい観衆を形成していったのだ。

内国勧業博覧会は、国家が殖産興業の目的をもって開いた博覧会であり、そこから展覧会制度という造型の近代化にかかわる制度が創始されたということは、えてして近代化が上からおこなわれたこの国のことにして決して特異な事柄ではないのだが、「日本画」という名称の普及過程を制度史的にたどることの意義は、まさしくこの点にかかっている。つまり「日本画」という語が近代において突出してくる過程において、官の作り出した制度が果たした役割はきわめて大きなものであっただろうという予断が可能なのだ。もっとも現実の社会の在り方やコンセンサスを無視して制度を打ち立てるということが困難であるのはいうまでもないけれど、そうだとすれば、博覧会や展覧会に掬することの意義は、なおさら大きいというべきだろう。そこは、社会史と制度史が交差する場であるからだ。

また、上に挙げた以外の制度で、「日本画」の来歴を考えるうえで看過できないものに学校がある。明治になってから旧来の画塾とは異なる学校という制度において絵画が教授され始めたことは、画家はいうにおよばず、観衆の絵画観（絵画の社会的イメージ）の変革を推し進める大きな力となったのである。「日本画」の語史をたどるには、その点に留意しつつ、学校におけるたとえば学科の名称などにも注意を向けなければならない。

それから、ジャーナリズムの言説が「日本画」史の史料として見逃せないことはいうまでもない。制度史が「日本画」という語の歴史の大筋を示すものであるのに対して、ジャーナリズムはその内実と展開の動因を同時代の言葉で細やかに示してくれるはずだからである。

以上のような予断に立って、以下、「日本画」という語が台頭してゆく過程を、官設の博覧会、展覧会、学校の歴史を中心に探ってゆくことにしたい。具体的には、分類や規則の言葉を指標としつつ——美術雑誌を中心とするジャーナリズムに関する章をはさんで——考察を進めてゆこうと思う。探究の限度は、だいたい文部省美術展覧会の開設あたりになりそうである。また、以下の行文において「日本画」とするす場合、とくに断りのないときは、その字面がはらむ意味に着目しつつ、音声としては現在の「にほんが」を意識している。

博覧会の分類名

内国勧業博覧会の出品区分を、初回の明治一〇（一八七七）年から三六年の最終回（第五回）までたどってみると、「日本画」という名称は、ここにはついに現れない。たとえば、第一回内国勧業博覧会の区分目録をみると、絵画は「書画」として「第三区　美術」の第二類に割り付けられており、以下のような細目が設けられている。

第二類　書画
其一　紙、布帛等ヘ墨書セシ書画、各種水絵具ノ画、及ビ石筆、烏賊墨、白堊筆等ノ画
其二　粗布、片板等ニ描キシ油画
其三　織出シタル書画
其四　蒔絵、漆画、焼絵等
其五　陶磁器、七宝、及ビ金属ノ画〔3〕

すなわち、ここでは技法、材料による分類がなされているだけで、「日本画」という名称も「洋画」という名称もみられない。いわゆる「日本画」が、膠と水を媒材として描かれることを考えるならば、この分類では「各種水絵具ノ画」がそれに該当する。げんに、博覧会の公式なメッセージである審査評語をみると、現在ならば「日本画」と呼ばれるはずのものが「水彩画」と称されており、川端玉章の「水彩画」に対する評語には「洋画ヲ折衷シ陰影ヲ施用シ設色頗ル美麗ナリ」とあって、「水彩画」と「洋画」を異質なもの、あるいは対立するものとする考え方――つまり、「折衷」ということが可能な関係として捉える見方――が示されている。当時の「水彩画」が西洋画のいわゆる水彩画(アラビアゴムなどを展色剤とする水溶性の絵具を用いる)を含意しなかったのかどうかということについては、はっきりしたことはわからないものの、佐藤道信が「水墨の変容」(『美術研究』第三四四号)のなかで述べているように、「水彩画」という語は、そもそもは「水墨画」の対概念として生まれたものと思われる。ちなみに同博の英文カタログ『明治十年内国勧業博覧会出品目録 OFFICIAL CATALOGUE OF THE NATIONAL EXHIBITION OF JAPAN』で出品区分「書画」の其二は Painting in water colors on paper or canvas となっている。参考までに、同カタログの「第二類　書画」に対応する部分を、全部引いておこう。ただし、対応するとはいいながら、「其三　織出シタル書画」が省かれており、「其一」が二項に分割されている。

CLASS II. PAINTING.
1.—Painting in water colors on paper or canvas.
2.—Drawings with pen, pencil or crayons.
3.—Paintings in oil on canvas, panels, etc.
4.—Gold and plain lacquer paintings.
5.—Painting with vitrifiable colors, on porcelain, enamel and metal.〔4〕

もう少し視野を広げて出品目録や出品解説や報告書などの「書画」の部に眼を通してみても「日本画」という文字は、やはり見当たらない。ワグネルの「報告書」（大木房英訳。ただし、この報告書では「第二類 絵画」となっている）のなかには「日本画工」「日本画術」といった表現が見出されるし、出品解説では菊池容斎が朝廷から「日本画士」の称号を与えられたという記述があって注意を引くものの、「日本画」という独立した三文字は、しかし結局、見出されはしないのである。

ただし、細目の其二が「油画」にあてられているのは、「日本画」概念の形成過程に関して重要な意味をもつと思われる。当時、「油画」は、ほとんど西洋画の代名詞のようなものであったからだ。その油画を独立細目として立てるということは、第一に油画＝西洋画の台頭という事態を示すものであり、第二に、そのような事態を肯定し、さらに盛り立ててゆこうという官の意志を示すものと考えられるのだが、それにもかかわらず、「油画」は分類の首位に置かれず、「其二」に割り付けられていることには注意を要する(英文カタログでは3)。「油画」は、伝統画法のあとに——「紙、布帛等へ墨書セシ書画、各種水絵具ノ画」の次位に——置かれているのだ。分類の順位には当然ながら価値観が反映するはずであるから、在来の技法を油絵の前に位置づけたこの順位は、在来技法の優位のもとに両者を対抗的にみる絵画観の表明とみることができるわけで、ここに「日本画」が登場する地盤が、不鮮明ながら準備され始めたと考えることができるのである。

また、日本語の分類では「其一」の筆頭に「墨書セシ書画」が置かれ、その次に「各種水絵具ノ画」がしるされているのに対して、英文の分類では、water colors によるものの次に細目を別立てして Drawings が置かれているのは、drawing の伝統と西洋伝来の painting の出会いが引き起こした複雑微妙な分類意識の綾を示しているといえるだろう。

「龍池会」の結成

以上に述べたごとく、第一回内国勧業博覧会の出品区分に「日本画」の文字はなく、また出品目録、出品解説、審査評語、報告書の「書画」に関する記述にも「日本画」という語は見当たらなかった。明治一四(一八八一)年に開かれた第二回内国勧業博の出品目録、審査評語、報告書の「書画」の部、それからワグネルの報告書の「第三区美術」および「総論」の記述をみても、また出品区分にもこの語は見当たらない。ただし、第一回と同じとして通りすぎることのできない重要な事柄がこの第二回内国勧業博の背景には見出される。おりしも第二回内国勧業博の開催に関する内務省の布達が出された明治一二（一八七九）年に、美術上の国粋派の拠点となる龍池会が結成されているのだ。しかも、龍池会には内国勧業博を主催する内務省の官僚が、大蔵官僚とともに多く参加しており、いきおい第二回内国勧業博覧会の美術部門の審査官は龍池会員によって占められることになった。すなわち、ちょうどこの頃を境にして、欧化を歓迎する楽天的な「文明開化」に影が差し始めるわけであり、こうした動きは、この博覧会のワグネルの報告書にもはっきりと読み取ることができる。そこにおいてワグネルは「油絵ハ本会ニ於テ場区ノ多分ヲ占メタリ。之ニ反シテ日本固有ノ画ハ較々（やや）少シ。其油絵ヲ撿按（けんあん）スルニ大率甚ダ醜悪ニシテ当（まさ）ニ美術品ト視認スベカラザルガ如ク然リ」と述べ、「抑此絵ト日本固有ノ画トノ関係ハ殊ニ緊要ノ一問題ナリ」と指摘したのである。「日本固有ノ画」が、西洋固有の絵画である油絵に掠領されつつあることに対する危機意識の表明であり、このような危機意識は、以後「日本画」概念の形成過程における通奏低音となってゆく。

　ところでワグネルの報告書には、第一回と同様「日本画術」という語が幾度か出てくる。西洋人の文言に、こういう言葉が――翻訳文とはいいながら――繰り返し出てくるということは、「日本」という語が「外国ニ示サムガタメニ、殊更ニ建テラレタル称」であるばかりではなく、同時に外国からの視線を宿らせるものでもあったということに思いをいたらせずにはおかない。「日本」という概念は、外へ向かって名乗りを上げようとするベクトルに従うばかりではなく、外から注がれる視線のベクトルをも宿しているのである。かつて異国へ向けて発せられる名乗りとして用いられ始めた「日本」、その音読みにもとづくJapanという名が、外部からの視線を宿して、極東の文化的ゲシュタルトを浮かび上がらせるべく用いられることになったわけだ。

ここにいう外からの視線とは、具体的にいえば、日本を日本として客体化しながら、そこに解釈としてのイメージを織り上げてゆくはたらきにほかならない。ワグネルの場合も、それから、このあと述べるフェノロサの場合も、そのような視線を日本と日本の絵画とに注いでいたのであった。彼らの日本絵画への評価は、当然といえばあまりに当然のことながら、彼らが帰属する西洋の絵画観にもとづいておこなわれたのである。それは、いいかえれば明治初期に翻訳によって西洋からもたらされた「美術」なる概念に合わせて在来の日本絵画を整理ないし純化することでもあった。なかでもフェノロサは、たんに評価するばかりではなく、かかる絵画観にもとづいて日本絵画の改良運動をジャーナリスティックに繰り広げ、のちにみるように、「日本画」概念の形成に大きな影を投げかけることになる。

3　フェノロサの言説と実践

『美術真説』と鑑画会

一八七三（明治六）年のウィーン万国博覧会に参加するに際して明治政府が作り出した官製訳語「美術」は、当初、いまでいう芸術の意味で用いられたのであるが、この語は誕生早々、今日の意味に、つまり視覚芸術の意味に絞り込まれてゆくことになる。ただし、視覚芸術といっても、それは大雑把な外延に関してのはなしであって、その内実たるや今日の美術とはほど遠いものであった。この当時の「美術」に対する理解の程度は、ワグネルの報告書の言葉を借りれば「大抵形容粧飾並ニ織巧ヲ極メタルヲ以テ美品トナスニ似タリ」というようなものだったのである。

ワグネルは、いま引いた言葉にすぐ続けて「是レ洵(まこと)ニ誤見ト謂フベシ」と批判しているが、官からいきなり投げ与えられた「美術」なる語の意味が、たちまちのうちに理解されようはずもなく、おぼろげな外延と漢字の字義からする理解を指して「誤見」と呼ぶのは、少しばかり酷な感じもする。しかし、「美術」の出自たる西洋の文化的コンテキストに照らしていえば、それは誤解といわれていたしかたないものであり、日本「美術」を愛好するワグネル、フェノロサといった西洋人たちを大いに苛立たせたのに相違ない。ワグネルの発言しかり、またフェノロサの『美術真説』が出版されたのも、このような状況に向けてのことであった。

明治一五（一八八二）年に出版された『美術真説』は、その「緒言」にあるように、龍池会の主催で同年におこなわれた講演の翻訳である。そこには龍池会による改竄の手が入っているともいわれているが、講演草稿が発見されていないので、はっきりしたことはわからない。しかし、フェノロサが『美術真説』出版の前年におこなった連続講演の草稿と目される英文手稿のなかに『美術真説』とほぼ同じ内容のものが見出され、これによって考えると、『美術真説』のすくなくとも「美術」の原理論に関する部分はフェノロサの発想によるものであることがあきらかである。その要点を、明治一四（一八八一）年の草稿を参照しつつ挙げてみると、（一）「美術」（＝芸術）が「美術」であるのは「美術」の「妙想」（idea）を有するゆえである、（二）作品は表現形式と主題によって構成される独立した統一的な世界である、（三）「諸美術」は idea を表す表現形式によって音楽、絵画、詩などに分かれ、それぞれ独自の在り方を有している、（四）新機軸を打ち出し、新しい idea を表現してゆかなければ画術は衰退する、（五）絵画は、近代の西洋画のように〈写す〉ことに主眼を置くものではなく、そもそも〈作る〉ものとしてあるということ、だいたいこういうことをフェノロサは『美術真説』において説いたのであった。こうした「美術」観に則って絵画論を展開し、よく知られているように日本絵画の西洋絵画に対する優位性を主張するに至るのである。しかしながら、idea を中心に据えて作為性を重視するその絵画観はまちがいなく西洋のものであり、作為よりも自然であることを、いいかえれば〈作る〉ことよりも〈成る〉ことを善しとする江戸時代までに形成された絵画観と決定的に趣を異にするものであった。たとえば、《東雲篩雪図》の「玉堂琴士酔作」という落款を決して受け入れえない発想から、フェノロサは絵画改良を主唱したのであり、しかも、鑑画会（明治一七年創設）において、それを実際の制作に結びつけることをもくろむことになるのである。

鑑画会の運動とは、ひとことでいえば保守主義的改良主義、伝統墨守に偏りがちな龍池会に対していえば新保守主義とでもいうべきもので、いま述べたような絵画観にもとづいて、日本絵画を衰微から救わんとする企てであった。その、さまざまな改良プランのなかで、感覚的な次元に照らして最も重要と思われるのはフェノロサが色彩表現を重視したという点である。

当時の日本絵画の色彩表現が、西洋人にとって、ひどく貧しいものに見えたらしいことは、フェノロサとも交流のあったフランス系アメリカ人のヘンリー・P・ブイが『日本画の描法』（平野威馬雄訳）のなかに「日本画家は概して絵具を節してつかう。ごく小量の絵具を大切につかう。ごく、ほんのちょっぴりで一般に事足りたりとする。／多くの画家は色のセンスをもっていないか、色を毛嫌いし、ほんとうにごくまれにしかつかわない」としるしていることに示されている。また、たとえば第二回内国勧業博（明治一四年）で褒状を得た斎藤崎庵の《青緑山水屏風》に関する審査評語に「青緑ヲ以テ設施シ恰モ水墨ノ如シ。風致盎然其技ノ老熟ニアラザレバ能ハズ」とあることから、当時の色彩表現を扼していたものの何であるかをうかがうことができる。このような絵画を、まっとうな絵画に改良するために、フェノロサは狩野芳崖という協力者とともに鑑画会という場を通じて色彩表現の実験を展開していったのである。

フェノロサは明治一九年に京都府画学校のもとめに応じておこなった講演において「彩色ノ濃淡深浅ハ千万無量ニシテ決シテ従来日本ニ用ヰタル十カ二十ノ絵具ノ名ニテハ足ラザルナリ」と指摘して、狩野芳崖による色彩表現の探究を賞賛した。その成果が第二回鑑画会大会で一等を受賞した《仁王捉鬼図》（明治一九年〔図24〕）であり、ここに至る実験を推し進めるうえでフェノロサが依拠していたのは、おそらく西洋絵画とりわけ油絵の輝かしい歴史であった。《仁王捉鬼図》を描くにあたって、日本絵画の顔料にない必要な色はフェノロサがわざわざ西洋から取り寄せたという岡倉秋水の伝える逸話（「狩野芳崖（岡倉秋水君の談話）」）は、フェノロサの色彩感の故郷が那辺にあったかを物語るものといえるだろう。そもそもフェノロサにとって絵画とは——『美術真説』にみられるごとく描線の意義を認めていたとはいいながら——基本的には painting すなわち色とりどりの絵具で塗り分けられた平面のことであったのだ。こうした主張と企ての結果、先に引いた瀧精一の「日本画と墨画」に指摘されたような墨画軽視の動きが出てくることにもなったのである。

もちろん開化期のことゆえ、フェノロサを俟つまでもなく西洋絵画から伝統画法が影響を被るということはもちろんあった。それは江戸以来の、いわゆる「洋風画」にあきらかである。しかし、すべてをフェノロサに帰しえないのはもちろんとして、欧化の試みに根拠というか正当性を付与するものとしてフェノロサの評論や講演が大きな影響力をもったのは確かである。ましてや鑑画会から東京美術学校の開設に至るフェノロサの活動の軌跡

図 24　狩野芳崖　1886 年　仁王捉鬼図

を思い合わせるならば、功か罪かはともかくとして、近代日本絵画の形成にフェノロサの与えた影響の大きさが絶大であったことを認めないわけにはいかないだろう。それればかりか、代表的な美術辞典が示唆するように伝統技法にもとづく近代の絵画をとくに「日本画」と呼ぶのだとすれば、フェノロサの影響下に展開していったいわゆる「新日本画」こそ、じつは「日本画」そのもの、もしくは、その原型であったとさえいえるのである。

しかしながら、実用技術の場合と異なって、絵画においては伝統的な発想法の支配するところが当然ながら大きく、フェノロサの企ても、やすやすと成果を挙げたわけではもちろんない。西洋化への反発は甚大であった。だが、フェノロサの言論と実践が、西洋的な絵画観の単純な移植ではなく、在来の絵画の改良というかたちでおこなわれたことが功を奏した。フェノロサは、西洋派のイデオローグではなく、国粋派のイデオローグとして活動したのである。しかも、これをフェノロサは奸計としておこなったのではない。フェノロサとしては、西洋的絵画観ではなく、あくまでも普遍的な絵画の在り方を説き知らせているつもりであって、西洋への偏りをほとんど自覚してはいなかったように見受けられる。フェノロサは、日本社会に伝習的におこなわれる絵画に潜在しているはずの普遍性を磨き出そうと考えていたのであり、それゆえにこそ多くの信奉者を集め、批判者を凌駕するだけの影響力を画壇一般に対してもちえたのだ。あるいは、こういってもよい。無意識の奸計によって、フェノロサは、西洋に発するデファクト・スタンダードにすぎないものを普遍と言いくるめることに成功したのだ、と。

フェノロサを信奉もしくは利用した人々のうちに、西高東低の価値観が（無意識的であるにせよ）複雑なはたらきをしていたことも見逃せない。西洋の学者が日本の絵画を褒め上げるというのは、西洋派に押されっぱなしであった明治初年の伝統諸画派にとって、きわめて有利であるばかりか、小気味のよいことであったにちがいないのである。しかも、そこには、芳崖にみられるように画家たちの折衷的な西洋志向も絡んでいた。日本絵画に注がれるフェノロサの熱いまなざしは、同時に日本絵画を西洋化に向かわせるベクトルでもあったわけだが、西洋へ向けて名乗りを上げようとする日本絵画のベクトルにも、西洋絵画への志向が重ね合わされていたのだ。

フェノロサとオリエンタリズム――翻訳語「日本画」の登場

フェノロサの活動は、江戸以来の絵画が現代の「日本画」へと向かう路を開いたばかりではない。『美術真説』は、「日本画」という語が一般化するうえでも、どうやら大きな役割を果たしたらしい。『美術真説』には、「日本画」という文字が（その読みはともかく）「油絵」との対比において、しかも、たとえば「油絵ノ勢、日ニ盛ンニシテ幾ンド将ニ日本画ヲ圧倒セントス」といった具合に、かなり扇動的に用いられているのである。それが、国粋主義の時代において、どのような効果をもったか想像にあまりある。『美術真説』が明治の芸術に与えた影響の大きさを思うならば、この冊子が「日本画」という字を用いたことの影響は、かなり大きく見積もることができるのだ。それどころか、「日本画」という語が他の類（義）語を凌駕して台頭してゆく最初のきっかけを与えたのは、この小冊子だったのではないかとさえ思われるのである。

『美術真説』こそ、「日本画」という語が世に広まるきっかけであったのだとして、さて、ここで注意を促しておきたいことが一つある。それは、『美術真説』で用いられた「日本画」が翻訳語であったという事実だ。それに対応する欧語が何であったか草稿がないので特定できないものの、いずれ Japanese painting か Japanese pictures かであったにちがいない（一四年の手稿の東西絵画の比較の部分において対をなすのは oil painting と Japanese pictures である）。もっとも、「日本画」という語は、これ以前から使用されていたわけだが、在来の日本語（とくに漢語）が翻訳語の意味で使用されるようになった例は決してめずらしくない。たとえば「自然」がそうだ。主に副詞ないしは形容動詞として使用されてきたこの語は、nature の訳語にあてられて以来、名詞として使われるようになったのである（柳父章『翻訳語成立事情』）。つまり、「日本画」が翻訳語だというのは、翻訳による意味の変成を指しているのであって、それが新語かどうかは二義的な問題にすぎないのだ。

では、「日本画」が翻訳語であるということは、いったい、いかなる意義を有するのか。思うに、それは、「日本画」の成り立ちが、外からの視線、具体的には西洋からの視線を重要な契機としているということ、いいかえれば西洋人が表象する日本絵画の在り方が「日本画」の成り立ちを大きく左右したということを示している。

エドワード・サイードは『オリエンタリズム』(今沢紀子訳)において、いわゆる「オリエント」なるものは、そもそもヨーロッパが自己を投影することによって成立させた表象にすぎぬということを指摘し、オリエンタリストにとってのオリエントを「ヨーロッパに付属する演劇舞台」と呼んでいる。フェノロサにとっての日本、そうして日本絵画もまた、そういうものであったのにちがいない。つまりフェノロサは、そこで展開されるドラマに、いわば演出家としてかかわったのである。

もちろん、主に中近東イスラム世界を指すサイードの「オリエント」概念を、ただちに日本に関する論に適用するのは問題があろうけれど、フェノロサにとっての「日本画」が、西洋的な絵画観を通して表象されたものであったことは否定すべくもないし、また、たとえばオリエンタリストたちが「現在のオリエントの「改良を促進する」ために、失われた過去の古典的オリエントの偉大さを一部分なりとも回復すること」を義務と心得えていたというサイードの指摘は、フェノロサの活動の動機の一つを的確に言い止めているといわねばなるまい。

要するに、西洋人が日本絵画というものに関して抱く表象が、「日本画」の起源(のすくなくとも一つ)であり、それはオリエンタリズムの発想に通ずるものであったと考えられるわけである。このことは、欧米におけるジャポニスムの動きを、フェノロサが、ほかならぬ日本人に向かって吹聴したことのなかにも見て取ることができる。フェノロサは、そうすることによって「失われた過去の古典的オリエントの偉大さを一部なりとも回復」しようとしたのである。日本人にかわって日本絵画の価値をほかならぬ日本人に対して顕彰する僭越は、オリエンタリストの発想以外の何ものでもない。

フェノロサにとっての日本絵画が一つの表象にすぎないことは、国民的な広がりをもっていた南画＝文人画を、レッシング流の詩画限界論の立場から批判し、みずからの「日本画」概念から切り捨ててしまったことにも示されている。南画＝文人画が中国への傾きを強くもつものであったとはいえ、それを切り捨てたところで日本絵画の改良を試みることには、やはり一種の偏向を認めざるをえないのだ。伝統絵画を意味すると往々にして思われがちな「日本画」が翻訳語として通用し始めたという皮肉な事態は、絵画の実態についても認めうるのであり、このことは、すでに色彩表現についてみたところでもある。

明治の日本絵画は、こうして西洋という歪んだ鏡に己の姿を映すことで、みずからが顕示するにあたいする存在であると考えるに至った。つまり、外へと名乗り出るベクトルを与えられた。「日本画」の起源には危機感とないまぜになった、こういう楽天主義が認められるのだが、しかし、この楽天主義は、「日本画」を、やがて自縄自縛へと追い込んでゆく。フェノロサは、オリエンタリストとして、日本絵画に対して日本的であれと要求しつつ、同時に、西洋的であることを——結果的であるにもせよ——もとめ、さもなくば日本絵画は衰微するであろうと追いつめたのであり、この「二重の拘束（ダブル・バインド）」（グレゴリー・ベイトソン）は近代絵画としての「日本画」の在り方に、いまもって大きな影を投げかけている。たとえば、しばしば指摘される「日本画」の中途半端な近代性は、おそらく、そこに由来する。西洋近代の絵画観の影響下に形成された「日本画」が、ほかならぬ西洋人のまなざしのベクトルによって、表象としての日本——歴史を超えて存続する永遠の日本像——に釘づけされてしまった結果として、その中途半端さを捉えることができるのである。これを、西洋世界に向けて日本的なるものを宣揚しようとするベクトルとみなしても同じことだ。これら二つのベクトルが、永遠の日本という壁に「日本画」を打ちつける釘である以上は。

「日本画」は、国民的絵画様式だといわれる。また、人々は往々にしてそこに日本的なるものを見出そうとする。しかし、歴史を超えて不変であるような「日本」など、もちろんどこにも存在しない。日本文化の大きな枠組みというものは想定できるとしても、それとても決して不動のものではありえない。しかも、それは、東アジアという大きな枠組みに組み込まれるものであるばかりか、東アジアという枠組みもまた、歴史的にも地理的にも相対的なものにすぎない。もし、そこに永遠の相を見るとしたら、それは幻影でしかない。だから、永遠の日本という壁にぶら下げられた「日本画」の在り方は幻影もしくは虚妄にすぎない。しかも、それは日本の絵画みずからが選択した在り方ではなかった。西洋からのまなざしと西洋に対して名乗り出るベクトルとによってかくあらしめられたのである。では「日本画」は国民的絵画と呼ぶにあたいしないものなのだろうか。否、日本近代の在り方――西洋近代に追随しつつ、しかも日本であることに過剰な自意識を抱いてきた近代日本の在り方をここで思い出すならば、このような「日本画」の在り方こそは、じつに日本的であるといわねばならないからだ。そういう意味で「日本画」は、まさしく国民的絵画様式なのである。

日本が国際社会に乗り出してゆく政治状況のもとで展開された日本近代絵画史は、やがてその内部において国際政治を展開させてゆくことになる。「日本画」と「西洋画」の確執、そして、両者それぞれの内部において、伝統と西洋の遭遇、衝突、闘争、妥協、並立、講和がさまざまなかたちで展開されることになるのであり、それは、「日本画」にとっては、「二重の拘束（ダブル・バインド）」から自分自身を解放しようとする、ほとんど自傷的ともいえるもがきであった。それが、「日本画」の史的展開を、かろうじて可能ならしめてきたのである。

さて、「日本画」の起源が以上にみてきたようなものであったとして、それは、どのような過程を踏んで、人々のあいだに広がっていったのであろうか。それについてみるために、次節では主要な美術雑誌のいくつかに眼を通してみることにしたい。

4　ジャーナリズムにおける「日本画」――フェノロサの言説と実践

美術雑誌への「日本画」の登場

主要な雑誌にかぎって順を追ってみてゆくと、まず本邦初の美術雑誌といわれる明治一三（一八八〇）年創刊、同年廃刊の『臥遊席珍』（これは、しかし雑誌というよりも、むしろ分冊の絵画読本とでもいうべきものであった）では「和画」／「漢画」／「西画」という分類になっていて、本文にも「日本画」という文字は見当たらない。また、同年に龍池会が発行した『工芸叢談』創刊号にも、「日本画」の三文字は出てこない。

次に明治一六年創刊、同二〇年廃刊の『大日本美術新報』をみると、三号あたりからぽつぽつ「日本画」という語が、記事や論説のなかに見出されるようになり、なかでも明治一八年の第一七、一八号に載った末松謙澄（けんちょう）の「歌楽絵画餘論」は、「日本画」／「西洋画」（あるいは「洋画」）という枠組みを自在に用いていて注意を引く。

『臥遊席珍』と『大日本美術新報』の創刊のあいだにはさまれる二年間は、フェノロサが国粋派のイデオローグとして活動を開始し、『美術真説』を出版した時期に重なっており、しかも、『美術真説』が発刊されるまでに開かれた二度の内国勧業博覧会でも「日本画」という語は用いられていない――となると、『美術真説』が「日本画」という語を流通させるきっかけになったということが改めて確信されてくるのだが、しかし、『美術真説』によって「日本画」が時代のテーマとして一挙に人々の注目を集めることになったかというと、必ずしもそうではなかったらしい。というのも『大日本美術新報』の主要論説で「日本画」をテーマとしたものはほとんどない、といってよいからだ。『大日本美術新報』という雑誌の主たるテーマは日本固有の絵画の在り方——つまりはローカリズム——の探究ではなく、「美術」という西洋産の概念を普遍とみなして、これを探究し、かつ、これによって在来の造型活動を啓蒙することだったのである。

『大日本美術新報』は、そもそも龍池会の機関誌のような性格をもって出発した雑誌であり、『美術真説』を出版したことにみられるような同会の方針——「日本画」顕彰の前提たる普遍的絵画観を重視する方針——に従って「美術」に関する啓蒙と「日本美術」の称揚を編集の柱にしていたのだが、フェノロサが龍池会の停滞性を不満として鑑画会に拠る新保守主義の運動を起こしてからは、鑑画会の機関誌的な存在として、フェノロサの論説を次々に掲載してゆくようになる。しかし、フェノロサの絵画観は、すでにみたように西洋的な絵画観への強い偏りをもつものであり、龍池会を遥かに凌ぐラディカリズムを有していたため、やがて「日本画」の世界に確執をもたらすことになった。フェノロサの絵画改良運動は功を奏したとはいいながら、そこに含まれる矛盾撞着を目ざとく見抜く者も当然ながら存在したのである。たとえば、明治一九年八月発行の『大日本美術新報』第三四号に掲載された烟霞散人の「鑑画会」という一文は、鑑画会におけるフェノロサの指導を次のように批評している。

筆墨、精神、気韻の三事兼到らば始めて全画と称すべし。此三ツの者を除き徒に形容、位置のみを論じ、百方、画の改良を計らんとするも何ぞ其堂奥に達することを得んや。フェノロサ氏は日本画は未だ幼稚なるを以て、先づ其皮相の位置を論じ、追て筆墨、精神、気韻の改良に評及せんと欲するもの乎。然れども今其形容、位置を論ずるは、光線の法、分度の則を取りて、強て東洋の画を泰西の法に改造せしめんとするが如し。(傍点引用者)[5]

この一文は、『大日本美術新報』の主要論説のうちで、主題的に「日本画」に言及したほとんど唯一の例といってよいものであるのだが、じつはこの論説は同年六月三〇日から三日にわたって、『毎日新聞』に掲載されたものの転載であった。しかも、ここで「日本画」という語が用いられるのはフェノロサの言説に関してのみで、全体のキーワードは「東洋画」であった。このことは、「日本画」という言葉の社会的普及と定着におけるフェノロサの役割を暗示すると同時に、とにもかくにも「日本画」という語が、この時点で新聞に登場するまでに一般性を獲得していたという事態をも示している。はたして、この推測を裏づけるような言葉が明治二三年一一月発行の『明治美術会第一回報告』に見出される。それは同年七月に同会でおこなわれたイギリスの水彩画家アルフレッド・イーストの講演の記録（通訳・中島末治）のなかにある次のような言葉だ。

日本に於て新流派（俗に云ふ西洋画）とも申して然るべき即ち当今風の美術をお学びになって居る所ろの諸君とは私も実に同情を抱いて居る訳であります。然ながら強ち此の国家的の美術（俗に云ふ日本画）に対して他意を抱いて居らぬといふことも亦御承知を願ひます。（傍点引用者）［6］

論争のなかの「日本画」

明治一六（一八八三）年から二〇年まで発行された『大日本美術新報』の主要論説に「日本画」を主たるテーマとするものがみられないのは、先述のように、国粋派の特定会派の基本的なスタンスにかかわる事柄として、まずは理解できる。とすれば、ただちにそれをもって当時のジャーナリズム一般における「日本画」の位置を測るのは、早計だろう。そこで、試みに明治一七年創刊の『東洋絵画叢誌』を一九年までたどってみると（同誌はこの翌年に、『絵画叢誌』と改題する）、はたして『大日本美術新報』の場合と同様、そこでも「日本画」はほんの片隅の存在にすぎないことが知られる。同誌の発行元である東洋絵画会は、流派の別にこだわり、南画を重視するなどの点において――フェノロサもその会員であったにもかかわらず――フェノロサ＝鑑画会と発想を異にするばかりか、フェノロサ＝鑑画会が文部省と結んだのに対して農商務省が主宰した絵画共進会を引き継ぐなどの対照性をもつ。このように趣を異にする二誌において「日本画」がキーワードとして――当否いずれの意味においても――登場していないことを考えると、たとえ「俗に」用いられていたにもせよ、美術ジャーナリズム全般において「日本画」は、いまだ主題になりうるだけの意味の濃度をもちえていなかったというべきだろう。

しかし、イーストの講演がおこなわれた明治二二年になると状況は、かなり変わってみえる。すなわち同年にはフェノロサ－岡倉天心路線にもとづく国粋主義的内容の東京美術学校が官によって開校され（「日本画」はまさに「国家的の美術」になったわけだ）、それに対抗するように在野の西洋派が明治美術会を結成するといった動きのなかで、「日本画」と「西洋画」の関係は、にわかに新たな局面を迎えようとしていたのである。西洋派が文明開化をわが世の春と謳歌した明治初年、それから国粋派が国家と結んで絵画の近代化のイニシアティヴをとった反動的モダナイゼーションの時代が一〇年代半ばから二〇年代まで続き、次いで三〇年代になると絵画における西洋派と国粋派の調和が時代の課題として模索されることになるといった明治絵画史の展開における端境の季節がここに訪れようとしていたのであった。しかも、そこにはフェノロサ－岡倉天心路線の東京美術学校＝新保守派と日本美術協会（龍池会が明治二〇年に改称）＝保守派のあいだの確執の深まりという事態が絡んでおり、やがては、黒田清輝、久米桂一郎の帰国（明治二六年）によって西洋派陣営にも新旧の対立が起こることになる。この新旧対立は、「日本画」という絵画の実体が形成される重要な契機となるのだが、「日本画」概念の成立については、なにはさておき国粋派と西洋派の対立に注目しなければならない。一〇年代の雌伏の時代を抜けて、西洋派が徐々に頭をもたげ始めた状況が、「日本画」概念の形成に大きな意味をもつのである。

西洋派の美術家たちを糾合した明治美術会（明治二二年結成）の機関誌『明治美術会報告』をみてゆくと、創刊早々に「日本画」への揶揄や批判の言葉がしるされ、「日本画」をめぐる論争状況が国粋派と西洋派の対立を軸に醸成されつつあることがわかる。「然ながら強ち此の国家的の美術（俗に云ふ日本画）に対して他意を抱いて居らぬといふことも亦御承知を願ひます」というイーストの言葉にも、このような状況が映し出されている。明治初期の絵画観は、文明論的な西高東低の状況に強く影響されていたのであってみれば、「日本画」は、つねに「西洋画」の影に脅かされ、他方、国粋主義の下風に立たされた「西洋画」が、いわば正系意識をもった異端として、普遍性の旗のもとに捲土重来の機会を狙うことになるのは当然の成り行きであった。

明治美術会の結成と同じ年に創刊された『美術園』の創刊号をみても、明治美術会に連なる人物の手になるとおぼしき問答体の「日本画」批判「日本画の将来如何」が掲載され(『教育報知』からの転載)、これを発端として同誌を舞台に論争が起こっている。「日本画」の実用性、改良の可能性、フェノロサの絵画論などをめぐる論争の内容はともかく、この論争には、のちにステンドグラス作家となる小川三知はじめ、杉本克次、中村さく、山口在住の福井さく女といった人々が加わっており、地方在住者を含むその人数から「日本画」への関心の広がりがうかがわれるばかりか、議論において「日本画」/「西洋画(洋画)」という枠組みが自在に使用されているのが注意を引く。ただし、「日本画」擁護の小川三知に対する反論のなかで中村さくは「日本画、西洋画の名称は元来正当なるものにあらず。されど今茲(ここ)に便宜の為暫く旧慣に従ふ」という断りを書きしるしており、「日本画」という語がこの頃にはすでに慣用されるようになっていたということ、しかし、それにもかかわらず問題をはらんだ語と意識されていたことが知られる。また、中村さくの論を批判して「日本画」を擁護した福井さく女の文に「我叡聖(えいせい)文武なる天皇の一統連綿万邦無比なる美事」という文言があり、「日本画」肯定論の体質的な基調(「皇国画」に通ずるそれ)がうかがわれて興味深い(とはいえ「西洋画」が、かかる発想と無縁であったというつもりもない)。

また、「日本画の将来如何」論争の翌年にも、明治美術会に端を発する重要な論争が起こっている。その発端となったのは、明治美術会第二回大会(明治二三年)において外山正一が「日本絵画ノ未来」と題しておこなった講演であった。これが、ただちに林忠正の反論を呼び、さらに森鷗外から手厳しい批判を受けることになるのである。「日本画」という言葉の問題にかぎって、この論争をたどってゆくと、外山の講演記録（私家版『日本絵画ノ未来』）で、「日本画」／「西洋画」、「和画」／「油画」という二つの枠組みが効果的に使いわけられていることが、まず注意を引く。人々の耳目を引きつけなければならない冒頭の部分では「日本画」／「西洋画」という対をジャーナリスティックな話題のなかで用い、人々の胸に訴えかけるべき末尾の部分では「和画」／「油画」という伝統に則った言い方がなされているのである。また、外山が文中で用いるのは「吾邦ノ絵画」とか「和流」「和風」といった表現であり、「日本画」は論の展開部においては使っていない。これは「日本画」という語が、この時代において占めていた位置を示しているといえるだろう。「日本画」は、かなり新鮮な響きをもつジャーナリスティックな意味合いの言葉として注目を集めつつあったのではないかと推察されるのである。もちろん、そこには東京美術学校の開校というジャーナリスティックな話題も影響していたのにちがいない。「俗に云ふ日本画」に外山は注目したのである。

ところで、この論争における鷗外も、外山の論を要約するとき以外には「日本画」という語を使っておらず、「邦画」「吾邦の絵画」「吾邦人の画」という言葉によって議論を展開しているのだが、例外が一カ所だけある。それは、「苟(いやし)くも日本画といふ美術画ありと認むる以上は」云々という箇所だ。つまり、鷗外は「美術」としての「邦画」を言い表すのにわざわざ「日本画」という語を用いているのであり、これは「美術」としての絵画の創出が「日本画」形成の前提であったという、これまで述べてきた事理を傍証するものといえるだろう。

これらに対して林忠正の反論は、「日本画」／「洋画」という対立によって論の展開をおこなっている。思うに、これはパリに拠点を置くジャポニスムの美術商である林が、日本の現状を外からの視線で眺めていたことを示しているのにちがいない。

外山正一の講演で注目すべきことが、もう一つある。それは、この講演が「日本画ノ未来」ではなく、「日本絵画ノ未来」と題されていることだ。つまり、主たるテーマは「日本画」ではなく「日本絵画」だったのであり、しかも外山は、ここで「日本画」と「西洋画」の上位概念として「日本絵画」という語を使っているのである。すなわち、「日本絵画」という概念が「西洋画」と「日本画」を入れることのできる枠組みとして想定されているわけで、これは語感に照らして順当な用法と考えられる。たしかに、「日本画」はローカリズムへの、「日本絵画」はユニヴァーサリズムへの傾きをそれぞれ孕んでいるのである。

このことは、おそらく単語の仕組みに由来している。「日本絵画」という合成語が、「日本」と「絵画」に分解しやすく、したがって「絵画」という上位概念、すなわち「西洋絵画」「フランス絵画」などとの共通分母が、つねに呼び起こされるところがあるのに対して、「日本画」という三字熟語は、強いゲシュタルトを形成するので、民族的ないし国民的様式を不動の実体として強調するのにうってつけなのだ。「絵画」概念を明示的に踏まえる「日本絵画」の場合、「日本」の語は、トポスもしくはエトノスとしての具体的な限定性を絵画に与える条件にすぎないのに対して、「日本画」という場合の「日本」は——そのような限定性を隠された前提としながらも——理念的な趣が強く、それに応じて、「日本画」という言葉は、一種の絶対性を帯びがちなのである。

ただし、「日本画」と「日本絵画」は、むろん単純な対立関係にあるわけではない。両者が包摂関係にあることは、先にみた通りであり、その関係は、「日本」という国名とともに「美術」という暗黙の前提を共有することで成り立っている。近代化の過程においては、絵画の在り方もまた西洋への偏りをまぬかれえなかったことは、すでに述べたし、かかる偏りが「美術」という概念にかかわることも、すでに述べた。「日本画」と「日本絵画」が、同一の前提を共有するがゆえに際立たせる差異は、「日本画」概念成立の機微を告げているといえるだろう。

こうした同一の前提へと、伝統派の画家たちを教導するのにフェノロサが大きな役割を果たしたことは、先にみた。しかし、いくら影響力があったとはいえ、フェノロサ一人の力で伝統的な絵画観を革命するというのはやはり無理な話であって、西洋化としての近代化を企てる支配層の後ろ盾がなければ、事は決して成就しなかったであろう。支配層の後ろ盾とは、すなわち内国勧業博覧会や内国絵画共進会などの制度的な後ろ盾にほかならない。

5 「絵画」の純化

第三回内国勧業博覧会と内国絵画共進会

明治二三（一八九〇）年の第三回内国勧業博覧会の出品部類目録をみると、一、二回に設けられたような細目は消えて、たんに「絵画」（第二部第一類）となっている。細目がしるされなくなったばかりではなく、「書画」という分類名も捨てられ、「書」は絵画のはるか後方、美術部門のどん尻に置かれている。これは「書画一致」という東洋的発想からの離脱であり、絵画を「美術」に組み込むべく概念を整理しようとする純化の企ての一環にほかならなかった。

しかも、この回には「美術」部門全体の刷新も企てられている。すなわち「美術」の部門にかぎり、出品の鑑別がおこなわれたのである。「第二部鑑別心得」をみると「極メテ拙劣ナルモノハ之ヲ拒絶ス可シ」とあるだけだが、ここに「美術」とそうでないものを截然と区別しようという意志がはたらいているのはあきらかであり、これによって、出品者った。先にふれたワグネルらの批判を承けたものとみられるこの施策は、いってみれば博覧会のもつ教育的機能の発動であったが「美術」への自覚を促されたであろうことはまちがいない。

もっとも、第一回から「危険、汚穢、醜体等ノ物品」（「明治十年内国勧業博覧会出品規則」第一条）、「古代の曲玉、書画等」（「明治十年内国勧業博覧会出品者心得」第二条）は出品できないことになっていたし、第一回内国勧業博の区分目録に付された「出品取調方心得」では、「美術」は彫刻、絵画等の「製造品ノ最モ精巧美良ニシテ巧妙ヲ示ス物」というとになっていたから、初めから選択はなんらかのかたちでおこなわれていたとはいえるものの、第三回に至って「美術」部門に改まって鑑別の規定が設けられたのは、「美術」の確立をめざす動きとして、やはり特記するにあたいするだろう。

また、この回では、第一回、二回において「書画」のうちに含められていた工芸的な技法による作物が、「美術工業」として別立てにされたことも——ただし漆絵なども「絵画」に含まれてはいたのだけれど——注目される。これも、また、絵画というものの概念を整理しようとする目論見であったことはいうまでもない。

もちろん、制度的に、かかる分類がなされたとはいえ、ただちにそれが実現されるとはかぎらないし、近代的な分類の背後には、往々にして別の分類体系が——無意識のレヴェルにまで張り巡らされた「地方固有の知（ローカル・ナレッジ）」（クリフォード・ギアーツ）が——控えており、言語の背後の分類にも注意をはらう必要がある。たとえば、江戸時代以来の「像」という概念的枠組みについてなど、考えるべきことは多い。しかし、ここにおいて絵画の純化のための社会的な指標が分類枠として与えられたことは注目するに充分あたいする。分類表が官報に掲載された明治二〇年一二月の時点から、絵画と工芸を分かつ発想は、造型に携わる人々を中心に——在来の分類観とのあいだに複雑なモアレを現出させながら——それまでにはない影響力をもって徐々に社会を覆っていったと考えられるのである。

とはいえ、かかる純化の企ては、第三回内国勧業博覧会が初めておこなったものではなかった。同展に先立つ官設の展覧会において、それは、すでに実行に移されていた。そこで次に、第三回内国勧業博覧会に至るまでの官設展の歴史を「日本画」を指標としておおざっぱに振り返りつつ、絵画の純化についての考察を、さらに進めてみようと思う。

博覧会事務局が明治七年に開催した博覧会には、「書画展観会」が入れ子型に組み込まれており、これが、鑑賞造型にかかわる展覧会を官が企てた最初であった。ここには当時はいまだ新来のメディアであった油絵も出品されていて、『東京国立博物館百年史　資料編』所載の目録をみると「西洋油絵」（または「油絵」）と「現今筆者」という項目が立てられている。しかし、「日本画」という区分はみられない。「日本画」にあたる作物は、ここでは、まだ「書画」という伝統的な分類のなかに眠っているようすである（ちなみに同書所載の博物館の列品分類にも「日本画」の名称は見出されない）。また、最初の独立した官設展である明治一三（一八八〇）年の観古美術会では以下のような分類がおこなわれていた。「観古美術会出品区分目録」から引く。

第一部
　水彩画
　油絵
　諸種ノ画
第二部
　蒔絵　附堆朱堆黒
　ミツダ絵
第三部
　紋様アル織物〈織出／染出〉共
　刺繡
　紋革
　紋紙
第四部
　金属石竹木彫刻ノ偶像　附鋳像

同彫刻品　附鋳物
同建築彫刻物
第五部
陶磁器
七宝器［7］

出品物の目録をみても、在来の画法によるものと、西洋画法によるものとが、ひとしなみに扱われていて、「日本画」という分類は見出されない。ただし、「第一部」で「水彩画」と「油絵」が並んでいる点については、第一回内国勧業博の分類について述べたのと同様の分類の機微が指摘できる。純化ということに関しては、いわゆる絵画的技法が「第一部」としてまとめられ、工芸的な作物と大まかに区別されているのが注目される。絵画としての絵画と器物の装飾を区別しようとする意識の現れが、ここに見出されるのである。「油絵」と「ミツダ絵」の区別も同様の意味で注意を引く。「ミツダ絵」（密陀絵）は漆器の加飾に用いられていたからだ。しかし、この程度の意識は、第一回内国勧業博の分類にもみられたところであり（其一、其二と其三以下のあいだに対立が認められる）、観古美術会の分類は、そこからなんの進展も示していないのだが、やがて、観古美術会に次ぐ官設展である内国絵画共進会において、絵画と工芸の別は制度的に明確化されることになる。

明治一五（一八八二）年と一七年に開かれた農商務省主催の内国絵画共進会は、よく知られているように国粋主義的な発想から企てられた。この展覧会は、西洋絵画の出品を受けつけず、江戸時代までに形成された絵画の流派のみを展観したのである。在来画法の統合に主要な関心が向けられたわけだが、同展は、統合の前提として、日本絵画内部の画派の再分類をおこなっている。「絵画」の名のもとに以下のような分類が立てられたのである（「内国絵画共進会区分目録」）。

第一区　巨勢、宅間、春日、土佐、住吉、光琳派等
第二区　狩野派
第三区　支那南北派
第四区　菱川、宮川、歌川、長谷川派等
第五区　円山派
第六区　第一区ヨリ第五区迄ノ諸派ニ加ハラザルモノ［8］

この分類に見出される流派別の発想は、一見、「日本画」以前の発想を思わせずにはいない。現在のいわゆる「日本画」は流派を滅却したところに成り立っているからである。しかし、この展覧会は、それにもかかわらず「日本画」の形成にとって重要な意義をもっ

た。まず第一に、西洋画を排除したこの展覧会じたいが、明治以前からの画派と画法とを「絵画」の名において統合的に明示するものであったという点において、第二に、絵画の純化がめざされた点において、この展覧会は「日本画」形成の重要な前段をなすのだ。流派の分類にしても、各派を番号順に再整理していることにみられるように、流派の強調というよりも、むしろ、統合と純化へ向けての準備の色合いが強いのである。このことは、第一回共進会における出品人代表狩野守貴の祝辞の「抑モ画ニ流派多シト雖モ各造詣スル所アリ。其所長ヲ窮メテ然ル後ニ諸家ヲ綜攬シ始テ神妙ノ境ニ入ル」(傍点引用者)という文言にも示されている。だから、この展覧会の審査長を勤めた佐野常民の「絵画共進会審査報告弁言」のなかに、「近来外人ノ日本画ヲ賞賛スルモノ亦最モ布置ノ宜シキモノヲ取レリ」云々と「日本画」という語が見出されるのは、なんの不思議もないのである。

この当時、佐野常民は龍池会の会頭であったから、おそらく、「日本画」という言葉は、同年におこなわれた『美術真説』の講演を承けてのものであったにちがいない。この展覧会が『美術真説』から受け継いだのは、しかも、「日本画」という名称ばかりではなかった。絵画の普遍性に即して在来の絵の在り方を仕立て直そうという意図もまた、この展覧会は、そこから受け継いだとみられる。佐野の文言にある「最モ布置ノ宜シキモノ」というくだりは、フェノロサが『美術真説』で絵画の形式性を重んじる発言をしていることを彷彿させずにはおかないのだ。

フェノロサが絵画の形式性を重視したのは、つまるところ絵画の idea を実現するためであり、普遍性に即する絵画とは、こうした発想に従うならば「絵画」の idea を宿す絵ということにほかならないのだが、その実現のためには、まず、工芸と書と絵が混在する絵画のソドムとでもいうべき状況を清算して絵画を純化せねばならず、しかも、それは「日本画」としての純粋さをもとめる動きと重なってもいた。この二重の純化の過程について、しばらく考えてみることにしたい。

「内国絵画共進会」という展覧会名に「日本」という名称は用いられていない。この展覧会は、江戸以来の画派と画法を「内国」という概念で括っている。「内国」は「国内」と同義であるから、それは、暗に「日本」を指しているともいえるのだが、ここで問題となるのは、「内国」の絵画が、必ずしも純日本的な(外来の表徴を欠くというほどの意味に解されたい)絵画を意味するものではないということ、もしくは、すくなくとも内国絵画共進会は「和画(倭画)」の展覧会ではなかったということである。すなわち「支那南北派」を含む「内国」の絵画とは、日本在来の絵画と中国系絵画を合したもの、要するにステートとしての日本で制作される東洋絵画のことであり――たとえ「第一区」に大和絵系が据えられているとしても――東洋絵画の特殊態であるところの純日本的な絵画を指すものでは必ずしもなかった。「内国」と「日本」のあいだにはズレが見出されるのである。

このようなズレが当時においても意識されていたであろうことは、「支那南北派」という分類名に示されているし、内国絵画共進会を承けて明治一八年に名古屋で開かれた私立絵画共進会の規則書には、もっと明瞭なかたちで見出される。そこでは、全体が大きく二区に分けられ、第一区が「日本諸流派」、第二区が「支那南北派」とされているのだ（『大日本美術新報』一九号の記事による）。おりしも福澤諭吉によって「脱亜論」が唱えられた一八年に「内国」から「日本」を抽出しようという企てがおこなわれたというのはまことに興味深いものがある。中国系絵画を分離的に捉えようとする発想は、谷文晁が「今人志薄く、一己の邪見を以て、和画は唐を離れ、唐は和をいやしみ、両ら全きを得るもの少し」（『文晁画談』）と嘆いた近世末の傾向を承けたものであるが、そこに国家意志が介在することによって、こうした傾向が強化されてゆくことになるのだ。

では肝心の「日本画」は、「内国」の絵画という意味と、中国系絵画を排除した「日本諸流」という意味のいずれの意味をもつ言葉であったのだろうか。しかし、それを決定するのはむつかしい。「日本画」は、二つの意味のあいだを揺れ動くようにして、折衷的で曖昧な用いられ方をしてきたように思われるからである。フェノロサが「漢画」系の狩野派を日本絵画の中軸に据え、中国直輸入の匂いの強い文人画＝南画を切り捨てたことは、「日本画」のそういう在り方をよく示しているだろう。東洋を擁して西洋を排する「内国」絵画の親亜的国家意志と、西洋絵画の在り方を介して絵画の普遍性を獲得しようとする「日本」絵画の脱亜志向――これら二つの意志のあいだに、「日本画」は微妙な揺れを内在させながらみずからの位置を定めていったのである。「日本画」の揺れを生み出す主要因が、西洋に対するアンビヴァレンスであるのはいうまでもない。西洋への接近は、東洋から「日本」を突出させ、西洋への反発は、東洋へと「日本」を回帰的に突出させるのだ。「日本画」は、こうした揺れを含みながら、それを名称の純一さによって押さえ込んできたのである。

「日本諸流」といっても、そもそも、その起源には中国絵画が大きく影を落としているわけだから、この名称は、つまるところ、中国絵画を――外来の表徴を見出しがたいまでに――みずからのエトノスに馴致し了えた絵画と考えることもできる。狩野派は、このような意味で――また、フェノロサ流の「日本画」観からみても――まさしく「日本諸流」に割り付けられるはずであるのだが、第一回内国絵画共進会の目録をみると、「第二区　狩野派」の出品物のなかに「大和絵」「唐絵」と名乗る出品が見出される。これらの名称は、もともと画題の分類名として用いられたものだから、これは、そうした伝統に従ったものと解するのが妥当であるとして、しかし、「日本諸流」とみなしてしかるべき枠組みのなかに入れ子状に「大和絵」と「唐絵」が存在するというのは、しばしば日本文化の特質としてあげつらわれる無限抱擁的性格を思わせずにはおかない。こうした分類観は、丸山真男が指摘する国学的発想の矛盾――論理的規範的に世界を整序することを排することで、思想的感染に無防備な在り方を選びつつ、しかも「漢意」や「仏意」に感染することをも否定するという矛盾に由来するといえるだろう（『日本の思想』）。このような曖昧な雑種性は、むろんのこと「日本画」の特質でもあるのだが、「日本画」は、この雑種性を、普遍志向によって純粋性にまで練り上げようとする錬金術的努力によって形成されていったのだった。

この展覧会では、西洋画とともに「古図ヲ其儘模写シタルモノ」「焼絵、染絵、織絵、縫絵、蒔絵等」それから「他人ノ画キタルモノ」は出品できないことになっていた。つまり、西洋画と工芸的な技法による作物を絵の種類から排除することによって日本絵画を絵画として純化し、さらにオリジナリティを重視することで絵画を個人に帰する——制作から発表までを個人の責任において一貫しておこなう——ことがもくろまれたのだ。オリジナリティの重視が、模倣を制作の正統的な手法に組み込んだ——造型上の本歌取りともいうべき——在来のシステムに抗して、創意工夫を促そうとする企みを含むものであったことはいうまでもない。つまりは、新機軸を打ち出す個人の創造性が発揮されるべく、絵画を伝習から浄化しようという発想が、ここに見出されるのである。オリジナリティの重視など今日では常識に属する事柄だが、粉本というものがまかり通り、写真の複製が洋画家の重要な仕事と考えられていたこの時代にあって、絵画の近代化を企てるには、こういう規定を設けることから始めなければならなかったのだ。

それればかりではない。第二回では、「猥雑戯狂ニ属スル図画ノ類」が排除され、内国絵画共進会を引き継いだ東洋絵画共進会（明治一九年開催）の規則（『大日本美術新報』第二八号所載）では、「猥雑戯狂」の「図画」は「普通鳥羽絵ト称スルモノ、如キ画格ニ適セズ美術ノ資格ナキモノヲ云フ」（傍点引用者）と規定されることとなるのである。内国絵画共進会においてめざされた絵画の純化とは、工芸的技法と民衆芸術の排除であり、オリジナリティの重視であり、さらには「美術」としての絵画の創出ということでもあったわけだ。

もっとも、民衆芸術を一段低くみる見方は、何もこのときに始まったわけではない。しかし、ここにおいておこなわれた民衆芸術の排除は――「夫レ絵画ハ美術ノ根本ナリ」という審査長佐野常民の「絵画共進会審査報告弁言」の言葉にもあるように――「美術」としての絵画をめざす動きのなかでおこなわれたということ、それから、かかる階層秩序化が維新期の文化的な動乱を経たところでおこなわれたものであることの二点において注目すべきだろう。秩序の壊乱と再建の動きのなかで絵画のヒエラルキーが「美術」の名のもとに改めて構築されていったのだ。こうした動きは、第一回絵画共進会の前年に開かれた第二回内国勧業博覧会においても見出される。そこでは、「錦画、草双紙、及ビ妙技ヲ主トセザル書画、砂画等」という割り付けが「第二区　製造品」のなかに――つまり「美術」部門から排除されて――設けられているのである。ちなみに、第二回内国博の「美術」部門は、「製造品」部門と区別して、「妙技ヲ主トシテ示スモノトトス」と規定されていた。

内国絵画共進会による絵画の純化の企ては、これだけではない。以上に加えて、この展覧会は「出品ハ必ズ額面ニ仕立ツルカ又ハ裏打ヲナシ、枠ニ張リテ差出スベシ。／但、掛幅、巻物、若クハ帖等ト為シテ出品スルヲ許サズ」（第一回規則第六条、／は段落）という規則を定めることによって展覧会における絵画の在り方を基本的に規定したのであった。

絵画を純化し、家具調度の類から引き離し、規格化することで展覧会という抽象的な空間に連れ出すこと――内国絵画共進会が「額面」というかたちのもとに企てたのは、こういうことにほかならない。つまり、生活のなかに組み込まれた在来の絵画を固有のトポスから切り離して額縁で囲い込むことによって、「美術」という制度的空間に取り込むことがめざされたのであり、それは、「日本画」の在り方を深く規定することになるのである。やがて、菱田春草と横山大観が、『絵画について』（明治三八年）と題する共同マニフェストにおいて、絵画の自律性をもとめつつ、「活ける芸術は死せる調度となり、絵画の独立を奪ひて掛軸屏風の装飾となし」と慷慨気味にしるすことになるのは、こうした制度性が画家たちの造型思考にまで浸透したことを、まさしく示しているのだ。

もっとも、内国絵画共進会に影を投げかけているとみられる『美術真説』は、ヨーロッパにおける額縁絵画の衰退に言及し、先端的な画家たちが壁画に関心を向けていることに注意を促している。フェノロサは、ほかの場所でも、しばしば絵画と建築の有機的な連関性を重視しており、絵画の工芸化に、むしろ、積極的だったといってよい。しかしながら、

『美術真説』の絵画論は、「美術」としての自律性をめざす額絵的な求心性の構図法を念頭に置いて展開されていた。重要な論証でフェノロサは、「今爰ニ一画額アリ、満面果実ヲ描ケリ」と、額に収められた油絵の静物画を彷彿させる例を挙げ、また、画面構成の基本を論じた「十格」は、「湊合」＝unity という概念をめぐる次のような想念のうえに組み立てられているのである。

即チ聚合ノ点ハ主トナリ、他ノ部分ハ客トナリ、主客一目下ニ展覧スベカラシメ、而シテ客ハ常ニ人ノ心目ヲ誘引シテ主ニ致スガ如クナランヲ要ス。之ヲ名ケテ画ノ湊合ト謂フ。若シ此湊合ナケレバ、美術ノ主要ナル妙想ヲ表スルヲ得べカラズ。[9]

表装から額縁への転換は、規格化を通して絵画を生活から切断し、その自律性を高めるばかりではなく、画面じたいの在り方を深く規定せずにはおかない。額縁は、絵画に単一性を促すことで求心性を誘発せずにはおかないからだ。フェノロサのいう「湊合」とは、この求心性のことを指している。しかし、この求心性は、絵画の普遍原理ではない。つねに正面から見つめられる額絵は、たしかに求心的な構図を強くもとめられるが、さまざまな角度から眺められる可能性をもつ屛風形式の絵は、逆に求心性をもってしては——すくなくとも調度としては——良結果を得がたいのだ。求心性の構図法は、額絵を基盤に形成された西洋近代絵画史におけるデファクト・スタンダードにすぎないのである。しかし、西洋化という国是に従って、明治の絵画は、西洋支配体制における事実上の基準を普遍として受け入れざるをえなかった。フェノロサの絵画論は、画面構成を介して絵画の内部から絵画の在り方を、そこへと方向づけ、内国絵画共進会は、絵画の外的な在り方を規定し直すことで、それに応じたのである。

絵画の制度は、こうして、新しい画面を要求する。その新しい画面の形成の重要な契機の一つに流派の統合ということがあった。流派の統合は、「日本画」というただ一つの流派に在来の画派を統合することであり、それは、いってみれば絵画の政治学の問題であった。ただし、これはたんなる譬喩ではない。絵画の統合というプロジェクトは、国家の政治とまっすぐに連動していた。流派の統合という問題について考えるために、ここで再び第三回内国勧業博に立ち返って考えてみることにしたい。

6　国民国家と絵画

画派の統合

明治二三（一八九〇）年の第三回内国勧業博の美術部門で審査官をつとめた岡倉天心は、審査報告において「絵画ノ出品数七百八点、甚シキ拙劣ノ作ヲ見ザルモノハ、当初鑑別ヲ施シタルノ効果ナリ」と自讃し、審査の要領にふれて次のように述べている。

> 這回ハ殊ニ流派ノ区分ヲ立テズ、審査官中各派専門ノ技術家アリト雖ドモ、努メテ諸派ヲ通観シ、彼ヲ参シ此ヲ徴シ、以テ其優劣ノ存スル所ヲ認知セシム。蓋シ将来技術家ヲシテ其長ヲ取リ其不足ヲ補ヒ、大ニ集成発達セシメントノ意ニ出ヅルナリ。（傍点引用者）［10］

第三回内国勧業博の審査では、油絵と伝統絵画の各画派（土佐派・北派・南派・四条派・独立雑派浮世絵・油画）ごとに審査がおこなわれたが、表向きの出品区分では、絵画共進会とは異なって、流派の区分を設けず、審査も、流派別とはいいながら、「絵画全般ニ対シテ其優劣ヲ比較」するという方針でおこなわれた（『第三回内国勧業博覧会審査報告』）。

このたびは流派の別を設けなかったというのは、そのことを指しているのである。そうして、岡倉は、いま引いた段落に次のように言葉を続ける。「這回出品ノ日本画全体ニ就テ其状況ヲ述ベントスルニ、又一言之ヲ蔽ヒ難キモノアリ」（傍点引用者）、と。

岡倉が意識していたかどうかはともかく、各画派の「集成」を語った直後に「日本画」という語を置くという、この行文の展開を見逃すわけにはいかない。「日本画」は、「流派」の区分を超えたところに、その最近類として成り立つ概念であるからだ。ここのとこいえよう。

ろの岡倉の言葉の運びには、「日本画」という概念が成立する機微が映し出されているといえよう。

「日本画」形成の重要な前提の一つが流派の統合であったとして、しかし、「和画(倭画)」も流派を統べる名称であったし、「大和絵」にせよ超流派的な名称だったのではないのか。もっとも、「大和絵」というのは、もともとは日本的な画題の絵画を指す語であり、明治になっても、先に第一回内国絵画共進会に関してみたように、画題による分類名として「大和絵」という語を用いたらしい例もあるのだけれど、鎌倉時代以降は、中国系の新様式絵画に対して伝統的絵画様式一般を指す語として用いられたという歴史がある。とはいえ、「日本画」と「和画(倭画)」や「大和絵」とをひとしなみに捉えるわけにはいかない。第一に「和画(倭画)」にせよ「大和絵」にせよ、決して流派を滅却するものではなかったわけだし、第二に、「日本画」という言葉が、類語をさしおいて台頭してくる明治に独特の状況に注意がはらわれて然るべきだからである。画派統合は幕末以来の傾向であったとしても、いま引いた岡倉天心の報告にみられるように、それが制度的に企てられるようになるのは明治以後のことなのだ。

では「日本画」の前段としての制度的な流派統合に映し出される明治的な状況とはどのようなものであるのか。それを考えるためには、流派の統合というアイデアの出所に立ち返るのが近道であろう。

蓋シ今日ハ一定共同ノ事業ヲナスベキノ時ナリ。今日ハ従来ノ旧習ヲ墨守シ宗派（画派―引用者註）ノ遺伝ニ執着スルノ時ニ非ザルナリ。諸君ヨ、目下ノ大勢ニ離レ現時ノ事実ヲ忘ルルモノハ、唯ダ衰頽廃滅アルノミ。豈戒メザルヲ得ンヤ。（傍点引用者）［11］

これは、先に色彩表現をめぐる事柄に関して引いた、明治一九年のフェノロサ講演の一節である。ここにいわれる「現時ノ事実」とは、たんに絵画の世界にのみかかわる事柄ではあるまい。そこには、明治政府が国民国家の建設に向けて本格的に動き始めたということが含意されていたのにちがいない。というのも、フェノロサが文部省の図画調査会でおこなった発表の原稿とみられるもののなかに、「発達した美術はその頂点的作品が一国民に内在する最上のものを真に表現し、全員に対するどの一人の精神よりはるかに偉大な統一された国民精神をもたらすので、国民的感情を促進します」（「美術の重要性」村形明子訳）としるされているからである。維新に至るまで、それぞれの共同体に割拠し、また、「藩」という名の政治単位に分割され、それぞれの身分にあまんじさせられてきた人々を「幻想の共同性」（マルクス、エンゲルス）のもとに統合し、「想像の共同体」（ベネディクト・アンダーソン）としての国民を、国境線のなかに創出しようともくろむ明治の指導者たちの企てに、フェノロサは国民的な絵画の創出をもってこたえようとしたわけだ。流派の統合は、公卿の土佐、武家の狩野、町民の浮世絵といった絵画上の身分制度を打破するものでもあり、フェノロサにとって、それは国民形成推進の重要手段だったのである。

それぱかりではない。ことはフェノロサの芸術観にもかかわっていた。美術は、美術の「妙想」(idea)を有することで、初めて「美術」たりうると考えていたヘーゲリアンのフェノロサは、絵画についても同様に考えていたのにちがいなく、個々の絵画と絵画の理念(idea)の関係を曖昧化しかねない流派の存在は、当然ながら否定されるべきものであったのだ。むろん、それならば「日本画」という存在も、「絵画」の理念と個々の絵画のあいだに介在する阻害因子であるはずだが、フェノロサにとって、「日本画」とは、写実に流れる西洋近代絵画の対極にあって、「絵画」の理念を胚胎する理想的絵画の別名だったのである。オリエンタリストであるフェノロサは、理想的絵画を日本絵画の現実のうえに幻視しつつ、絵画の現実を理想へと向けて「改良」しようともくろんだのであった。政治統合と絵画の統合、そして、絵画の純化と「日本画」への純化は、このようにして連動していたのである。

それではフェノロサの京都講演の四年後に開かれた第三回内国勧業博覧会の審査報告で、岡倉天心が「日本画」という語を用いたとき、「日本画」という統合的な絵画が実現されていたかといえば、それは怪しい。フェノロサ-岡倉天心路線の東京美術学校が、ようやく授業を開始したばかりのこの時点では、フェノロサが思い描く理想的絵画はおろか、事実上の統合さえも未だしの状態であった。それが実現途上のものであることは、流派を「集成」する企てを自賛する、その行文が何よりもよく示しているだろう。

要するに「日本画」は明治半ばに至って、なお形成途上にあったということだが、観点を変えれば、すでに「日本画」は存在していたとみられないこともない。先にもふれたように、江戸時代以前の絵画も「日本画」と称されることがあるからだ。岡倉天心から例を引けば、第三回内国勧業博が開かれたのと同じ年に東京美術学校でおこなった「日本美術史」講義において、「日本近世美術」（岡倉は、ここで東山時代から寛政期までを「近世」と呼んでいる）に関して「日本画は心の外に心なく、意を以て成立し、若し此の精神を欠けば日本画の系統は絶滅すべきのみ」（平凡社版『岡倉天心全集』第四巻所収のノートから引用）と述べているのである。このように、日本社会が産み出した歴史上の絵画を「日本画」と総称するならば、それが、形成途上にあったなどは、いいがいたいのではないか。しかし、むろん、そうではない。歴史学の初歩に属する問題だが、この試論の最も基本的なモティーフにかかわる事柄ゆえ、あえて一言しておけば、すでに述べたように「日本画」という名称は江戸時代以前に用いられることは、ほとんどなかったと考えられる。だから、岡倉天心が、江戸時代以前の絵画をも含めて、この語で語ったとしても、それは、ここに述べてきたような過程を経て徐々にかたちを成し始めた新しい概念によって、過去の絵画を照らし出したというにつきる。それは、「日本画」なるものが江戸時代に存在していたことを意味するわけではない。江戸時代以前の絵画を「日本画」と呼ぶのは歴史認識にかかわる事柄であって、「日本画」なるものが認識の対象として江戸時代以前に存立していたわけではないのだ。

東京美術学校と京都府画学校

岡倉天心の「日本美術史」における「日本画」という語の用法について注意を促しておきたいことが、もう一つある。岡倉の用いる「日本画」が、日本人の「精神」的特徴を備えた絵画の総称として用いられているという点だ。絵画が「統一された国民精神をもたらす」とするフェノロサと同じ発想だが、岡倉において、こういう発想を可能にしたのが、強烈な対西洋の意識であり、それゆえの強烈なアイデンティティの希求であったことを見落としてはなるまい。それはフェノロサのオリエンタリズムとは決定的にちがうのだ。いってみれば、守勢のアイデンティティの自覚であり、そのようなアイデンティティの成り立ちは、岡倉が校長を務めた東京美術学校における「日本画科」設置の経緯に集約的に示されている。

日本伝来の技法を伝授する機関として出発した東京美術学校「絵画科」において教授される「絵画」とは、日本の「精神」を体現するものであって、それ以外ではありえなかった。絵画といえば、日本の絵画にほかならず、したがって、フェノロサ語彙としての「日本画」をもち出すまでもなかった。「日本画」が理想的絵画の別名ならば、端的に「絵画」と呼べばそれでよかったのである。つまり、「絵画科」は一本化されていたのだが、しかし、西洋化の趨勢はいかんともしがたく、ついに明治二九（一八九六）年には黒田清輝を迎えて西洋絵画の授業を開始することとなり、これによって「絵画科」は二本立てとなる。すなわち、「絵画科」のなかに「日本画科」と「西洋画科」が設けられることとなった。国内における西洋画法の勃興によって在来の絵画がいわば受動的に自覚化され、そのアイデンティティの表示として「日本画」が歴史の表へ登場してくるメカニズムを、この東京美術学校のケースほど、明瞭に示す例はほかにあるまい。「日本画」は、このように「西洋画」の相対概念として受け身的に成立したのであり、おそらく「にほんが」という読みも「せいようが」と対をなす読みとして普及したのにちがいないのである。

ところで開校当時の東京美術学校には「絵画」のほかに、「彫刻」「図案」「建築」の三科が設けられており、このうち「彫刻」は伝統的な木彫が中心になっていた。この「彫刻」科の第一回卒業生である大村西崖（せいがい）は、明治二七年に『京都美術協会雑誌』に発表した「彫塑論」において、塑造を「油絵」に、彫刻を「日本画」にそれぞれなぞらえている。「日本画」という語が、日本美術を表象する存在として扱われているわけで、「日本画」を日本的「精神」の拠り所とする岡倉天心の指導理念の響きが、ここには感じられる。と、同時に、彫刻においても、絵画におけると同様、対西洋の意識が明確化されつつある様子がうかがえて興味深い。東京美術学校で西洋彫刻法としての塑造が本格的に教授されるようになるのは明治三一年（科が立てられるのは翌年）、「日本画科」誕生の二年後のことであった。

いってみれば、東京美術学校「日本画科」誕生の過程は、「日本画」の系統発生を、個体のレヴェルで繰り返してみせてくれているわけだが、「日本画」の三文字が学校制度に現れるのは、しかし、東京美術学校の例が最初というわけではない。「彫塑論」発表当時、西崖が教鞭をとっていた京都市美術工芸学校の前身の京都府画学校、その明治一八（一八八五）年の規則（改正案）のなかに「日本画」の文字が見出されるのだ。その第二条に「画学ヲ分チテ四トス曰東派〈日本画浮世画／土佐派円山派等〉曰西派〈西洋画〉曰南派〈文人画／士夫画逸品画〉曰北派〈和漢合法画／雪舟派狩野派等〉」としるされているのである。

「日本画」が、「浮世絵」「土佐派」「円山派」の類として扱われていることだけは、はっきりしているものの、『百年史　京都市立芸術大学』に横書きで翻刻された活字を追うかぎりでは、「日本画」が具体的に何を指すのかわからない。そこで、同書によって明治一六（一八八三）年の「京都府画学校教則」にさかのぼってみると、「東宗教則」として「本宗ハ土佐円山派等所謂大和絵有職絵ノ類ヲ授ク」としてあり、ここでは「大和絵」の語が用いられている。これによって、「日本画」が「大和絵」とほぼ同一の概念として用いられているらしいこと、それから、どうやら土佐派や円山派を含む概念であるらしいことがわかる。また、一八年の規則改正案にいう「日本画」が「やまとゑ」と読まれていたらしいことも察せられる。

しかし、そうだとしても「大和絵」が「日本画」と書き換えられたことは注意を要する。「大和」と「日本」の語感の異なりについては、すでにみた通りであり、それを踏まえていうならば、この書き換えには、明治的な「日本」意識の高まりが反映されているように思われるからである。

ただし、ここでもっと注意しなければならないのは、この規則において「西宗」＝西洋絵画と直接に対立させせられたのが、先ほど引いた規則書の一節をみればわかるように、じつは「日本画」ではなく「東宗」だったということ、しかも「西宗」と対置されるのは「東宗」だけではなく、「北宗」も「南宗」も同等に「西宗」と対置されつつ、全体として四宗が互いに向かい合っているということだ。つまり、「東宗」という語は、それから「日本画」という語もまた、東アジアの絵画圏において決して特権的な位置を与えられてはいないのである。それればかりではない。この分類に従えば、「東宗」＝「日本画」は、中華をめぐる東西南北の地方のうちの一地方の絵画であるにすぎない。すなわち、ここには絵画上の中華冊封体制ともいうべきものが認められるのであり、東と南と北の並存には、東アジア絵画圏とでもいうべき和気に満ちた関係さえ感じられるのである。こうした分類をつかさどっていたのは対西洋の危機感ではなく、おそらく様式的差異に対する感受性であったにちがいない。京都府画学校の創立と同年に発行された『臥遊席珍』でも、先にみたように絵画は、「和画」／「漢画」／「西画」と分類されており、そこにも同様の和気のはたらきを感じ取ることができる。

7　脱亜志向の絵画

「東洋画」と「日本画」

東アジア絵画圏ということに関連して、もう一つ指摘しておきたいことがある。それは京都府画学校が明治二一（一八八八）年に東南北の三派を合して一科となし、それと「西洋画」との二科制をとったということ、そして、そのとき、三派の総称とされたのは「日本画」ではなく「東洋画」であったということだ（『百年史　京都市立芸術大学』の年表による）。もっとも「東洋」というのは中国語では日本を指す言葉でもあったことをここで忘れるわけにはいかないものの、明治二一年に京都府画学校が採用した「東洋画」という語は、その内に南北の二宗と「東宗」＝「日本画」とを合したものであるという点から考えて東アジアの絵画というほどの意味に解すべきだろう。

京都府画学校における二科制の設置は、東京美術学校における「日本画」設置と類比的に捉えることができると推察されるのだが、しかし、京都府画学校の場合、そこでもち出されたのが「東洋画」であって「日本画」ではなかった。明治二一年の京都府画学校における「東洋画」と二九年の東京美術学校における「日本画」――学校制度の歴史にみられるこのちがいは、いったい何に由来するのだろうか。

「西洋」に対しては「東洋」を配するというのが、現代におけるしごくまっとうな分類観であるのはいうまでもない。これに対して「西洋」に「日本」を対置する発想は、いってみれば論理階型の無視であり、つりあいがとれない。のちにみるように、それは過剰な自意識が生み出したイデオロギッシュな構えにほかならないのだ。自然に考えれば、「西洋画」には「日本画」ではなく、やはり「東洋画」が対置されて然るべきなのである。

しかし、それにしても、なぜ、「西洋」と「東洋」という対立が、そもそも立てられなければならないのか。いうまでもないことながら、ここには、西洋画との巨大な差異の認識が、東アジア絵画圏という自意識を高めてゆくというメカニズムがはたらいていた。それは、たとえば次に引く言葉にみられるような発想である。明治三四（一九〇一）年の紀淑雄「日本及び支那画の明暗法」（『國華』第一三五号）から冒頭部分を引く。ここには、西洋という巨大な他者との遭遇によって引き起こされた事態が、当事者の意識において、あからさまに語られている。

均しく日本画と言ふも、所謂古代の画師画部を初め、土佐、春日、巨勢、詫摩、狩野、浮世絵等の諸流派あり。一概に支那画と言ふも南北の殊あり。……而も是等を一方に懸け、他の洋画と比校対照して、其の想に於て形に於て両々全く殊なるを観ば、前者相互の異は寧ろ同種の変化たるに過ぎざるを知るべし。[12]

もっとも一九世紀初頭の司馬江漢も「蘭画と云ふは、吾日本唐画の如く筆法、筆意、筆勢と云ふ事なし」(『春波楼筆記』)としるして、西洋画法に対して「日本唐画」という一括名称を用いてはいるものの、鎖国下の西洋体験と明治の西洋体験とは、一直線につながっているわけではは、もちろんない。西洋という巨大な他者との全面的な接触は、「西画」を「奇巧」として喜ぶ江漢の無邪気さを超えて、「東洋」の意識を昂揚させ、さらには「日本」の自意識を先鋭化させていったのである。その過程は、自意識の膨張を促し、その結果として、「日本画」を以て東洋の全絵画を代表させようという思い上がった妄想的気分が醸成されてゆくことにもなるのだ。

「東洋画」という名称が選ばれた事由として、もう一つ思い浮かぶのは、京都府画学校の「東洋画」には文人画＝南画も含まれていたという点だ(そもそも京都府画学校の設立を建議したのは南画家の田能村直入(ちょくにゅう)であった)。すなわちフェノロサの影響が——たとえば一九年にフェノロサが京都府画学校の要請によって講演をおこなっていることに示されるごとく――京都までおよんでおり、しかも、京都府画学校の分類でいえば「東宗」と「北宗」のみを内容とする東京美術学校の組織作りが緒についていたこの時点で、南画をも併せて「日本画」を名乗るのは、やはり抵抗があったのではないかと思われるのである。

ところが、東京美術学校絵画科に目を向けると、事態は逆転してみえないでもない。明治二九年当時の「日本画科」においては、橋本雅邦と川端玉章の二教授によって京都府画学校の「北宗」と「東宗」にあたる指導がおこなわれていたのだから、これらを合わせて「東洋画科」という名称が採用される可能性が充分あったばかりか、校長岡倉天心の発想に照らしても、その可能性は高かったように思われる。『東洋の理想』(一九〇三年)において日本を「アジア文明の博物館」と規定し、「日本芸術の歴史は、かくしてアジア的諸理想の歴史となる」として日本を東洋文化の代表者に押し立てていった岡倉の発想からすれば、ここで「東洋画」という語が用いられてもよかったはずなのだ。

しかし絵画科のコース名として採用されたのは「東洋画科」ではなく、「日本画科」という名称であった。国粋主義に則る国立の美術学校にして、これは当然の成り行きであったというべきなのだろうし、ことは岡倉天心の発想がもつ曖昧さにかかわってもいたようだ。西洋に対する東洋文化の代表として、つまり東洋の表象として日本を前面に立てるのか、それとも、日本がそれを代表するところの東洋文化を前面に押し立てるのかという選択の契機が、信念よりも、むしろ状況に託されることによって、結果が左右されたかのようにもみえるのである。このような曖昧さは、『東洋の理想』にも指摘できるところであり、それゆえ、この書物は、*The Ideals of the East* という ideal を複数形にした英文タイトルに窺うことができるようにアジアの多元性への理解を含みながらも、やがて帝国主義時代の夜郎自大の主張に結びついてゆくことになる。もともと英文で書かれ明治三六年にロンドンで出版されたこの書物が最初に日本語に訳された（ただし抄訳）大正一一（一九二二）年以降、昭和一〇年代にかけて、この書物は、「東洋」という語がアジア侵略の露払いの役割を課される状況のなかで意味の転変を余儀なくされることになるのである。

とまれ、こうして東京美術学校においては、かつての京都府画学校のように日本絵画（「東宗」）と西洋絵画（「西宗」）が東アジア絵画圏という大きな関係のなかで対立させられるのではなく、「日本画」が、単独で「西洋画」と対峙させられることになった。これは、一美術学校の学科編成にとどまる事柄ではない。当時の絵画状況が、ここには映し出されている。絵画上の脱亜志向、いいかえれば絵画の中華帝国から脱却せんとする意志が、ここにはみとめられる。

だが、それにしても、「日本」が「東洋」を背負いつつ、直接に「西洋」に対峙するという、この構えは、当時の「日本」にとって、おそろしい重圧であったのにちがいない。全東洋絵画ではなく、本来そのうちの一つにすぎぬ「日本画」が、全西洋絵画と対峙するのである（事柄を精細にたどるためには、当時の日本にあって西洋絵画を代表するのが具体的にはいかなる国いかなる民族のいかなる系統の絵画であったのかということが吟味される必要があるのだけれど、ここは「西洋画」という名称を手がかりに――いいかえれば、表象としての西洋絵画に依拠しつつ――考察を進める)。これが、重荷でないわけがない。「日本画」は、「東洋画」から脱亜しつつ、「東洋画」を代表して単独で「西洋画」に対抗する。ここには、西洋という他者の前で先鋭化し、肥大化した自意識のはたらきが見出される。すなわち、自意識は、「日本」のアイデンティティの探究をイデオロギッシュに深化させながら、「東洋」へと自我を拡張させてゆく。西洋/東洋という発想は、そもそも西洋による世界制覇の過程で、異文化を介する西洋の自己意識として産み出されたのだが、「日本画」の形成は、この東洋/西洋という発想の枠組みに日本人の思考が捉えられ、そのなかで自己意識を研ぎすませつつ自我を膨張させてゆく文明論的過程として捉えられるのである。

これに関連して、いま一つ指摘しておかねばならないことがある。それは、京都府画学校に「東洋画」科が設けられた明治二一年と東京美術学校に「日本画科」が設けられた二九年のあいだに日清戦争がはさまれているということだ。この戦争に勝利した結果、日本は、政治の次元でも文化の次元においても古代以来の中国コンプレックスから解き放たれたのであり、このことが「日本画」と「東洋画」という名称の選択のうえに影を落とさなかったはずがないのである。

「日本」が「東洋」を代表して「西洋」と向かい合うということは、裏を返せば、「西洋」

からみずからに注がれる視線のベクトルに沿ってアジアを顧みることにほかならず、この姿勢は、日清戦争後に、明確になってゆく。日清戦争後は、西洋列強への対抗上、アジアとの連帯を唱える声が高まり、岡倉天心の『東洋の理想』もそのような状況のなかで書かれたのであったが、しかし、かかる連帯の動きは、つまるところアジア侵略の口実と化してゆくことになる。東京美術学校が「日本画科」を設けた時期は、思想史的には、日本人のアイデンティティを主張する国粋保存主義から帝国主義的な日本主義へと向かう転換期にあたっていたのである。ちなみに「国民画家」という発想が歴史に登場するのも、日清戦争をモメントとしてのことであった。

「脱亜抗欧」ともいうべき以上のような「日本画」の構えは、日本の近代化のコースに、みごとにはまっている。しかし、これは「日本画」が政治や思想に追随したということを意味しない。「日本画」は独自の過程をたどって、ここに至った。様式的な差異が問われる平面から立ち上がって、徐々に政治的ないし文明論的な意味を纏うまでになっていったのである。それは、政治や思想への追随ではなくむしろ、それとパラレルな過程であった。あるいは、近代的知性の後知恵によってやがて区分されることになる唯一つの過程の一側面であった。「政治」「経済」「科学」「芸術」といった概念にせよ、「日本画」や「西洋画」という概念にせよ、近代日本の精神史のなかから紡ぎ出されていったのであって、この試論で問うているのは、それらが紡ぎ出される過程そのものなのである。だから、「日本画」

が独自の過程を歩んだというのは、正確には、「日本画」が独自性を獲得していったといいかえるべきだろう。

「東洋画」と「日本画」の関係をみたついでに「国画」という語にも簡単にふれておくことにしたい。「国画」は中国絵画史における用語として知られているが（たとえば『平凡社大百科事典』の「国画」の項）、明治の日本でも早くから用いられており、たとえば青木茂編『高橋由一油画史料』所収の内国絵画共進会評（文書番号一‐八〇）にも「国画」の語が見出される。「国」を冠する語は幕末維新期に、しばしば使用されたもので、そこには、当然ながら国家意識が反映されていた。明治になっても、たとえば上田萬年（かずとし）が日清戦争直後に出版した『国語のため』（明治二八年）の冒頭には「国語は帝室の藩屏（はんぺい）なり」という言葉が見出される。この「国語」という語は、日本語を国内で言い表す言葉として一般化して今日に至っているわけだが、「国画」のほうは、国画玉成会（明治四〇年）や国画創作協会（大正七年）などの例がありはするものの、「日本画」ほど一般化しなかった。たとえば『新潮世界美術辞典』にも『日本美術史事典』（平凡社）にも『明治文学全集　総索引』（筑摩書房）にも「日本画」は出てくるが、「国画」という項目はない。なぜだろうか。

「日本画」が、あくまでも他の民族様式との比較ないし対抗において成り立つ言葉であるのに対して、「国画」という語は一種の自足性のうえに成り立っている。「国語」という名称が「求心的な意味構造」をもつのに対して「日本語」は「遠心的な意味構造」をもっているとする柴田武の指摘は(「世界の中の日本語」)、「国画」と「日本画」についてもあてはまるのだ。「日本画」という語は、「東洋画」や「日本絵画」に比べると求心的な閉ざされた意識を感じさせるが、「国画」という語との比較においては、むしろ外へ向かう遠心性を感じさせるのである。こうしたちがいをもつ二語のうち、「日本画」という遠心的な名称が結局は定着した事由としては、明治初期の絵画の対西洋の姿勢に由来すると考えられる。フェノロサの新保守主義が、在来絵画を世界=西洋に通用する「日本画」に仕立て直そうとしたこと、欧米のジャポニスムの刺激によって絵画を応用した工芸品が有力な輸出品と目されたことなどが、おそらく、この名称の定着に影響したのである。とはいえ、やがて「日本画」は、その遠心性と背中合わせの内向性において自足してゆくことになるのだけれど。

「日本絵画ノ未来」論争のところでみたように、「邦画」「本邦画」などという語もけっこう用いられたようだが、これが定着しなかったのは、明治的な状況を背負う特殊な絵画(観)を言い表す語としては一般的にすぎたためではないかと推測される。翻訳語にあてられる漢語は、それが翻訳語であることを示唆する意図から、日常あまり用いられないものが選ばれたという事情も、「日本画」という必ずしも一般的ではなかった語を定着させた理由の一つであったろう。「日本画」という言葉が社会的拡がりをもつきっかけが、『美術真説』の講演でフェノロサの用いたJapanese paintingかJapanese picturesの翻訳であったことについては既に述べた。とまれ、こうして「和画（倭画）」でも「大和絵」でも「邦画」でも「国画」でもないものとして「日本画」は成立したのである。

以上、学校の歴史への「日本画」の登場から、概念形成と社会的定着の過程をみた。では博覧会や展覧会において「日本画」はどのような登場の仕方をしているか、次にそれをみてみることにしよう。

8　制度における日本画の登場

内国勧業博覧会における分類の二重構造

すでに述べたように、第三回内国勧業博の審査報告で岡倉天心は「日本画」という語を使用しており、しかも、そこには「日本画」概念の形成に不可欠の要件である流派の統合という発想が認められた。しかしながら、第三回内国博の部類目録に「日本画」の文字はなく、それに続く第四回、第五回の出品部類目録にも、やはり「日本画」という語は登場しない。分類名は「絵画」としてあるだけである。

「絵画」というのは、見方によっては、じつにそっけない名称だが、これは普遍志向によるジャンルの純化にまつわる名であった。国粋主義の支配下に開かれた第一回内国絵画共進会以来、官設展から締め出されていた西洋絵画が、この第三回内国勧業博において受けつけられたことにも、普遍性への意識がうかがわれる。日本絵画も西洋絵画もひとしなみに扱いうる「絵画」概念のもとでの統合が企てられたのである。この第三回から「区分目録」が「部類目録」と名称を変えられており、分けること（「区分」）から、同類を集めること（「部類」）へという発想の転換を示していることにも、「絵画」統合の意志を見て取ることができるだろう。

もっとも、明治二〇（一八八七）年の東京府工芸品共進会において、洋画の出品が、すでに受けつけられてはいたものの、工芸的な技法によるものも「各種絵画」のうちに——会名に照らして当然のことながら——含まれていたばかりか、出品者は「製造者販売者又ハ発明改良者ニ限ル」としつつ、「和漢画」にかぎって「自己ノ製作」でなければ出品できないという規定が設けられるといった具合に（「工芸品共進会規則」第六条）、この共進会は普遍的で純粋な「絵画」の在り方をもとめる立場とはほど遠い発想にもとづくものであったように思われる。

ただし、それでは第三回以降の内国勧業博の美術部門がすべて普遍性を求める発想に拠っていたかといえば、そうではない。第三回内国博の「絵画」には漆絵などの工芸的技法によるものも含まれており、そのほかにも純化とは異なる発想が認められる。しかも、これ以降の内国勧業博覧会の「美術」部門には、「絵画」という理念のもとへの統合とは反対の動きも、じつは見出されるのだ。このことは、部類目録から他の史料に眼を転じてみれば、ただちにあきらかとなる。たとえば、明治二八年に開かれた第四回内国博の「鑑査規則」をみてみよう。その第三条に「鑑査員ハ左ノ分類ニ随ヒ鑑査ヲ分担スルモノトス」とあり、「第十八類　絵画」に関して次のような分類がなされている。

十八類　其一　著色画　水墨画
　　　　其二　油画
　　　　其三　水彩
　　　　其四　亜筆　パステル類〔13〕

出品の適否を決する鑑査の便宜上、かような細分がおこなわれたわけであり、第一回、第二回の区分細目と同様の技法的観点からする分類が、ここに認められるのであるが、「鑑査分担表」なるものをみると、実際の鑑査では其二、其三、其四がひとまとめにされて其一と対立させられており、しかも興味深いことに『審査報告』に載っている鑑査結果を示す統計表においては、これがさらに「日本画」「西法画」というように再分類されているのだ（大森惟中による報告書では「日本絵画」「西法絵画」という語で括られている）。つまり第四回の分類は、「絵画」の普遍性を表に立てながら、審査においては「日本画」／「西法画」という対立を設定するという二重構造になっていたわけである。そして、このような分類の二重性は明治三六（一九〇三）年の第五回内国勧業博においても見出される。部類目録ではただ「絵画」となっているところが、出品鑑査および授賞審査においては「日本画」（第一科）と「西洋画」（第二科）に区分されたのだ。また、二重構造というのとはちがうけれど、東京美術学校において「絵画科」という土俵の上に「日本画科」と「西洋画科」が設けられたことにも同種の構えがうかがわれよう。つまり、絵画のユニヴァーサリズムを建前としながら絵画上のローカリズムに固執する、というか、絵画の普遍性を既定の事実とみなしたうえで「日本画」と「西洋画」の関係——対立、闘争、調和——に意を注ぐといった構えが見て取られるわけである。

それから、第四回内国勧業博の鑑査において、かつては「水墨」と対をなす語として用いられていた「水彩」が、西洋画に割り付けられているのが注意を引く。この語が現在のようにwatercolorの訳語として西洋画法にかぎって用いられるようになるのは、ここから推すに、「日本画」／「西洋画」という枠組みの成立を前提としているといえそうなのだ。これは、明治三〇年代に水彩画が流行をみ、また、それをめぐって論争が起こることの歴史的背景として、きわめて興味深い。

ともあれ以上のようにして「日本画」は、内国勧業博の歴史において、ネガティヴな輪郭から始まって徐々に姿を現してゆき、最後の回に至ってようやく制度の言葉として規則に書き込まれるところとなった。そして、「日本画」／「西洋画」という対立は、明治四〇（一九〇七）年に開設された文部省美術展覧会（文展）において採用されるところとなる。しかも、ここでは出品物の分類として堂々と前面に押し出されることになるのである。これは「日本画」という語の歴史のうえで決定的なできごとであった。「美術展覧会規程」から引く。

第二条　出品ハ日本画西洋画及彫刻ノ三科トス［14］

ここに至って、「日本画」／「西洋画」という区分けが展覧会の制度として公認されることになったばかりか、「日本画」と「西洋画」という概念は「絵画」という上位概念の地位を簒奪することとなった。というのも第二条において「彫刻」と並べられるべき同位の概念は「絵画」のはずであるからだ。大村西崖が、かつて「彫塑論」で、それぞれ「油絵」と「日本画」に譬えた「塑造」と「彫刻」を、文展の「彫刻」は二つながら含むものであったのだが、文展は、これに見合う概念として「絵画」という枠を設けることをしなかったのだ。つまり、ここには論理階型の狂いが認められるのであり、この狂いはこの後長く日本の近代絵画を支配することになる。絵画という同一の土俵において「日本画」と「西洋画」が普遍性を争っているうちに、肝心の土俵を見失ってしまった気色といってもよい。要するに絵画観上のローカリズムが絵画観上のユニヴァーサリズムを凌駕することになったわけである。しかもローカリズムとはいいながら、日清・日露の両戦争に勝利した大日本帝国は、みずからの主催するこの美術展覧会の「日本画」に、南画など中国系絵画をも併せ呑む雅量（?）を示してみせたのであった。

こうして文部省美術展覧会において「日本画」と「西洋画」という区分は、官制として制度化されるにいたったわけであり、これは「日本画」という語が一般社会に普及してゆく決定的なきっかけともなった。文展の開設によって美術に対する社会的関心は急激に高まり、その結果として「日本画」「西洋画」「彫刻」という文展の内容が美術の種別として広く人々に知れわたることになるのだ。そして、その際、「日本画」と「西洋画」を別々に展示するという会場の構成も、おそらく観衆に対する大きな教育的効果をもったにちがいない。たとえば夏目漱石が大正元（一九一二）年の第六回文展について『朝日新聞』に連載した「文展と芸術」を読むと、「日本画」と「西洋画」の会場を巡り歩く観衆の足取りが如実にしるされていて、会場構成の教育的効果とでもいうべきものに思い至らされるのである。

しかし、それではなぜ、文展において「日本画」／「西洋画」という対立が、論理階型を踏み外してまで制度史の表面に現れることになったのであろうか。

「日本画／西洋画」体制の成立

これまでみてきたように、「日本画」という語は明治二〇年代の初頭には、問題を含みながらも、かなり一般化していたらしい。それは、いまだオーソドックスな用語ではなかった。しかし、「日本絵画ノ未来」論争の例からも察せられるように、ジャーナリスティックな流行語であった。『國華』が、「日本画」をテーマとする論文を最初に掲載したのは明治三八年の第一八五号で、それは瀧精一の「日本画の筆致に就きて」であった。おそらく、このあたりで「日本画」は、ようやく美術用語としてオーソライズされたのだろうと思われる。つまり、二〇年代初頭から三〇年代末までの十数年間において「日本画」は、流行、定着そしてオーソライズという過程を歩んだと考えられるのであり、実際のところ、ちょうどその中頃の時期、すなわち二〇年代の末に至って、この語は、「西洋画」とともに、時代の言葉として脚光を浴びたのであった。

明治二九年の『早稲田文学』一月号の「彙報」欄は、「和洋画の調和」という見出しを掲げて「思ふに東西画の調和は美術界将来の問題ならん」という予想を述べている。この予想の通り、明治三〇年代の絵画界は、「日本画」と「西洋画」の相互浸透の可能性が模索されたのだが、その過程は和気藹々というわけにはいかず、論争が、あちこちで起こった。いわゆる美校騒動がもち上がり、日本美術院が結成され、朦朧体の実験が物議をかもし、「日本画会」「无声会」などの小グループが簇生するといった具合に「日本画」をめぐる話題に事欠かず、かかる状況を承けて「日本画」の将来があれこれとりざたされ、「日本画」をめぐるさまざまな論争がジャーナリズムを騒がせたのである。『読売新聞』がおこなった「東洋歴史画題募集」の当選画題による日本美術院の歴史画を発端として展開された高山樗牛、坪内逍遥、綱島梁川らの歴史画論争、中村不折、長谷川天渓の「日本画」罵倒論争、「日本画」家による水彩画の制作をめぐって起こった鹿子木孟郎と三宅克己の水彩画論争などが繰り広げられ、さまざまな思考が「日本画」をめぐって展開されてゆくのだ。

明治三五年に創刊された『美術新報』においては当初から「日本画」が雑誌の重要なテーマとなっていた。同時期の『稿本日本帝国美術略史』(明治三四年刊)や藤岡作太郎の『近世絵画史』(明治三六年刊)において「日本画」/「西洋画」(「油画」「洋画」)という枠組みが用いられていることも見過ごせない。また、国家による本格的な修史事業の成果である『稿本日本帝国美術略史』が、一九〇〇(明治三三)年のパリ万国博覧会のために出版された仏語版 *Histoire de l'Art du Japon*〔53頁、図5〕の原稿であったことは、「日本画」という語の翻訳語としての出自に照らして興味深い。

日清戦争ののち、二〇年代末から、戦勝の勢いということもあって画壇は活況を呈し、当時の大家、名家に制作の依頼が殺到するという状況が到来する。この間、岡倉天心ひきいる東京美術学校出の若い画家たちは、森口多里の言葉を借りれば「一般の依頼画の形式

図25　下村観山　嗣信最期　1897年　東京藝術大学大学美術館

とは全く異つた会場芸術の絵画形式」（『美術五十年史』）の創出にいそしみ、明治三〇年秋の日本絵画協会第三回絵画共進会には下村観山の《嗣信最期》〔図25〕、西郷孤月の《春暖》、菱田春草の《水鏡》、横山大観の《聴法》といった大作が出品されて「御座敷芸術から会場芸術への道程」（同上）が示されたのであった。しかも、こうした大作への傾斜は、フェノロサ以来の色彩表現志向とも、おそらく深いかかわりがある。同時代の大塚保治も述べているように「大作は小品に較べて見ると、どうしても色を濃く強くすると云ふ必要がある」（「京都画家対東京画家」『帝国文学』九一号）からで、ここから、顔料粒子の粗大化が促され、やがて新岩絵具盛行の現在を準備するのである。

これらの事象や言説の内容に立ち入って論じることはしないけれど、一つだけ指摘しておかなければならないのは、これらの論や事象のほとんどが「日本画」／「西洋画」という対立構図の内部において――たとえば「日本画」と「西洋画」の優劣を争うというかたちで――展開されているということだ。「日本画」／「西洋画」という枠組みを批判しようと、それに依拠しようと変わりはない。「日本画」／「西洋画」という枠組みを既定のものとしている点では同じことである。「日本画」／「西洋画」の対立は、そういう意味で、絵画をめぐる三〇年代の表現思想のベースであったということができるのであり、そのベースは、言説の展開によって、いっそう強化されていったのであった。先に引いた『早稲田文学』の記事は、見出しこそ「和洋画の調和」としてあるものの、文中では「日本画対西洋画の問題」が語られていたのである。「日本画」という語は、こうして、この時期にすくなくとも専門用語としての定着を果たし、文展の分類の前段を成したと考えられるのだ。

以上のような状況に照らしてみると、「日本画」／「西洋画」という社会的に認められた対立が、まずあって、文展はたんにそれを制度的に、追認し、固定しただけだともいえそうだが、もちろん、そういっただけでは何も述べないに等しい。文展がかかる対立を制度化したのはなぜかという前記の問いに答えるためには、論理的な過ちをおかしてまで文展が、この対立を追認しなければならなかった直接的な動因が探り出されねばならない。ここでは、そのうち重要と思われるものを三つだけ指摘しておくことにしたい。

9　文展の出品分類の由因

「絵画」という土俵

文展の分類を成り立たせた動因として第一に考えられるのは、「絵画」や「美術」の普遍性に関する啓蒙活動が一定の成果を挙げ、それにかかわる展覧会などの制度が、まがりなりにも確立されたという意識である。「絵画」概念と「美術」概念の普遍性に関する理解は、「西洋画」と「日本画」を対抗させ、その優劣を比較するための土俵として、また伝来の画派を統合する舞台として必要とされた前提であり、それを社会的に広げるための制度の建設はフェノロサら国粋派の主導下に明治一〇年代半ばから二〇年代初頭にかけて、憲法体制の建設と足並みを揃えておこなわれたのであった。臨時全国宝物取調局の設置、東京美術学校の開校、帝国博物館の設置、『國華』の創刊、第三回内国勧業博覧会の開催、帝室技芸員制度の設置……憲法発布をはさむ三年間に以上のようなことどもが、すなわち古典美術の制度化、美術教育機関の設置、美術のためのメディアの創設、美術展覧会のモデルの呈示、美術博物館の形成、芸術家・職人の顕彰といった事業が、国粋主義や帝室との結びつきにおいて一斉に本格化し、また実現されていったのである。

要するに、二〇年代に至って「美術」ないしは「絵画」という土俵や舞台が、どうやら一応のかたちを成したわけであり、これは「日本画」という語が一般化し始めたと考えられる時期と一致している。もっとも、一応土俵がかたちを成したとはいえ、この時点では完成へ向けてなすべきことが、いまだ数多く残されていた。たとえば流派の統合ということも、第三回内国勧業博の岡倉天心の審査報告にあったように未来に属することであった。しかし時代の趨勢は、すでに決していたといってよい。東京美術学校は流派滅却の機関として活動を開始し、三〇年代には野に下って岡倉天心のひきいる日本美術院が「朦朧体」という反伝統的な実験を西洋画法を参照しつつ繰り広げてゆく。その急進性は多くの非難を浴びたけれど、すでに「美術」と「絵画」の普遍性を証する制度に取り込まれてしまっていた画壇は、結局そのような動きを受け容れてゆかざるをえなかったのである。つまり、文展において十把ひとからげに「日本画」と総括されるに至る絵画の枠組みは、二〇年代から三〇年代を通じて、その原型を形成し終えていたわけだ。同時代の証言を一つだけ引けば、文展開設の前年二月の『明星』に寄せた石井柏亭の文章が挙げられる。そこで柏亭は、「実に古法墨守を非とするの叫びは、早くも作家をして芸術上の独創を尚ぶの心を起さしめ、以て各派混成又自家創始の作風に依る幾多の画家を産出するに至れり」(「絵画界の現状を論じ併せて其将来に及ぶ(上)」)と書いて、画派消滅の動きを明確に認めているのである。最初期の文展においては、近世絵画の伝統を引く在来画派の連合体である旧派と、

「美術」と「絵画」の普遍主義に則って画派の統合＝滅却を企みつつ、西洋絵画への傾斜を示す新派のあいだに対立が起こったものの、これは絵画観上の問題というよりも、むしろ政治的な悶着であり、結局は文展の第一部「日本画」をめぐる——ということは「日本画」という名を争う——ヘゲモニー闘争にすぎなかったとみてよいだろう。

こうして二〇年代初頭にとにかくできあがった「絵画」という土俵が三〇年代を通じて名実ともに踏み固められてゆき、そこで「日本画」と「西洋画」の取り組み＝対立が本格化してゆくようになると、人々の関心が土俵よりも、その上でおこなわれる取り組みに注がれることになるのは当然の成り行きであろう。文展において「日本画」／「西洋画」という対立が「絵画」という概念をさしおいて分類に採用された動因としては、第一に以上のような事理が考えられるのである。

自足と危機の意識

土俵のことよりも、その上でおこなわれる取り組みに意識が集中するのは、意識のベクトルが内向化したことを意味する。「美術」であれ、近代的な「絵画」概念であれ、その受容が急がれつつあるときには、たとえば明治一〇年代の『大日本美術新報』の編集方針にみられたように、普遍性の源泉と目される西洋へ向けて開かれた構えが重視されたわけだが、それに対して「日本画」と「西洋画」の取り組みは、もはや国内の問題であり、そこでは内向きの意識が支配的になる。一般的傾向として、だいたい明治一〇年代半ば頃から お雇い外国人の数が減少し、日本人が彼らに取って代わってゆくのを追うようにして、美術においても、ちょうどフェノロサが日本を去った明治二三(一八九〇)年あたりを境にして、さまざまな意味で国内において自足してゆく傾向がみえ始めるのである。

もっとも自足とはいっても、その時期は、国粋主義時代の出口にあたっており、明治二〇年代の初めには、国粋主義の時代への反動として西洋派が再び台頭してくるのであるが、ここに台頭してきた西洋派は、必ずしも国際派ではなかった。明治二〇年代初頭の西洋派は、時代思潮としての国粋主義に色濃く染め上げられていた。西洋派は、もはや必ずしも外へと開かれた意識を代表する存在ではなかったのである。そのことを端的に示しているのは、第三回内国勧業博に出品された西洋画の多くに見出される日本的な主題への傾きである。日本的な主題は第一回、二回の勧業博でもみられたものの、この回に至ってそれが急激にロマンティックな色合いを帯び、日本ないしは大日本帝国への心的傾きが見え始めるのだ。すくなくとも、それらの作が、当局によって「本邦ノ趣致ニ随ヒテ自ヲ温雅優美ノ風ヲ成サントスルモノアルヲ見ル」(『絵画叢誌』第四一巻)と評されたことは見過ごすわけにはいかない。すなわち国粋派による啓蒙と制度の構築がどうにか一段階を終えたところで、西洋派が日本的なるものを背負って回帰してきたのであり、事態はすこぶる奇妙で複雑だった。一八九三(明治二六)年のシカゴ・コロンブス博覧会参加に際して起こった洋画派排斥の動きについて小山正太郎が書いたとおぼしき「洋技排斥例證及美術保護論草案」にはこのような言葉が見出される。

吾徒(わがと)ハ西洋ノ技術ヲ摸倣セントスル者ニ非ラズ。唯其諸法ヲ輸入シテ帰化セシメントスルモノナリ。(傍点引用者)〔15〕

「帰化」とは、たんなる「日本」化ではない。それは出自たる西洋からの切断を意味する。すなわち自足を意味する。しかも、このシカゴ・コロンブス博では、日本の美術品が、万国博で初めて美術館に展示されるということがあり、このことは、日本の造型伝統の普遍性の証として、自足の念に大きな支えを与えることになったのにちがいない。二〇年代の半ば——それは、ちょうどシカゴ・コロンブス博の会期中にあたっていた——に、黒田清輝が外光派の風気を纏って帰国し、「天真」の自己を重んずる清新な作風で青年画家を魅了するのも、自足という意味において同時代の精神に与する動きであった。黒田のひきいる白馬会展の作風は、和田英作の言葉を借りれば「全然立派な日本料理」になってゆき(「白馬会画評」『明星』明治三六年一一月号)、明治三七(一九〇四)年の第九回白馬会展に出品された青木繁の《海の幸》〔36頁、図3〕に対する賛辞は「日本画」という語をもってしるされることになるのだ(「白馬会展評」『美術新報』明治三七年一二月五日号)。

自足へと向かう時代精神の傾斜を示す例は、これにつきない。たとえば岡倉天心は、日本美術院の基調を「自己に忠実な生活（Life true to Self）」（『東洋の理想』）と表現しているし、少しあとのことになるけれど、いわゆる旧派の洋画人脈に連なる鹿子木孟郎は第二回文展評（明治四一年）で「日本油画」を提唱し、「油画を書いては居るけれども、日本人である以上矢張日本画家である」と述べている（『太陽』明治四一年一一月）。

自足への傾斜は、こうして二〇年代から三〇年代末にかけてその角度を急速に増してゆき、かかる自足への傾きにおいて西洋絵画は「洋画」という名の日本絵画になってゆくのだが、顧みればこのような事態は外山正一が「日本絵画」の名のもとに「日本画」／「西洋画」を語ったときに、すでに始まっていたというべきだろう。そこにおいて「日本画」の対立者は西洋の絵画ではなく、「西洋画」という「日本絵画」であるとされたのである。反「西洋画」としての「日本画」と反「日本画」としての「西洋画」――反の論理で結ばれた両者は自足の境地に落ち着いてゆくだろう、まるで合わせ鏡のように。そうして、この自足の意識は日露戦争の勝利を経て決定的なものになってゆくだろう。ここにいう自足とは、甘んじて自己の自然に従うことであり、ローカリズムへの傾斜であり、極言すれば自己と異質なものを見失うことにほかならない。近代化の進展のなかで、自足の意識は明治末年に向けてクレッシェンドで高まってゆき、明治初期の高橋由一や狩野芳崖らの絵画にみられた異質なものへの鋭い感受性はデクレッシェンドで衰頽してゆくのである。

明治初期において西洋派の画家たちは、西洋絵画のメチエを根こそぎ受け容れることで、認識革命を引き起こし、国粋派に属する画家で志ある者たちは、日本絵画のメチエに西洋画法を取り入れることで絵画革命を敢行した。高橋由一や狩野芳崖の仕事とは、そのようなものであった。そこには異質なものへの感受性が鋭くはたらいていた。しかし、それからおよそ二、三〇年のあいだに大きく状況は変わり、精神史は大きく転回した。日本派にとっても、西洋派にとっても、西洋画法は、もはや必ずしも異質な何かではなくなってしまった。西洋画は、日本における、一つの絵画ジャンルとなった。西洋画は、西洋の面影を宿す表象としての西洋絵画という分に甘んずるところとなった。新たな「洋風画」が誕生したのだといってもよい。また、それと並行して、在来絵画法の読み換えと再組織がおこなわれた。これは、普遍性を標榜する「美術」や「絵画」という概念に従って、「日本画」がそこに連なるべき画系を、時間をさかのぼって形成することであり、そこから日本美術の古典が、着々と体系化されてゆくことになる。朦朧体に至る東京美術学校派の絵画と白馬会以後の絵画とが背負っていたのは、こうした絵画状況なのである。

合わせ鏡と円環

自足とはいいながら、たとえば朦朧体に急進的な実験精神が認められるということも、ここで当然ながら考慮されなければならないだろう。しかし、その実験は「美術」や「日

図26　菱田春草　落葉（六曲一双のうち左隻）1909年　永青文庫

本画」を受け皿としてのことであったということが忘れられてはなるまい。制度とともに形成され、制度の後ろ盾によって存立する「美術」と「日本画」という枠組みに寄りそう発想が、そこには認められるのだ。換言すれば、朦朧体の実験は、開明期の日本が編み上げていった制度の網のなかに、すっぽり収まっているのであり、そういう意味で、まさしく自足という言葉がふさわしいというべきだろう。

自足というのは一つの事実であって、このことじたいには、むろん是も非もない。自足の状態が閉塞を結果するとしても、そのような状況なればこそ、外への切実な志向が育まれるということもないではないし、菱田春草の《落葉》（明治四二年［図26］）が描かれたのは、まさにかかる自足の状況の延長においてであった。

しかしながら、春草もまた時代の在り方から決して自由ではなかったことをしかと認識しておく必要は、やはりある。このことは、次のような春草のよく知られた確信においてあきらかだ。すなわち「現代の日本画と洋画とが共に将来は一つの日本画として渾成統一せらる、」云々(「画界漫言」明治四三年)という確信である。合わせ鏡のような自足の状況を批判的に乗り越える意志の表明とも解しうるこの言葉において将来を託されているのは「絵画」ではなく、「日本絵画」ですらなく、「日本画」なのだ。しかも、これは春草の独創的見解というよりも、当時にあっては、むしろ、ありきたりの発想であった。

また、大観と春草の『絵画について』(明治三八年)の次のような一節も、以上に述べたような精神状況を映し出したものといえるだろう。ここには普遍性への志向が、自足の意識へとリンクしてゆくさま——いいかえれば「日本画」史観の原型的発想が——読み取れるのである。

特に欧州人よりも遥かに優先なりし宗達、光琳以来の色彩的印象派を以て却つて洋画の模擬なりとし、漫然之を排斥せんとするものは最も笑ふべきの至りにして、畢竟するに東西美術史上の対照に疎なるの致す所と存候。[16]

『絵画叢誌』に載った「狂画生」の批評をみると、観山を大観・春草ら「急進派」の領袖と目しつつ、その絵について、「一部の人をして日本画にあらざるべしと評せしむるに至る」としるしているが（明治三一年一一月号）、しかし、この評言は、すでにして「日本画」という枠内の、ということはつまり「急進派」と同じ言説空間に包摂されるものであったといわねばならない。西洋への対抗と接近の構えが複雑に絡まり合う「日本画」概念の成り立ちが都合よく忘れ去られ、それが日本の絵画伝統の全体に難なく適用されているのだ。「急進派」への批判者もまた、「急進派」の言説空間に位置していたのであり、これは国画玉成会について竹内栖鳳が語った「一面復古の着想と一面洋画折衷派と相会同して円い環を作つて居る」（松本亦太郎『現代の日本画』）という言葉を思い出させずにはおかない。近世以来の伝統を保持しようと努める旧派も、その背後にまわり込もうとする復古主義者も、「急進派」の実験主義者も、結局はこのような「円い環」の内側に閉じ込められてゆくのである。「日本画」というフェノロサ－岡倉天心の発想から生じた円環のなかに。合わせ鏡と円環の自足――これが、文展において普遍的な「絵画」なるものがないがしろにされ、「日本画」／「西洋画」という枠組みが前面に押し出されることになった事由と考えられるものの第二である。

明治三八年の『國華』一八六号に載った「日本画の危機」と題するコラムは、今や「邦画」は骨董趣味の年寄連中か海外の好事家の愛玩するところとなり、一般国民なかでも青年層は洋画趣味へと流れているとして、「吾人は恐る、邦画自身の革新の日を俟たずして民心の早く邦画を忘れ去らんことを」と危機感をあらわにしている。文展が「日本画」／

「西洋画」という対を採用した動因の第三は、おそらくここにみられるような危機感であった。日洋両画の調和が求められたこの時代において「日本画」は追われる立場にあり、そこに発する危機意識が制度による安定を求めたのではないかと推測されるのだ。東京美術学校の西洋画科志願者数が日本画科志願者数を凌駕する時代が、すぐそこまで迫っていたのである。

ただし、以上は、あくまでも状況からの推断にすぎない。文展の出品分類に関しては文展規則の制定過程に踏み込んだ考察をおこなったうえで再検討する必要があると考えている。また、文展に先だって同年に開かれた東京府主催の東京勧業博覧会で絵画は「東洋画」と「西洋画」に分けられており（「出品部類目録」）、これをどう説明するかという問題も残る。文展の国家性と東京勧業博の地方性というように、これを解釈してよいものかどうかなど、考えるべきことは多い。

＊

さて、不充分ながらも以上のように制度史を軸にして「日本画」という言葉の歴史をたどってみると、それが台頭してくる過程は、だいたい次のようなものだったのではないかと推測される。すなわち――『美術真説』の出版によって世人の注目を集めた翻訳語「日本画」は、明治一〇年代後半から二〇年代初頭にかけて、つまり国粋主義の時代を通じて

「西洋画（洋画）」の相対概念として社会的に流通し始め、二〇年代にはジャーナリスティックな言葉として人々の耳目を集めつつ、三〇年代にかけて論争状況を現出させた。そして三〇年代を通じて「日本画」／「西洋画」という枠組みはほぼ完成され、「日本画」は「西洋画」に追われる危機感のなかで、「和洋画の調和」という課題を背負いつつ時の言葉となっていった、というような過程である。

その結果として、文展が絵画を「日本画」と「西洋画」に分類したことは、さまざまな問題を後世に残すことになり、近代的な絵画観の立場からはとくに評判が悪い。批判は、文展開設直後から現在に至るまで後を絶たない。「日本画」は、普遍的絵画の立場から罵倒され続けてきた。しかし、すでに述べたところからあきらかなように、「日本画」という分類は、たとえ矛盾を抱え込んでいるにもせよ、ほかならぬ近代の、それも危機意識と普遍志向の産物なのであった。それは、「日本画」の批判者たる近代主義者と同じ根から生まれたものなのである。しかも、「日本画」は「二重の拘束（ダブル・バインド）」ゆえに洋画以上に苦戦を強いられ、その苦しい戦いのなかから、ときに珠玉のような絵画が生まれた。

しかし、ひとたび自足の念にとらわれ、制度としての枠によって安泰を保証され、さらには、文展の開設を機に「日本画」の市場が発展の途につくと、危機感は遠ざかり、普遍志向は、かぎりなく薄らいでゆくことになる。また、かつてジャポニスムに迎合した楽天性は、やがて慢心に取って代わられてゆく。「日本画」は西洋絵画の色濃い影響を受け、それとの葛藤によって形成されながら、だんだんとみずからの生い立ちを忘れ果てていったかのようにみえる。あるいは危機感や矛盾はトラウマや不安感に変じていったというべきなのかもしれないけれど、「日本画」という名は、その不安ゆえに、ますます自尊の念を分厚くまとうようになったかのようにみえる。

だが、自足ということに関しては、「洋画」も「日本画」に負けてはいない。四方を海に囲まれた日本にとっては外への通路を意味していた「洋」の字を冠した「洋画」の多くは、いつしか外なるものの異質さに驚くことを忘れ、西洋を様式的差異の発生装置のごときものとみなし始めるようになるのだ。それは、西洋絵画の新意匠を後ろ盾とする国内向け絵画になり果ててゆくのである。もちろん、西洋への熱い関心は、明治初期で燃え尽きてしまったわけではなく、むしろ、近代化の進展とともに、さらに深く、広く西洋絵画が学ばれるようになっていったのが実状である。留学生は後を絶たず、情報は急速に増していった。しかし、幕末から明治初期にかけての画家たちが異質なものとしての西洋絵画に全身をさらすような在り方を、そこに見出すのはむつかしい。「日本」と「西洋」あるいは「東洋」と「西洋」をつなぐ既定のコースを画家たちは行き来するのみで、苛烈な西洋との関係は例外に属するようになっていった。既定のコースは、むろん閉ざされたコースでしかありえない。「西洋画」もまた、こうして自足の境に跼蹐（きょくせき）することになるのである。あるいは、こういってもよい。「日本画」／「西洋画」の関係は、「大和絵」／「唐絵」、「和画（倭画）／「漢画」の関係に等しいものに近づいていったのだ、と。しかも「大和絵」／「唐絵」、「和画」／「漢画」の上位概念は「絵」であり「画」であるのに対して、「日本画」／「西洋画」の最近類は――以上の道筋を踏まえていうならば――「絵画」ではなく「日本絵画」なのだ。

さて、長々と展開してきたこの試論も、明治が終わりに近づいたところで、そろそろ切りをつけなければならない。文展において制度的に定着された「日本画」が、日本語としてのステータスを獲得するには――辞書によってみたように――明治末の「時代閉塞」（石川啄木）の状況から大正を経て昭和に至る二十幾年かをさらに必要としたのだが、その間の経緯を論ずる用意はない。本稿は明治いっぱいをその限度とする。しかしながら、昭和初期の『言泉』に「日本画」が登録されるべく、大きな傾きを決定づけたのは、ここに述べたような過程であったと判断して大過ないだろう。明治の四〇年間をかけて「日本画」概念は日本の全絵画史を制覇し、そこから「日本画」史観が確立されてゆくことになるのである。

文展において「日本画」と「西洋画（洋画）」が四つに組むことで近代日本絵画の体制が整い、いささか憂鬱で暗いわれわれの近代絵画史が改めて制度的な出発を遂げると、「日本画」の起源も、「美術」の起源も遠からずして忘却の淵に沈められ、制度は、あたかもそれが自然であるかのように、やがて振る舞い始める。そして、その周辺に例外者や反逆者たちが蠱惑的な輝きを放ち始め、「日本画」の歴史に一種の密度を与えることになる。これら例外者や反逆者にとって「日本画」とは、いったい何であったのか、それを、しかと言い止めることはできないが、いずれにせよ、彼らにとってそれはずいぶんと重苦しい存在であったのにちがいない。彼らの敵は「西洋画」であるよりも、むしろ「日本画」それじたいであったようにさえみえる。彼らは個の資格において絵画の普遍性を求めつつ、「日本画」という重い名を背負って近代西洋絵画の先端に挑戦し、また近代西洋絵画の起源にさかのぼってゆくだろう。

一方、「洋画」の例外者、反逆者たちは、明治が西洋から受容し、制度として築き上げた「絵画」概念と「美術」概念からの逸脱を、やがて夢見るようになる。そして、幕末明初には輝く新来のメディアであった油絵は、尖鋭な意識にとっては桎梏とすら意識されるようになるのである。

そのような時代のとばくちで高村光太郎は、こう書きしるしている。明治四三（一九一〇）年、日本が朝鮮を植民地化した年のことだ。「所謂日本画家は日本画という名に中てられて行き悩んでゐる。所謂洋画家は油絵具を背負ひこんで行き悩んでゐる」（「緑色の太陽」）。

註

[1] 下中弥三郎編『大辞典』第二〇巻(平凡社、一九三六)、六八頁。
[2] 瀧精一「日本画と墨画」、『國華』第五〇六号、三頁。
[3] 「明治十年内国勧業博覧会区分目録」、青木茂、酒井忠康編『日本近代思想大系』第一七巻「美術」(岩波書店、二〇〇〇)、四〇六頁。
[4] 「明治十年内国勧業博覧会出品目録 OFFICIAL CATALOGUE OF THE NATIONAL EXHIBITION OF JAPAN」(内国勧業博覧会事務局、一八七七)、二一頁。
[5] 烟霞散人「鑑画会」、『大日本美術新報』第三四号、二頁。
[6] 「アルフレッド・イースト君演説」(中島末治訳)、『明治美術会第一回報告』、一〇頁。イーストの講演は無題で掲載されているので、仮の題を付しておく。
[7] 「観古美術会出品区分目録」、『観古美術会出品順序』(博物局、一八八〇)、四丁。
[8] 「内国絵画共進会区分目録」、[3]に同じ、四二三頁。
[9] アーネスト・フェノロサ/大森惟中筆記『美術真説』、[3]に同じ、四八頁。
[10]『第三回内国勧業博覧会審査報告 第二部』(第三回内国勧業博覧会事務局、一八九一)、一~二頁。
[11] 「フェノロサ氏演述筆記」、『大日本美術新報』第三二号、二頁。
[12] 紀淑雄「日本及び支那画の明暗法」、『國華』第一三五号、四一頁。
[13] 第四回内国勧業博覧会事務局編『第四回内国勧業博覧会事務報告』(第四回内国勧業博覧会事務局、一八九六)、二六五頁。
[14] 「美術展覧会規程」、日展史編纂委員会編『日展史』第一巻「文展編一」(社団法人日展、一九八〇)、五四五頁。

[15] 技術者同盟「洋技排斥例證及美術保護論草案」高村眞夫編『小山正太郎先生』(不同舎旧友会、一九三四)、二三九頁。

[16] 横山大観、菱田春草『絵画について』、青木茂編『明治日本画史料』(中央公論美術出版、一九九一)、二七七頁。

「工芸」概念の成り立ち

美術の階層秩序

美術に属する諸ジャンルのあいだには階層的な秩序が認められる。たとえば、『広辞苑(第四版)』で「美術」の項を引くと、その内容として「絵画・彫刻・書・建築・工芸美術など」とある。この順番は、決して恣意的に決められたものではあるまい。「絵画」を筆頭に据え、次位に「彫刻」を置き、「工芸美術」が最も下位にくるという並びは、価値の序列を表していると考えられる。しかも、辞書というものの性格上、ここには一般的な価値観が反映されているとみてよいだろう。

この序列は、美術が視覚にかかわる芸術であることに、おそらく由来している。ウィーン万国博参加を機に翻訳語として西洋からもたらされた「美術」という語は、当初は諸芸術を意味していたのだが、やがて視覚芸術の意味に限定されるようになり、その結果、絵画・彫刻・工芸のなかで最も純粋に視覚的な表現媒体である絵画が、それを代表することになったのである[1]。しかも、明治初年に始まるこの過程は、工芸が美術の階層秩序の底辺に位置づけられるようになった事由をも示している。生活や産業にかかわりをもつ工芸は、視覚芸術というにはあまりに複合的であり、しかも、それは、触覚と本質的なかかわりをもつことで視覚と抵触するのだ。触覚は、視覚が距離を前提とするのと反対に、距離を喪失することによって初めて成り立つ感覚であり、それは、視覚を相対化するはたらきをもつのである[2]。むろん絵画や彫刻も触覚と無縁ではないものの、それらにおける触覚性は、あくまでも視覚の次元で与えられる。その点で、実際に触れられることを身上とする工芸の場合とは決定的に異なっている。

ところで、「美術」という翻訳語は、その初出にあたってみるとKunstgewerbe——すなわちアプライド・アート、おおづかみにいえば現在いうところの「工芸」を意味するドイツ語に対応していたことがわかる[3]。つまり、翻訳語としての「美術」は、工芸を指す言葉として登場してきたわけであり、明治初期の美術は、実際に工芸を中心に展開していったのだった。しかも、それは、のちにみるように伝統的な造型の在り方にかなうことでもあった。ところが、美術の範囲が視覚芸術に絞り込まれ、視覚芸術としての在り方が、絵画を枢軸に据えて追究され始めると、工芸を低くみる見方が、やがて支配的になってゆくのである。

ただし、これを「工芸」の没落と捉えるとすれば、それは早計というものだろう。じつは、「美術」概念の形成過程は「工芸」概念の形成過程でもあったからだ。あらかじめ

「工芸」なる枠組みがあって、それが貶められたのではなく、「美術」なるものの在り方が追究されてゆく過程で、いわばそのネガティヴとして「工芸」という枠組みが生み出されていったのである。いま、明治初期の美術の中心に「工芸」があったと述べたのは、だから、あくまで便宜上の物言いにすぎず、その時代には「工芸」というジャンルは、いまだ存立していなかったのだ。のちにいささか詳しくみるように、「工芸」という古い漢語が日本語の語彙に定着をみるのも明治になってからであり、しかも、当初は、いわゆる「工業」の意味で使われていたのであった。

したがって、「工芸」概念の形成をあきらかにするには、「美術」概念の形成過程をたどる必要があるわけで、それについては、美術関係語彙の体系を俯瞰的に見て取ることのできる博覧会の分類表を手がかりとするのが至便である。そこで、政府主催の内国勧業博覧会に、ここでは狙いを定めて「工芸」概念の生成過程をみてゆくことにしたい。ただし、その際、近代的な「絵画」概念の形成過程と照らし合わせながら考察を進めてゆく。「絵画」に注目するのは、それが「工芸」と対極をなしつつ「美術」を代表する存在だからである。

明治時代における博覧会は見ることによる文明開化の企てであり、眼の教育装置とでもいうべき催しであった。そのことは、内務省が明治一〇(一八七七)年に開催した内国勧業博覧会のパビリオンの配置に、はっきりと示されている。パビリオンの配置のちょうど要のところに「美術館」が建てられており〔26頁、図1参照〕、しかも、そこには、視覚芸術に類するもののみが展示されたのだ〔4〕。見ることにかかわる大規模な国家の催しにおいて、「美術」の語義が諸芸術から視覚芸術に絞り込まれたわけだが、ジャンルごとにその内容をみてゆくと、現在とは相当に異なったようすが見て取られる。このことについては、その後のなりゆきも含めて、すでに他所で述べたことがあるが、ここは「工芸」概念の形成という文脈を整えるべく改めてその過程について述べておくことにしたい。

この第一回目の内国勧業博の「美術」部門は、分類表のうえで、「彫像術」を筆頭に、「書画」「彫刻術〔エングレーヴィングの意〕及ビ石版術」「写真術」「百工及ビ建築学ノ図案、雛形、及ビ装飾」、そうして「陶磁器及ビ玻璃ノ装飾○雑嵌細工及ビ象眼細工」という六つの細目に分けられている。だが、出品目録について、その内容を調べると、分類から想像されるところと実際の出品のあいだに、かなりの懸隔のあったことがわかる〔5〕。「書画」の場合でいうと、そこに収められているのは絵画と書ばかりではなかった。そこには花瓶や簞笥などが出品されており、同様のことは彫刻においても認められる。絵が描かれていれば「書画」に、彫刻が施されていれば「彫像術」になんでも分類されてしまったわけだ。しかも、絵の類は、「美術」部門と並ぶ「製造物」(=工業)部門にも出品されており、美術は美術、工業は工業という近代的な分類になじんだ眼からすると全体に混沌たる印象をまぬかれない。

内国勧業博の「美術」部門が、かくも混沌たる状態にあった事由としては、第一にfine artsに対応する「美術」という外来概念がほとんど理解されていなかったこと、それから、このことと関連して、第二に「工芸」という枠組みが不在であったことが挙げられる。「工芸」という枠組みがないからこそ、花瓶や簞笥などのいわゆる工芸品が、「美術」内部のジャンルはおろか「美術」の敷居さえも超えて、横断的に、あるいは遍在的に見出されるのであり、かかる事態は、第二回の内国勧業博(明治一四年開催)においてもなんら変わりはなかった。第一回内国勧業博の分類には「陶磁器及ビ玻璃ノ装飾」という項目名がみえるものの、「陶磁器」は「書画」のなかにも含まれており、また、第二回内国博の「美術」部門には第四類の其一として「工芸上製品ノ図案、並ニ雛形」という分類枠がみられるけれど、ここにいう「工芸」は工業の意味に解すべきであり、分類の力点も「工芸」品ではなく「図案」や「雛形」にかかっていたとみるべきなのだ[6]。

では、なにゆえに「工芸」という枠組みが成立しなかったのか。そこには、おそらく当時の官の「美術」観が大きく影を落としていた。

「美術」という語が誕生するきっかけとなったウィーン万国博覧会で、織物、竹細工、七宝、漆器、陶器など伝統的な日本の手工品が——ジャポネズリを当て込む出島貿易以来の動きのなかで——高い評価を得た。輸入に傾く貿易不均衡に頭を痛めていた当時の支配者たちは、これに注目し、起立工商会社の設立にみられるごとく、早速、手工品を西洋向けの有力輸出品に仕立てるべく意匠の改良をもくろみ始める。その際、手工品がKunstgewerbeに割り付けられることが、その後の「美術」観を大きく決定づけた。先にもふれたように、Kunstgewerbeは日本語訳分類で「美術」に対応していたからである。「美術」奨励の大目的は、いわゆる工芸の改良にあり、また、「美術」の機軸をなすのは、いわゆる工芸であるとする「美術」観が、こうして官僚をはじめとする支配者たちのあいだに定着することになったのである。彼らにとって「美術」とは工芸のことにほかならず、それゆえ、内国勧業博においても彼らは「工芸」という特別な枠を設ける必要を感じなかったのだ。

こうした官の「美術」観の背後には、江戸時代までに形成された造型観も控えていた。江戸時代以前にあっては、衝立、屏風、それから陶器など、いわゆる工芸品が重要な絵画の場所であり、鑑賞本位に傾く掛軸にしても、たんに鑑賞性だけをめざすものではなく、表装までも含めて床飾りに供されるものだったのである。工芸は、「美術」の一ジャンルであるどころか、かつて柳宗悦も指摘したように、「美術」という新しい翻訳概念が宿るべき本体であったのだ[7]。しかも、明治になるまで「美術」に相当するジャンルが独自に領域化されなかったという、まさにそのことが示しているように、江戸時代までの造型は、鑑賞性と実用性によって分かたれることなく、なべて「工業」に一元化されていた。そのことは、日本で最初の「美術学校」が、工部省によって設置されたことにも示されている。

とすれば、工芸が美術の母胎であったという指摘は、正確には、工業が美術の母胎であったといい直されなければならないことになる。第一回内国勧業博では、鑑賞性に力点を置く造型は「美術」に、実用性に重きを置く造型は「製造物」（＝工業製品）にと、おおよその分類はできていたものの、その境は、いまだに曖昧であり、したがって、その境に「工芸」というジャンルが成り立つ余地もまたありえなかったのである。

以上を踏まえていうならば、「美術」という日本語の初出がKunstgewerbeに対応する訳語であるのは、在来の造型の在り方に適合していたわけだが、「美術」は、工業という本体から、自律と純化へ向けて、やがて分離の動きを開始することになる。それは、「工芸」が特定のジャンルとして形成されてゆく過程であり、また、「絵画」が美術を代表するジャンルとなってゆく過程でもあった。

内国勧業博の歴史のうえで、そのような動きがはっきり示されるのは、明治二三（一八九〇）年の第三回博においてである。「絵画」「彫刻」「造家、造園ノ図按及雛形」「版、写真及書」に加えて「美術工業」という細目が、ここで初めて設けられたのだ［8］。ここに登場した「美術工業」とは、美術と工業にまたがる製作物ということで、規則では、絵画、彫刻、建築・造園の図案や雛形に属するもの以外で「殊に美術の精妙なる巧技を実用品に応用せるもの」と規定されている［9］。これが、Kunstgewerbeにあたることはいうまでもない。しかも、この「美術工業」は、第四回内国勧業博（明治二八年開催）では「美術工芸」と称されることになり、あまつさえ、第三回博までは「美術」となっていた部門名が「美術及美術工芸」と変えられることとなる［10］。現在ではたんに「工芸」と称されるこの「美術工芸」というジャンルは、博覧会史のうえに姿を現すやいなや、「美術」から弁別＝排除されるところとなったのである。

ただし、ここで博覧会史から視野を外すならば、明治一〇年代の後半からすでに「応用美術」や「工業上美術」が問題にされ始めたようすがうかがわれる。また、この頃から「美術工芸」や「美術工業」という語も、そろそろ用いられ始めていた。たとえば、明治一七（一八八四）年発行の『大日本美術新報』第一二号の「問答」欄に、「貴社新報を閲するに論説中単に美術と称し或は真正美術或は応用美術と云ふあり。是の如く名称を異にするは自から其区別あるゆへなるべし。請ふ博雅の君子その区別を委しく教示せられよ」［11］という読者からの問いが掲載されているのは、当時の術語の状況を端的に物語っているだろう。残念ながら、「問答」欄には、それに対する直接の回答は見出されないものの、翌一八年の第二〇号に河瀬秀治の講演記録「応用美術の大意」が掲載されており、そこで河瀬が「美術の本体は絵画彫刻の二品に源基し広く其美観の旨趣を実用品に施す者之を応用美術となす」［12］と懇切な説明をおこなっているのは、先ほどの質問が時宜に適うものであったことを示している。第三回内国博の「美術工業」という枠組みが、こうした状況を承けたものであるのはいうまでもない。

「絵画」の純化

第三回内国勧業博の分類に関して注目すべきことが、もう一つある。それまでの「書画」という分類が、「絵画」と「書」に分解され、さらに「絵画」を筆頭に置く序列が姿を現していることだ。そればかりか、規則によって「絵画」は額面、屏風、衝立などパネル状の形態のみが受けつけられ、掛軸は仮に額面に仕立てるか枠に張って縁を飾ることが義務づけられたのであった[13]。「美術工業」という複合概念が分類上に設定されることによって、絵画の領野に入り込んでいた機能形態をもつ立体物——すなわち花瓶や簞笥などを引き受ける枠組みができ、絵画は形態のうえでも自律性へと方向づけられることになったのである。とはいえ、この動きを主導したのは決して「美術工業」ではなかった。工業から自立しようとする「美術」の志向が、視覚芸術としての絵画の自律志向を促した結果、工業との中間領域を「美術工業」として、結果的に浮かび上がらせることになったのだ。

ただし、このような内国勧業博「美術」部門の改革は突如としておこなわれたわけではない。同時期に、同様の制度史上の動きがほかにもあった。明治二二年には「美術工芸」部をもつ帝国博物館が設置されており[14]、第三回内国勧業博と同じ年に東京美術学校は、専修科（専門課程）の授業開始に先立って開校時点における「図案科」を「美術工芸科」（金工・漆工）と改めている[15]。また、これらに先だって開かれた農商務省主催の内国絵画共進会も「工芸」概念の形成に関して重要な役割をネガティヴなかたちで果たした。内国絵画共進会は「日本画」概念の成り立ちに関して重要な位置を占める催しだが、ここでは「工芸」の成り立ちに即して捉え返してみたい。

明治一五年と一七年の二度にわたって開かれたこの展覧会は、国粋主義に荷担して西洋画法による絵画の受けつけを拒絶したことで知られているが、同展の規則は、西洋画とともに、パネル状の絵画以外の有りようも拒絶している。これが内国勧業博にみられるような絵と工芸品が混在する状況を終息に向かわせようとする企てであったことはいうまでもない[16]。ここにおいて絵画は、平面の表現として、より純粋な形態を纏うことになったのである。かかる発想の拠り所となったのは、国粋主義的な建前とは裏腹に、タブローの並ぶヨーロッパの展覧会や美術館のイメージであったと考えられる。内国絵画共進会もまた、欧化をめざす時代の動きに貫かれていたのだ。ちなみに、小山正太郎が、内国勧業博の「美術」部門に書が含まれていることを批判して、岡倉天心と論争になったのは第一回内国絵画共進会と同じ年であり[17]、このとき小山が述べた、「美術」としての絵画を実用技術としての書から分離せよという主張が、絵画共進会と同じく絵画の純化という発想によっていたことはいうまでもない。

第一回の内国絵画共進会の審査長を務めた佐野常民は、同会の『審査報告弁言』で「夫レ絵画ハ美術ノ根本ナリ」〔18〕と述べて、絵画に的を絞った共進会を開催することの理由づけをおこなっているが、この理由づけは、以上のようないきさつに照らして考えるとき、きわめて微妙だ。まず、先述したような官の「美術」観に照らすならば、この言葉は、いわゆる工芸品の改良を「美術」の大目的とする文脈で述べられていると考えることができる。しかし、「根本」というのは、最も重要であることを意味するとも受け取られる。すなわち、この言葉は、絵画の至上性を述べたものと読むことができる。「美術」観の転回点を示すメルクマールとして、いいかえれば、倒立の不安定さを佐野の発言に読むことも可能なのだ。

ただし、絵事を器物の作製よりも高くみる発想は、明治になって初めて認められるものではない。造型諸営為に絵画を優越させる発想は、江戸時代以前から認められるところであった〔19〕。しかし、その発想が、近代に、そのまま持ち越されたというわけではない。近代における絵画の優位性は、「美術」概念の移植を介して西洋近代における絵画優位の思想を受け継いでいるからだ。つまり、江戸時代以前と明治以後の絵画重視は、断層を介して連続しているのである。

「絵画」の優位性を確立してゆく、こうした制度的な動きのなかから、視覚芸術の純粋性と自律性をめざすモダニズムが、やがて台頭してくると、工芸は、ますます、その疎外態としての在り方を深めてゆくことになる。モダニズムが美術の在り方を規定するようになるにつれて、生活や工業と交わる工芸を貶める見方が支配的になってゆくのである。もっとも、モダニズムが進行してゆくなかで、掛軸や屛風は、それでもなお絵画として遇されることになるのだが、それは、美術全集の図版にしばしば見出されるように、表装を切り捨てて画面のみに関心を集中させるモダニズムの発想によって規定されていることを見逃してはなるまい。

このことに関連して、もう一つ注意を促しておきたいことがある。それは、こうした「美術」観の転回が、「美術」の社会的機能の転換と連動していたということだ。内国絵画共進会が開かれた明治一〇年代半ば頃から、ウィーン万国博以来の殖産興業的「美術」観が、思想的・政治的なものへと転換されてゆくのである。その契機は、憲法体制へと向けて、ナショナリズムが昂揚をみたことにあった。絵画が、ナショナリズムにみずからの主題と様式的契機をもとめ始めたのである。その典型的な例が、フェノロサと岡倉天心に主導された「日本画」の形成であることはいうまでもない[20]。ここにおいて絵画問題の機軸は、経済的関心から政治的・思想的関心へと転換された。それが、「美術」概念の純化と相俟って、ウィーン万博以来の工芸中心主義的「美術」観の退潮を促してゆくのである。

ところで、先ほど、内国絵画共進会において絵画の形態が変革されたことについて述べたが、「絵画」概念の純粋化をめざす変革は、技法面においても見出される。内国絵画共進会の第一回展の規則をみると焼絵〔焦跡の濃淡で描く絵〕、染絵、織絵、縫絵、蒔絵などの工芸的な技法は受けつけないことになっているのだ〔21〕。内国絵画共進会は、このように西洋画法と工芸的技法を排除することによって膠絵具－墨系の伝統画法のみを正統的な画法として公的に認知したのであり、これによって、いわゆる「日本画」のメチエの基本が制度的に定められたのであった。

もっとも、そうはいっても、この八年後に開かれた第三回内国勧業博の「絵画」には、「焼絵」や「漆絵」などの工芸的技法が含まれており〔22〕、また、明治二〇年の東京府工芸品共進会の「各種絵画」にも、漆絵、染絵、織絵、繡絵、押絵、焼絵、蒔絵、七宝などが、「和漢洋法ノ諸画」とともに含まれていた〔23〕。しかし、大筋についてみれば、絵画技法は、その後急速に「和漢洋法」に絞られてゆく動きを示し、内国勧業博においても、第四回博〔明治二八年開催〕では、水彩、油彩、水墨、着彩など現在のスタンダードな絵画技法にかぎられ〔24〕、また、明治四〇（一九〇七）年の文部省美術展覧会〔文展〕における絵画は、膠彩画を主とする「日本画」と、油絵を中心とする「西洋画」の二種のメチエによって代表されることになるのである〔25〕。

では、「日本画」と「西洋画」に属さない諸画法は、いったい、どこへいったのか。現在の美術展の分業制をみれば、それは一目瞭然だろう。油彩画や膠彩画が絵画展に展示されるのに対して、漆絵や刺繍は、工芸展で展観されているのである。そういう意味で、工芸は、実用造型と鑑賞造型の折衷という規定とは別に、絵画を頂点とする現行の美術体制に位置づけがたい雑多な技法の総称だということもできるのだ。

「日本画」と「西洋画」を枢軸に据える日本近代絵画の体制を定めた文展は、「工芸」の位置づけに関しても決定的な意味をもった。この展覧会は、絵画（「日本画」「西洋画」）と彫刻に出品物を限定して、工芸を排除したのだ[26]。すなわち文展はこれによって、近代美術の機軸をなすジャンルが何であるかを示すと同時に、それらに対する工芸の地位をも決定したのである。しかも、昭和二（一九二七）年には、文展の後身である帝国美術院美術展覧会（帝展）において、「日本画」（第一部）、「西洋画」（第二部）、「彫刻」（第三部）につづく「第四部」として「美術工芸」部が設けられ、これによって、工芸は美術への帰属を改めて認可される[27]。すなわち、かつて「美術」の中心に位置づけられた一領域は、排除と包摂を介して「美術」の縁辺に改めて位置づけられ、それによって冒頭に述べた絵画・彫刻・工芸という階層秩序が制度的に完成をみることになるのである。

「工芸」の原義

「工芸」概念は、以上のようにして形成されていった。しかし、明治一〇年代後半に登場してくる「応用美術」や「美術工芸」の概念が、現在のように「工芸」という一語で担われるようになる経緯については、また別に探られねばならない。

「工芸」という漢語は、非常に古くから用いられており、しばしば言及されるように宋時代の百科事典である『太平御覧』には「工芸」の部が設けられている。ただし、それが意味するところは、現在とかなり異なっていた。そこには弓射、馬術、囲碁などが含まれており、また、書と画も、この名によって捉えられていたのである［28］。ここから「工芸」の語が、熟練を要する技能の意味で用いられていたことがわかるのだが、ただし、古くからあるこの漢語は、日本では、江戸時代までは決して一般的ではなかったらしく、江戸時代の百科事典ともいうべき『和漢三才図会』にも、明治二九（一八九六）年から大正三（一九一四）年にかけて刊行された古典百科全書『古事類苑』にも「工芸」の項は立てられていない。また、『国書総目録』によると江戸時代以前には「工芸」を表題とする書物も数冊しかみられない。この語が、一般化するのは明治以後のことと考えられるのである。

では、どのようにして、この語は一般化していったのか。一言でいうと、官製の用語として広く用いられるようになったというのが、どうやら真相らしい。では、なにゆえに、国家は、この言葉を必要としたのか。それは、何よりもまず工業化というプロジェクトを推進するためであった。

初期の殖産興業政策の枢軸となった「工部省」の設置に際して、その主旨をしるした「工部省ヲ設クルノ旨」という明治三（一八七〇）年の文書に、「西洋各国ノ開化隆盛ナルモ、全ク鉄器ノ発明、工芸ノ進歩ヨリ成レリ、是ヲ以テ工芸ハ開化ノ本タル者トスベシ」とあり、これが、最も早い「工芸」の用例とされているのだが[29]、ここにいわれる「工芸」が、今日のいわゆる「工業」のことを指すのは文面からあきらかである。こうした「工芸」の用例は、明治一一（一八七八）年に刊行された久米邦武の編述になる『米欧回覧実記』のなかにも見出される。同書は、西洋での見聞にもとづいて「炭銕(てつ)ノ欧洲ニ於テ、工芸ヲ補助シ、国民ニ営業力ヲ増加セシムルコト、其功用ハ実ニ莫大ナルモノナリ」と指摘しているのだ[30]。来たるべき産業革命の予感をはらむこれらの「工芸」に英語を対応させるならば industry 以外にはなく、げんに、たとえば明治二二年の帝国博物館設置にかかわる予算の説明をした九鬼隆一の文書では「工芸」に「インダストリー」とルビが振られているのが見出せる[31]。また、『米欧回覧実記』と同年に博物局から出版された黒川真頼(まより)の『工芸志料』の場合も、内容に照らして「工芸」の意味するところは industry であったといってよい。第二回内国博の分類に登場する「工芸」も、同様に理解すべきであろうことは、すでに述べた。こうして「工芸」の語は、『太平御覧』と程遠い意味を帯びて、近代初期の日本に登場してきたのである。

「工芸」と「工業」

だが、こうした意味での「工芸」は、やがて「工業」という語に凌駕されることになる。

すなわち、industryの翻訳語として定着するのは「工芸」ではなく「工業」であった。明治一四年に刊行された学術用語辞典『哲学字彙』でindustryに対応するのは「工業」であり、明治二一年のウェブスターの『和訳字彙』初版でもindustryやproductに「工業」という訳語があてられているほか、明治三一年刊行の横井時冬（ときふゆ）の『日本工業史』も、「工業」の名をもって、古代から明治までの製造業の歴史を記述している。「工業」の定着は、何より現行の辞書に照らしてあきらかである。

「工業」は、「工芸」とは異なり、古くから日本語の語彙に組み込まれていた語であり、『日葡辞書』にも「大工や箱製造人などのような手細工の職人」という定義で登場している〔32〕。そういう旧来の意味を引きずりながら、新しい時代に対応する意味を付加されて、「工業」は、産業革命後のindustryに対応する語として用いられるようになってゆくのである。

これに対して、重工業指向から生まれた近代語としての「工芸」は、そこに込められた思いとは裏腹に、早くから美術関係の雑誌に頻繁に登場し、「美術」との結びつきを強めていった。そのことは、たとえば龍池会の機関誌が『工芸叢談』（明治一三年創刊）という題名だったことや、『京都美術協会雑誌』（明治二五年創刊）が「工芸志料」という名の欄を設けていることに見て取ることができる。「工芸志料」というのは、「発行ノ趣旨」によると、「美術工芸ノ沿革及諸名家ノ伝記等」を掲載する欄と規定されているのである〔33〕。

いま、「工業」と「工芸」の、こうした使い分けの事理を歴史的にあきらかにするのは困難だが、明治一七年に井上哲次郎による増訂版が出版されたロプシャイトの『訂増英華字典』に「工芸」という語がArtの訳語として記載されていることや、『太平御覧』にみられる漢語としての用例からすると、「工芸」については、結局落ちつくべきところに落ちついたとみるべきなのかもしれない。また、「工業」の「業」の字が、「しごと」、「なりわい」を意味すること、そうして、「工芸」の「芸（＝藝）」が、身体化された技芸にかかわる意味をもつことども、それは関係しているのにちがいない。字義に照らすと、Artには「工芸」が対応し、「農業」や「商業」と並ぶ産業の一種としてindustryには「工業」が対応するのがいかにもふさわしいように思われるのである［34］。

事理はともあれ、両語の使い分けは、やがて教科書においても踏まえられるようになってゆく。明治期の『国定読本』における「工業」の用例を調べると、七宝や蒔絵を「工業のほこり」とするくだりもみられるものの、おおむねは、実用にかかわる機械工業の意味で用いられており、しかも、産業革命の進展を映し出して、重工業のイメージを徐々に強めてゆくのに対して、「工芸」についてみると、その用例は、「種々の模様を工夫し、又麗しき色どりを案ずるは、工芸・美術においては極めて大切なる事とす」といった具合に「美術」に関係する用法にかぎられているのである［35］。

「工芸」という語が『国定読本』に登場するのは明治四三（一九一〇）年のいわゆる「ハ

タタコ読本」においてであり、いま引いた用例にあきらかなごとく、この時期には、「美術工芸」とその類語――「応用美術」や「工芸美術」など――の意味を「工芸」の一語がすでに担いつつあった。もともとindustryを意味した「工芸」が、このように美術にかかわる意味を明確に帯びるに至る決定的な時点を語誌的に見定める準備はないものの、制度史に指標をもとめるならば、だいたい明治三〇年代の前半と当たりをつけることができる。その指標とは、染色、機織、図案の三学科を内容とする「京都高等工芸学校」の開校である。明治三五（一九〇二）年に開校したこの学校は、それに先だって開校された東京高等工業学校と大阪高等工業学校に次ぐ「第三高等工業学校」として、もともとは構想されたものの、開設の三学科が「美術工芸」にかかわるところから「工芸」の語が校名として選ばれたのであった［36］。

この選択が、当時の人々の意識にどう映ったかについては、明治三六年に書かれた塩田力蔵の「美術工芸に就て」という評論のなかに格好の手がかりがある。そこで塩田は、「近年中澤（岩太――引用者註）工学博士の京都高等工芸学校あるに及びて、其所謂工芸は初めて工業より別義のものに公用されたるのみ」と述べ、「元来装飾の意味なき工芸の二字を以て既に美術工芸の四字の如くに解釈すべきものならば、今ま又た之に重ぬるに美術の二字を以てするの要なきこと勿論なり。（最近の京都高等工芸学校は其新例たり）」［37］と指摘しており、この当時、「工芸」という語が意味の曲がり角にさしかかっていたことを伝えているのだ。

ところで、この塩田の文章は、明治三一年に『読売新聞』紙上でおこなわれた「工芸」と「美術」の概念をめぐる論争――塩田の評論「美術工芸と形式美」を大村西崖と高田紀三が批判した論争にかかわって書かれたものであり、そのおりの大村西崖の文章のなかには「形式美術を名づけて、世間一般通途の義にて、工芸といひ居るなり」[38]という言葉がみえる。また、大村は、論争に先だつ明治二九(一八九六)年の「造形芸術ノ彙類」という論文で、「工芸」の多くは「美」を目的とするものであるから、「均ク工芸トイフ一名ニ統ブルニ如カズ」と主張していた[39]。先にもふれたように『京都美術協会雑誌』は、明治二五年以来、「工芸志料」という欄を設けており、そこには「工芸」の一語が「美術工芸」の意味を帯びる兆しが見出されるのであるが、大村は、それを一挙にイコールの関係にまでもってゆこうとしたのである[40]。

これに関連して思い起こされるのは、一九〇〇(明治三三)年のパリ万国博覧会参加に際して、芸術分類に関する改革が断行されたことである。参加事務を取り仕切った臨時博覧会事務局は明治三一年五月に告示された改正規則において――塩田力蔵も「美術工芸と形式美」の冒頭でふれているように――従来の「美術工芸」なる折衷的名称を「不穏当」として、「優等工芸」と呼び変えたのだ。すなわち、「優等工芸品ハ美術ヲ応用シ製作良好ニシテ鑑賞実用其宜ヲ得タルモノニ限ル」と規定し、それに対して「美術作品ハ純正ナル美学ノ原則ニ基キ各自ガ意匠ト技能トヲ発揮スベキモノナレバ出品物ハ作者ノ創意製出セシモノニ限ル」と規定したのであった［41］。これは、パリ当局の出品分類が、当初、「美術部」に「美術的特質ヲ具スル工芸品」を含めることをもくろみながら、結局、「美術品ト純粋工芸品」の別をあきらかにしがたくなる恐れのあること、また「陶磁器」「室内装飾」などの部門が、それによって輝きを失うことに配慮して果たせなかったいきさつを承けているのだが［42］、その大本の理由はどうあれ、博覧会事務局は、もともとはindustryを意味していた「工芸」が美術と交わる部分をもつことを認めつつ、しかも、「美学」的な「純正」さを指標として——そこには精神性や自由度や個性の問題も絡んでくる——該当する部分を美術の外(はず)れに——外と内のあいだに——位置づけたのである。

このように美術は、「工芸」を疎外しつつ、しかし、決して切り捨てはしない。ここには、「工芸」概念を成り立たせている発想の機微が見て取られる。あるいは、こういってもよい。美術は「工芸」を疎外することで、みずからの領域を確定する縁辺を作り出したのだ、と。文展で、いったん排除された工芸が、帝展において美術に再統合されるいきさつは、かかる発想に由来するのだ。

「優等工芸」とは、要するに、「美術」を応用した「工芸」の謂いであるとして、それでは、「優等工芸」の基体たる「工芸」とは、この場合、いったい、どのように規定できるのだろうか。大筋において捉えるならば、それは工業に属すると考えることができるはずなのだが、しかし、工業の側からみるならば、「優等工芸」と称される領域は、必ずしも「優等」ではありえない。げんに明治一〇年代末に始まる産業革命が、工業の機械化と資本主義化を推進してゆくなかで、身体化された技にもとづく職人的な造型活動は、工業の主流から疎外されていったのである。つまり、「優等工芸」が当然ながら手仕事に多くを負うだろうことを考慮するならば、それは、工業にとっては後進ないし未開の領域ということになるのであり、このことについてパリ万国博覧会の報告書は「欧州ニ在テハ優等工芸品ニ付テモ亦漸次機械ノ応用ヲ広メ其ノ製作法ヲ簡易ニセンコトヲ図リ、決シテ手工ニノミ依頼スルノ迂ヲ為サズ、是レ其ノ事業ノ盛大ヲ致ス主要ノ原因ナリ」[43]と指摘している。当初「第三高等工業学校」として構想された「京都高等工芸学校」の「工芸」が、こういう機械生産指向のニュアンスを含んでいたのはいうまでもない。京都高等工芸学校の基本構想にかかわった初代校長の中澤岩太はパリ万国博当時のヨーロッパの工芸事情をつぶさに調査していたのである[44]。「美術」への傾きによって選ばれた「優等工芸」は、こうして、その内に機械工業へのベクトルを宿らせ、それによって、来たるべきデザインの時代の兆しを帯びることになるのだ。

Kunst と Gewerbe

思い返せば、工芸に占拠されていた明治初期の「美術」は、初出時の原語にあたる Kunstgewerbeというドイツ語にふさわしい存在であった。ただし、それは、たんに原語に忠実であったということを意味するわけではない。そこには主体的な契機も見出される。明治初期の「美術」の在り方は、江戸時代以来の造型の在り方の踏襲であり、また、工芸品が対西洋貿易の有力な輸出品たりうることを見込んだ美術行政の結果でもあったからだ。

しかし、国民経済の確立へ向けて重工業指向のプログラムが本格的に始動すると、「美術」行政の力点は、富国論から国民精神の形成へと移ってゆき、一方、いうまでもないことながら、工業の重点は手仕事から機械へと移行していった。これによって、Kunstgewerbeとしての「美術」は、純粋美術としてのKunstと、機械制大工業を指向するGewerbeとに分解され、そこに「美術工業」という折衷的な言葉=概念が誕生した。「美術」のなかに複合されていた二つの概念が分離－再結合されることでKunstgewerbeの直訳が可能となったわけだ。

ところが、やがて、かかる折衷的概念の存立を不可能とするほどに純粋美術と機械工業の斥力が強まってくると、工業からも美術からも疎外された新たなジャンル「工芸」が産み落とされることになる[45]。しかし、「工芸」と呼ばれるこの第三のジャンルこそ江戸以来の造型伝統の正統的な継承者であり、しかも明治初期「美術」の紛れもない嫡子だったのである。

文展が工芸を排除してから帝展に工芸部門が設けられるまでのあいだ、工芸ジャンルにとって、大正二（一九一三）年に始まった「農商務省図案及応用作品展覧会」が工芸ジャンルを扱う唯一の官設展として発表の拠点となる。この展覧会は大正七年の第六回展以降「農商務省工芸展覧会」と改称し（以下、「農商務省図案及応用作品展覧会」ともども「農展」と略す）、農商務省が農林省と商工省に分割された大正一四年以後は「商工省工芸展覧会」（以下、「商工展」）となるが、その基本的な有りようはほとんど変わらなかった。農商務省にせよ商工省にせよ産業行政にたずさわる中央官庁であり、工芸と向き合うスタンスも、これによって規定されていたからである。すなわち工業の側に立って工芸の育成や振興が重視されたわけだ。

しかし、工芸品の使い勝手は、機能性ばかりではなく、見た目や触感にも左右されるところがあるので鑑賞的な側面を顧慮しないわけにいかない。第一回農展の規則の第一条に「製作工業品及美術工芸品ニ応用スル図案ノ改善発達ヲ期スル」とあり、「第一部　製作工業品ノ図案」「第二部　美術工芸品ノ図案及其応用作品」に類別されていることに、こうした工芸の複合的有りようを見てとることができる。「製作工業品」と「美術工芸品」の順位は、農展が産業的次元に重きを置いていたことを、そして両者が並置されたことは、美術的な次元を決して等閑視していたわけではないということを示している。

ただし、その構えは、機能性の追求が鑑賞性をもたらすとするモダンデザインの発想にはほど遠い地点にあって、複合的な曖昧さのなかに漂っていた。こうした有りようが、鑑賞性を重視する作者にとって不利な条件であることはいうまでもない。高度な実用的機能性は必須条件だが、高度の鑑賞性は必須ではないからだ。農展のこうした構えは美術志向の工芸作者たちには承服しがたいものであり、東京美術学校の津田信夫や高村豊周らが、産業行政ではなく文部行政のもとで芸術として遇されることを、つまりは文展に工芸部門を設けることを強く求めて論陣を張って運動を展開することになる。その結果、昭和二(一九二七)年に至って、文展の後身である帝展に工芸部門が設けられることとなるわけだが、では、これによって農展が抱えていた曖昧さが解消されたかというと、事はそう簡単に運ばなかった。工芸を美術として発表することのできる独立した場が別に設けられた以上、理屈からすれば曖昧さが解消されそうなものであるのだが、しかし、決してそうはならず、昭和二年時点で農展を引き継いでいた商工展は農展の曖昧さをあいかわらず引きずってゆくことになる。ただし、この曖昧さは必ずしも責められるべきことではない。それは工芸ほんらいの在り方にかかわるものであり、この曖昧さこそ工芸の魅惑であり可能性であるとみることもできるからだ。

註

[1]本書「序章「美術」概念の形成とリアリズムの転位」、および拙著『眼の神殿――「美術」受容史ノート』(ちくま学芸文庫、二〇二〇)参照。

[2]中村雄二郎「視覚の神話をこえて」、『共通感覚論』(岩波書店、一九七九)参照。

[3][1]に同じ。

[4]「明治十年内国勧業博覧会区分目録」、青木茂・酒井忠康編『日本近代思想大系』第一七巻「美術」(岩波書店、一九八九)、四〇五~四〇六頁。「美術」部門には「但シ此区ハ、書画、写真、彫刻、其他総テ製品ノ精巧ニシテ其微妙ナル所ヲ示ス者トス」とある。

[5][4]に同じ。および東京国立文化財研究所美術部編『内国勧業博覧会美術品出品目録』(東京国立文化財研究所、一九九六)。なお、英文の区分目録(博覧会事務局、一八七七)によると「彫刻術」はengraving、「雑嵌細工」はmosaicである。

[6]「第二回〈明治十四年〉内国勧業博覧会区分目録」、[4]に同じ、四〇七頁。第二回内国博「美術」部門の第四類は、第一回内国博の第五類「百工及ビ建築学ノ図案、雛形、及ビ装飾」に対応しており、第二回内国博分類の「工芸上製品ノ図案、並ニ雛形」は、第一回内国博第五類其一の「百工図案、並雛形」と同じ意味と解することができる。「百工」は、当時industryの訳語として用いられた語であったのだが、ただし、第二回内国博の報告書所載の福田敬業「美術概論」の「第四類」の評論には「工芸ノ製品建築装飾図案雛形等ハ工業上必要ナルモノナレドモ諸工人未此域ニ歩ヲ進ル者甚ダ稀レニシテ評スベキモノモ亦稀ナリ」とあり、「工芸」と「工業」の微妙な差異をにおわせているのが注意を引く。また、青木茂編『高橋由一油画史料』に、「陶銅漆器」という言葉を含む文書が見出

される（たとえば文書番号一－六三）。こうした具体名による一括名称が使われていたという事実は、「工芸」概念の不在もしくは未熟を告げていると解することができるだろう。第一回内国博の「陶磁器及ビ玻璃ノ装飾○雑嵌細工及ビ象眼細工」についても同じことが指摘できる。第二回内国博で「書画」の類に「陶、磁、玻璃、及ビ七宝器ノ画」という項目があるのも、工芸というジャンルの不在を示している。

［7］柳宗悦『工藝文化』、『柳宗悦全集』第九巻（筑摩書房、一九八〇）、三六〇～三六六頁。江戸時代以前に工芸品が「絵画の場所」であったというのは、江戸時代の画家たちが「工芸」という自覚をもって制作したということをむろん意味しない。これは、江戸時代までの絵画の多くが現在の「工芸」という枠組みをもって捉え返しうるということを意味するにすぎない。また、「絵画の場所」はたんなる支持体ではない。それは、たとえば陶磁器の絵付けをみればあきらかなように、画面の成り立ちに内的に関与する。

［8］「第三回内国勧業博覧会出品部類目録」、［4］に同じ、四〇七頁。

［9］「第三回内国勧業博覧会出品主心得」、第三回内国勧業博覧会事務局編『第三回内国博覧会事務報告』（第三回内国勧業博覧会事務局、一八九一）、二一七頁。

［10］「第四回内国勧業博覧会規則」、第四回内国勧業博覧会事務局編『第四回内国勧業博覧会事務報告』（第四回内国勧業博覧会事務局、一八九六）、一三八頁。「美術工芸」となっているが細目を見ると第三回内国博の「美術工業」と重なっていることがわかる。

［11］「美術区分の問」、『大日本美術新報』一二号、二〇頁。

［12］河瀬秀治「応用美術の大意」、『大日本美術新報』二〇号、七頁。

[13] [9] に同じ、二一六頁。

[14] 「東京国立博物館列品分類の変遷」、[4] に同じ、四二〇頁。

[15] 東京芸術大学百年史刊行委員会編『東京芸術大学百年史 美術学校篇』第一巻（ぎょうせい、一九八七）、一五五、一六七頁。当初カリキュラムの上で金工と漆工に分けられていた「美術工芸科」は、明治二五年に「彫金科」「鋳金科」「蒔絵科」の三つコースを、その内部に設けることになる。同書二〇七〜二〇九頁、四四七頁。

[16] 「明治十五年内国絵画共進会規則」第三条、第六条、[4] に同じ、四二二頁。

[17] 小山正太郎「書ハ美術ナラズ」、『東洋学芸雑誌』八〜一〇号。

[18] 佐野常民『内国絵画共進会審査報告弁言』（国文社、一八八三）、五頁。

[19] たとえば前田健次郎（香雪）が『龍池会報告』第九号に寄せた「画工諸君ニ一言ス」で、「中世以降画師ハ文雅ノ一方ニ偏シテ」、工芸意匠に関与しなくなり（一〇頁）、「我ハ蒔絵師ノ下職ニアラズ、陶器画工ノ輩ト同一ノ者ニアラズト狭隘ナル見識ヲタテ、之ニ管与セザルヲヨキ事ト思惟スル」（一三頁）ようになったと指摘している。

[20] 本書所収「「日本画」概念の形成に関する試論」参照。

[21] [16] に同じ（第三条）、四二二頁。

[22] [9] に同じ、四〇七頁。

[23] 「工芸品共進会出品人心得」、『東京府工芸品共進会報告』（東京府、一八八八）、一六頁。

[24] 「第四回内国勧業博覧会鑑査規則」、[10] に同じ、二六五頁。

[25] 「美術展覧会規程」第二条、日展史編纂委員会編『日展史1』「文展編一」（社団法人日展、一九八

〇)、五〇五頁。

[26]　[25]に同じ。

[27]「帝国美術院美術展覧会規程中改正」第二条、日展史編纂委員会編『日展史8』「帝展編三」(社団法人日展、一九八二)、六五五頁。

[28]　李昉等奉敕撰『太平御覧』第744~755巻(歙鮑崇城、一八一八〈序〉)。

[29]　鈴木健二「工芸」、『原色現代日本の美術』第一四巻(小学館、一九八〇)、一三一頁。ただし、引用は『大隈文書』による。

[30]　久米邦武編著『特命全権大使　米欧回覧実記』第三巻(岩波文庫、一九九六)、一九七頁。

[31]「提要」、東京国立博物館編『東京国立博物館百年史』(東京国立博物館、一九七三)、二五一頁。佐藤道信氏の示唆による。

[32]　土井忠生・森田武・長南実編訳『邦訳日葡辞書』(岩波書店、一九七五)、一四一頁。

[33]「発行ノ趣旨」、『京都美術協会雑誌』第一号、二頁。

[34]『東京国立博物館百年史』(東京国立博物館、一九七三)によると、博物局は明治九年に列品分類を改編し、それまでの「工業物品」を「工芸部」「芸術部」に分割すると同時に「農業山林部」を新たに立てている(一四四~一四五頁)。つまり、「農業」に「工芸」と「芸術」とが対置される体制がとられたわけであり、これについては再検討を要する。

[35]　国立国語研究所編『国定読本用語総覧』第二巻第二期〔あ―て〕(三省堂、一九八七)、三九〇頁。

[36]　作道好男・江藤武人編『紫匂ふ比叡のみ山――京都工芸繊維大学工芸学部七十年史』(財界評論新社、一九七二年)、二二一~二二四頁。

［37］　塩田力蔵「美術工芸に就て」、『日本美術』五七号、二〇頁、二三頁。

［38］　無記庵（大村西崖）「芸苑饒舌（十五）」、『読売新聞』明治三一年九月一五日、三頁。なお、この論争の発端となった塩田力蔵「美術工芸と形式美」は「金杉鹵男」の筆名で同年の『読売新聞』八月二九日から九月一三日まで断続的に一一回にわたって連載されたものであり、これを大村西崖が「芸苑饒舌」の第一四回・一五回で批判し、また、同年九月一七日、一八日の同紙に高田紀三が「美術と工芸との区別を論ず」と題して塩田への批判を寄せた。明治三一年一〇月一二日発行の『美術評論』一四号の「時事」はこの論争にふれて塩田説を「僻説」としている。また、『美術評論』誌の主筆であった大村西崖は、明治三一年一〇月二七日発行の同誌第一五号に「自然美」「形式美」「美の受容」という三篇の評論を無署名で掲載し、自説を原理的に展開している。

［39］　大村西崖「造形芸術ノ彙類」、『京都美術協会雑誌』第五三号、二頁。

［40］　ただし、「工芸」が「美術」を要件とするという発想は、すでに明治一〇年代末にみられはする。たとえば『龍池会報告』四号に載る塩田真の「陶漆器ノ販路ヲ拡張スル方策」には「凡工芸品ハ美術ニ拠ラザル可ラズ」というくだりが見出される。しかし、これは、工芸品による輸出伸長をめざす美術行政的発想に結びついた特殊な用例とみるべきだろう。

［41］　『官報』四四五一号（明治三一年五月五日）。また、『千九百年巴里万国博覧会臨時博覧会事務局報告 上』（農商務省、一九〇二）、六六七～六七四頁。なお、この「出品規則」制定をめぐるさまざまな問題については大熊敏之「明治「美術」史の一断面──一九〇〇年パリ万国博覧会と帝室および宮内省」（『三の丸尚蔵館年報・紀要』創刊号）を参照。

［42］　『千九百年巴里万国博覧会臨時博覧会事務局報告 上』（農商務省、一九〇二）、一九一頁。

〔43〕『千九百年巴里万国博覧会臨時博覧会事務局報告 下』(農商務省、一九〇二)、四九七〜四九八頁。

〔44〕宮島久雄「京都高等工芸学校設立前史」、『京都工芸繊維大学工芸学部研究報告 人文』四三号参照。

〔45〕本書所収の拙稿「国家という天蓋――「美術」の明治二〇年代」参照。

*「工芸」概念については前田泰次の「明治時代の工芸概念について」(『美術史』一一号)や『現代の工芸』(岩波書店、一九七五)、鈴木健二の「工芸」(『原色現代日本の美術』第一四巻〈小学館、一九八〇〉)、樋田豊次郎の「美術工業」(日本洋画商協同組合編『日本洋画商史』〈美術出版社、一九八五〉)や「工芸」(『大百科事典』第五巻〈平凡社、一九八四〉)、日野永一「万国博覧会と日本の「美術工芸」」(吉田光邦編『万国博覧会の研究』〈思文閣出版、一九八六〉)、稲賀繁美「「工藝」の脱構築のために」(『工芸』創刊号、一九九五)などの論考がすでにあり、本稿は、これらの研究に多くを負っている。

「彫刻」ジャンルの形成

はじめに

日本における彫刻の近代について厳密に考えるためには、彫刻と称される造型物の変遷をたどるだけでは足りない。彫刻の近代化を論ずる前に、彫刻ジャンルの形成について論ずる必要がある。江戸時代までの日本社会には美術の一ジャンルとしての彫刻が存在しなかったからだ。そればかりではない。美術という上位のジャンルの成り立ちにも眼を向けなければならない。彫刻も美術も、もともとは明治初期に欧州からもたらされた外来のジャンルなのである。

ただし、美術にせよ彫刻にせよ、初めから明瞭な概念をともなってもたらされたわけではない。それらは、まず、定義の曖昧な翻訳語として日本社会に登場し、しかるのちに、その周囲に概念の磁場が形成されていったのであった。そのさい、欧州における作例や言説が大きく影響したことはいうまでもない。江戸時代以前の立体造型の在り方も概念形成に影響するところがあったとはいえ、旧来の立体造型は彫刻という新来の概念によって改変されるか、そこから――たとえば人形のように――排除されることになった。それ以後、日本社会における立体的な鑑賞の対象は大なり小なり彫刻概念の圧力下に置かれることになるのである。

それゆえ、日本社会における彫刻ジャンルの形成過程をたどるためには、まず、欧州で形成されたジャンルに対応する日本語の登場からたどってゆく必要がある。英語に例を取っていえば、fine art に対応する「美術」と、sculpture に対応する「彫刻」の出現と定着の過程を追わなければならない。

「美術」概念の成り立ちについては、「美術」をめぐる制度－施設（インスティテューション）が構築されていった過程に即して考察を加え、書籍にまとめたことがあるので〔1〕、ここでは、「彫刻」に焦点を絞って、同様の構えから論を展開することにしたい。

制度－施設（インスティテューション）に注目するのは、ジャンル名の成立過程と、概念もしくはジャンルの形成過程とを比較的たやすくたどることができるからである。具体的には、博覧会、展覧会、美術学校などを標目として考察を展開してゆくことになるが、これらの制度－施設（インスティテューション）が整備されてゆく過程は、とりもなおさずジャンルの体系が形成されてゆく過程であった。また、社会的注目度の高い博覧会や展覧会は、ジャンルの社会化を促すうえでも大きな影響力をもった。

冒頭に述べたように、近代日本における彫刻ジャンルの形成は二段階に分けて捉えることができる。彫刻というジャンルを欧州から受容したのが第一段階であり、この段階では、彫刻というジャンルの日本語名称の確定が事柄の焦点となる。このようにして受容された彫刻ジャンルが内実をゆたかにしつつ、彫刻表現の近代化を推し進めてゆくのが第二段階である。ここに近代化というのは、内面的存在としての人間存在を表現の前提とし、かつ、表現の目的とする発想を身につけてゆくことを指す。

1 「彫刻」ジャンル形成の前提

「美術」という単語の登場と彫刻ジャンルの不在

江戸時代以前にも「彫刻」という語は用いられていた。しかし、江戸時代までの「彫刻」は、現在のそれと大きく意味を異にしていた。たとえば版木を彫る行為が「彫刻」と呼ばれることに示されるように、彫り刻むこと一般を指していたのである。つまり、ジャンル名ではなかったわけだ。仮にジャンル名として用いられた例があったとしても、「美術」という上位のジャンルが成立していなかった点で現在の「彫刻」とは大きく異なっていた。

日本語「美術」は、一八七三（明治六）年にウィーンで開かれた万国博覧会に日本政府が参加したときに登場する。ウィーンの博覧会事務局から送られてきた欧文の出品物分類表を翻訳するにあたって造語され、日本語の語彙のなかに挿入されたのである〔2〕。ただし、ウィーンの博覧会事務局から送られてきた分類表は、独語、英語、仏語のものがあり、そこから「美術」のもととなった原語を特定することはできない。便宜上、英語を例にとってみてゆくことにすれば、その箇所は次のようになっている。分類の第二二区分に当たる部分である。

Group22 Exhibition showing the organization influence of museums of fine art applied to Industry.〔3〕

ここにみられる fine art に対応する単語として、初めて日本語「美術」が登場したのであり、訳文では、「美術」の直後に、以下のような註が付されている。

西洋ニテ音楽、画学、像ヲ作ル術、詩学等ヲ美術ト云フ〔4〕〔図27〕

「音楽」は music、「画学」は painting、「像ヲ作ル術」は sculpture、「詩学」は poetry

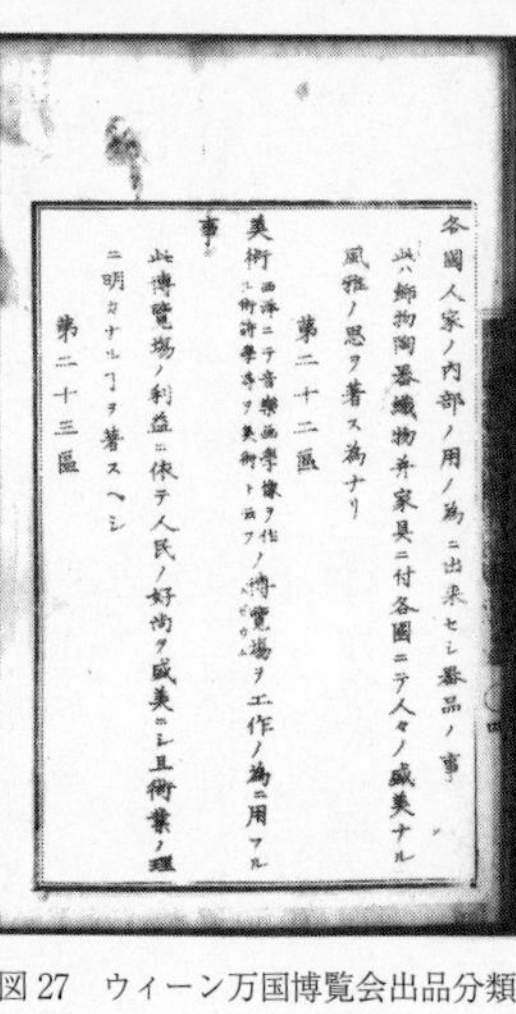
各國人家ノ内部ノ用ノ為ニ出来セシ器品ノ事
此ハ飾物陶器織物并家具ニ付各國ニテ人々ノ感美ナル風雅ノ思ヲ著ス為ナリ
第二十二區
美術 西洋ニテ音楽画学像ヲ作ル術詩学等ヲ美術ト云フ ノ博覧場ヲ工作ノ為ニ用フル事
此博覧場ノ利益ニ依テ人民ノ好尚ヲ感美ニシ且術業ノ理ニ明カナルコトヲ著スヘシ
第二十三區

図 27　ウィーン万国博覧会出品分類

もしくは literature に対応すると考えられる。つまり、「美術」というのは、西洋において音楽、絵画、彫刻、詩などを包摂する語であるというわけだ。これは翻訳した日本の官吏が付した定義であり、英文には——また仏文にも独文にも——こうした註は見当たらない。わざわざ定義する必要があったのは、「美術」という語が、このときに造語された新しい単語だったからである。定義に出てくる「像ヲ作ル術」という名詞句は彫刻というジャンルを示す名詞が存在していなかったということを示唆している。これについては次章でふれる。

「美術」という海嘯

ウィーン万国博分類表の定義を読むと、文芸、音楽も含まれていることから、当初、「美術」は、鑑賞性を目的とする技術全般を指す語として、すなわち現在の「芸術」の意味で用いられたことがわかる。現在では視覚芸術ないしは造型芸術を意味する「美術」という日本語は——fine arts が視覚芸術のみならず他の芸術領域をも包含するように——諸芸術の意味で用いられていたわけだ。それが視覚的な造型芸術の意味に絞られてゆくことになって現在に至るわけだが、視覚にまつわる造型芸術を意味するようになるにあたって「美術」という新語は、前近代の造型にまで適用されるようになり、これによって原始や古代にまでさかのぼる「美術」の歴史が書かれるようになる。

「美術」という語が存在しなかった時代の造型物にまでこの語を当てはめる行為は、海嘯(かいしょう)に譬えることができる。fine arts に対応する「美術」という新概念が、歴史の川をさかのぼって、みずからにふさわしい造型物を巻き込み、近代という河口へと引きさらってきたのである。

仏像を例にとろう。仏像は、現在では、しばしば彫刻として鑑賞に供されるが、いうまでもないことながら、仏像はそもそも仏教における礼拝の対象として造られた像である。それを鑑賞するということは、像が置かれる文脈が転換されたことを意味している。すなわち、宗教から芸術への文脈転換である。

これについてヴァルター・ベンヤミンが興味深い指摘をおこなっている。造型物には「礼拝価値」と「展示価値」という二つの極が存在しており、その形象が呪術や宗教にかかわる場合は礼拝価値へと傾く。その場合、造型物の意義は、存在していることにあり、見ることは重要ではない。それどころか、場合によっては形象を視野から隠すことが求められさえする。ところが、形象が宗教の儀礼から解放されるにつれて、いまひとつの極へと大きく動くことになる。すなわち、価値の基軸は、近代化につれて礼拝価値から展示価値へと移行し、見ることが重視されるに至る［5］。博物館において仏像が鑑賞の対象とされるようになっていったのは、こうしたベンヤミンの指摘を裏付ける格好の事例といえるだろう。

同様の移行は、制作に関しても認められる。高村光雲は、江戸仏師の流れを汲む作者であるが、その阿弥陀像や観音像について、息子の光太郎は、媚びを含んだ俗臭があると手厳しい批判を投げかけている［6］。これは、展示価値が礼拝価値を凌駕していることを意味している。媚態というのは、他人に見せることを意識する有りようだからである。信仰にともなわれる礼拝価値から、見ることの法悦を目指す展示価値へと、仏師の価値意識が移行したことを、この事例は示している。

恒常的「開帳」としての博物館

ただし、こうした価値転換は江戸時代に、すでに始まっていた。「開帳」といって、普段は人目に触れない仏像を、ひとびとに公開する催しがおこなわれていたのである。開帳は、もともとは宗教儀礼であるのだが、江戸時代には多分に見世物的な催しになっていた。開帳には、寺院でおこなう「居開帳（いがいちょう）」と、寺域の外で公開する「出開帳（でがいちょう）」があるのだが、これを踏まえていえば、博物館における仏像の展示は、礼拝性を払拭した恒常的な「出開帳」ということができるだろう。

開帳の対象として際立つのは「秘仏」であり、これは、礼拝価値に関するベンヤミンの見解を裏付ける格好の事例となっている。「秘仏」は、ひとびとの眼にふれられることなく信仰の対象とされる仏像であり、信者たちは、厨子の扉の奥に秘められた像を、存在することへの信において礼拝するのであるが、開帳は、こうした秘められた存在を視覚の場へともたらすのだ。

ほんらい寺院の意志でおこなわれる開帳が、明治以後、国家権力によって全国規模でおこなわれることになる。すなわち文化財の調査、保護、登録、収蔵、そして展示公開といった事業である。その契機となったのは、社会が欧州由来の新しい価値観へと傾斜してゆくことへの危機意識であったが、仏像に関しては、却って危機を深めたというべきかもしれない。これによって礼拝から展示への価値転換が促されたからだ。文化財の保護と登録に関する明治四（一八七一）年の太政官布告を見ると、その対象にはすでに仏像も含まれており[7]、しかも、この布告は、仏像を、礼拝価値から展示価値へと転換する発想に根ざすものであった。このことは、事業が博物館の設立を前提としていたことにあきらかだ[8]。

国家事業としておこなわれた開帳のクライマックスは、岡倉天心やアーネスト・フェノロサらの手による法隆寺夢殿の《救世観音》の調査であろう。岡倉は、明治二二（一八八九〇）年に始まる東京美術学校における日本美術史の講義で、観音像に巻きつけられた白い布をほどいて、仏像の顔を眼にしたときの感動を語っているが〔9〕、彼らが布を取り去ってゆく過程は、礼拝価値から展示価値へと観音像の意義が転換されてゆく過程にほかならなかった。そこには芸術への信仰こそあれ、仏法への信仰は感じられない。近代に形成され始めた美術概念が、こうして過去へと適用されるわけであり、それによって美術史という研究領域もまた可能となったのだ。

岡倉天心の日本美術史の講義は、日本人による初の本格的美術史の企てであり、この企ては、やがて『稿本日本帝国美術略史』の編纂へとつながってゆき、一九〇〇（明治三三）年のパリ万国博覧会にさいして、その仏訳 *Histoire de L'Art du Japon* が刊行されることになる。日本人自身が叙述した日本美術史が世界に示されることとなったわけだが、その叙述は「絵画」「彫刻」「建築」「美術的工芸」に分類されており、フランス語版では、それぞれ Peinture、Sculpture、Architecture、Arts industriels という欧語に訳し戻されている。日本人自身によるとはいいながら、その立脚点はあくまでも欧州なのであった。日本社会における彫刻ジャンルは、以上に述べたところからあきらかなように、美術という上位ジャンルと並行して形成されていったわけだが、大づかみにいえば、その過程は「像ヲ作ル術」から「彫刻」という名称に落ち着いてゆく過程として捉えることができる。「彫刻」という名詞が芸術語彙に組み込まれるに至る過程は、とりもなおさず彫刻ジャンルが形成される過程でもあった。

以下、ふたつの節にわたって、「彫刻」という語の定着過程をたどりつつ、日本における彫刻ジャンルの形成に考察を加えてゆくことにしたい。

2 「彫刻」というジャンル名の登場と彫刻ジャンルの形成
――「像ヲ作ル術」から「彫刻」へ

ウィーン万国博覧会の出品分類――「像ヲ作ル術」という名の登場

ウィーン万国博覧会の出品分類表（明治五年訳出）において「美術」という新語が登場したとき、そこに付された註において彫刻が「像ヲ作ル術」と表わされていたことはすでに述べた。「像」という漢字は、もともと「似る」ことを意味し[10]、平面であれ立体であれ、ものの姿に似せて作ること、ないしは、その輪郭を指す。したがって、「像」が彫像を意味するとは限らないのだが、しかし、この註において平面の「像」は「画学」の語を以て示されているため、「像ヲ作ル術」の「像」は立体造型ないしは立体的イメージを意味していると理解できる。つまり、sculptureという単語に対応していると捉えることができるわけだ。しかし、それにしても、彫刻だけが、「音楽」「画学」「詩学」のように単語ではなく、なぜ名詞句のかたちをとらなければならなかったのか。それは、聖俗を取り交ぜて立体的な像を作る行為をひとまとめにする意識が、したがって、それを言い表わす単語もまた日本社会に存在していなかったからだと考えられる。

もっとも、同じ分類の第二五区「今世ノ美術ノ事」では「製像術」「彫刻術」の語が見られるのだが、しかし、だからといってジャンルとしての「彫刻」が成り立っていたとはいいがたい。これらの熟語は「スクルプツール」という振り仮名を介してドイツ語のSkulpturという名詞に結びつけられており[11]、おそらくそのために敢えて名詞をひねり出す必要があったのではないかと思われるのだが、そのさい「像ヲ作ル術」という嚙み砕いた説明が第二二区に示されていたことが前提となったのにちがいない。

要するに、彫像を作る技術は特定の名称を与えられるほどのまとまりを成してはいなかったということであり、これを裏付ける証言もある。高村光雲が、大正期の『國華』に掲載された談話のなかで、江戸時代には「彫刻」という名称はなかったと述べているのである[12]。先にもふれたように江戸時代以前に「彫刻」という語は存在してはいたのだが、それは彫り刻むという意味を担いこそすれジャンルを指す語ではなかった。光雲は、そのことを言っているのである。

置物と彫刻——造型の遠心性と求心性

このくだりにつづけて、光雲は「彫刻家には皆専門があつて仏師は仏像を彫り、人形師は人形を作り、彫物大工は堂宮の装飾をするといふわけで、置物を専門にやる人はなかったのである」[13]と語っている。ここで注意を引くのは、彫刻が「置物」という語で捉えられていることだ。「置物」とは工芸的な装飾性をもつ立体造型であって、彫刻とは異なる。その有りようは、すくなくとも近代美術としての彫刻とは大きく異なっている。装飾性において周囲への遠心的な配慮が求められる置物は、自律性や求心性を求められる彫刻のスタンダードと背反する関係にあるのだ。つまり、置物は彫刻ではないし、近代彫刻は置物的であってはならないのである。

置物と彫刻の関係は、ジャンルとしての「彫刻」が、江戸時代までの立体造型の諸ジャンルを——仏像や人形や社寺の装飾彫物などを——抑圧的に統合することで成り立ったということを示している。「美術」の海嘯は、その名にかなう造型物を、みずからの名のもとに再編するべく選別し、再編しがたいものたちは、これ以後、美術の外部へと放逐されるか、美術の周縁に配置されことになる。

ちなみに英学史に照らして「像ヲ作ル術」という表現の由来にふれておけば、おそらく、明治二（一八六九）年の再版『英和対訳袖珍辞書』を踏まえていたと思われる。この辞書は sculpture に「像ヲ刻ム術」という訳を付けているのである[14]。日本で最初の本格的な英和辞書とみなされるこの辞典が、翻訳にあたって参照された可能性は高い。

一八六六（慶応二）年から六八年にかけて刊行されたヴィルヘルム・ロプシャイトの

English and Chinese Dictionary では、sculpture の訳語のなかに「彫刻之藝」という語が見出されるが [15]、この漢語は、ジャンルとしての彫刻を指すにふさわしい。しかし、ウィーン万国博の出品分類が翻訳されたのは、日本においてロプシャイトの辞書の影響が広くみられるようになる時期であるにもかかわらず [16]、この漢語が採用されることはなかった。ちなみに、ロプシャイトと並び称されるウォルター・ヘンリー・メドハーストの *AN ENGLISH AND JAPANESE AND Japanese and English VOCABULARY* では、sculpture に「ホリモノ」という和語が当てられているが、この語は刺青の意味に受けとられるおそれがあったろう [17]。

工部美術学校——「彫刻学」の設置

明治九（一八七六）年に開校した「工部美術学校」は、日本社会で最初に「美術学校」を名乗った国立の教育機関である。産業革命へ向けてインフラストラクチャーを整える役割を担った「工部省」附属の工業教育機関のなかに設けられ、イタリア人教師たちによって絵画と彫刻が教授された。すなわち、諸芸術の意味を担う語として登場した「美術」が造型芸術の意味に絞り込まれたわけだが、その動因としては、この学校が洋風新宮殿建設にたずさわる装飾技術者の養成を目的のうちに含んでいたことが考えられる [18]。

彫刻については、学科名として「彫刻学」の語が用いられ [19]、ヴィンチェンツォ・

ラグーザが指導にあたった。「学」の文字は、彫刻に携わる者たちが、徒弟制度に縛られた職人の境遇から離脱する契機ともなったのにちがいない。

「彫刻」に「学」の文字が付されたのは、学科名であったことによるとはいえ、彫り刻むこと一般を意味していた「彫刻」が、「学」の一字によって、造型のシステムとしての実体的なまとまりを得たようにみえる。「像ヲ作ル術」は、ここに至ってジャンル化の緒についたのだといってよい。これは、たんに名称にとどまる事柄ではない。ラグーザは熱心に指導にあたり、彫刻ジャンルの移植につとめた。技法は塑造（モデリング）を主とし、大理石も彫らせたが、ぜんたいに模刻が中心であった。油土をもたらしたのも、拡大用コンパスをもたらしたのもラグーザであった。彼はまた、ギリシャ以来の欧州の古典について石膏像や講話を通じて教えを垂れ、また奈良に伝わる仏像の彫刻的価値について注意を喚起したという[20]。

工部美術学校の学則をみると専門の教程は次のように「画学」「彫刻学」という並びになっている[21]。この順番は注意を引く。

第一　予科
第二　画学
第三　彫刻学

なぜ並びに注意を向けるのか、その理由は二つある。

第一の理由は、そこにモダニズムの徴候が見て取られることだ。イタリア人教師たちの指導下に設立されたこの学校では、近代欧州の芸術観の直接的な反映があったと考えられるのである。近代欧州の芸術観とは「個別性 individuality」の尊重であり、これは、作者のみならず、メディアやジャンルに関しても重視される。工部美術学校で指導にあたったフォンタネージは近代的な個性尊重の絵画観をもっており、それは、視覚芸術としての美術ジャンルを絵画によって代表させるという発想と連動していた。当時にあって最も純粋に視覚的な表現媒体であった絵画は、すべからく美術ジャンルの首位を占めるべきであったということだ。

注意を引く第二の理由は、工部美術学校開校の翌年に明治政府が産業育成政策のために創始した内国勧業博覧会で、この序列が顛倒されたことである。

内国勧業博覧会における分類の序列

内国勧業博覧会は、その名の通り産業育成政策の一環として明治政府が創設した博覧会であるが、この博覧会では、「美術」も育成すべき産業に数えられており、明治一〇年開催の第一回内国勧業博で「美術館」と称する煉瓦造りの施設が建てられた［図28］。これが日本における最初の美術館である。英語名はFine Art Galleryといい、視覚芸術のみが展示された。ここでも、工部美術学校にひきつづき「美術」の意味が絞り込まれることになったわけだが、博覧会が、視覚によって近代化を推進する啓蒙の装置であったことが絞り込みの動因となったと思われる。この美術館はパビリオン配置の要の位置に建てられ、この建物を背景にセレモニーがおこなわれるような場を形成していたのであった［164頁、図14参照］。これ以後、明治三六（一九〇三）年の第五回内国勧業博まで、毎回の内国勧業博で美術館が建てられることになる。

図28　内国勧業博覧会「美術館」

彫刻ジャンルを示す語は、第一回が「彫像術」、明治一四（一八八一）年の第二回が「彫鏤（ちょうる）」、そして明治二三（一八九〇）年の第三回勧業博において「彫刻」という現在と同じ名に定まることとなる［22］。

内国勧業博における彫刻ジャンルに関して注目すべき事柄は、第一回、第二回ともども彫刻が絵画の上位に置かれていることである。絵画を首位に据える工部美術学校の分類観が顚倒されたわけだが、その理由については内国勧業博がウィーン万国博参加を契機として構想されたということが指摘できる。ウィーン万国博分類表の第二五区分は、日本語訳では「今世ノ美術ノ事」としてあるのみで、その細目については記されていないが、これに対応する英文をみると、Fine arts of present Timeとして、そのあとに細目がArchitecture、Sculpture、Paintings、Graphic artsという順序で列記されているのである[23]。この顚倒の意味するところは深長である。

3　モニュメント──彫刻の政治的効用

「建築」の凋落と「彫刻」の重視──モニュメントの創始

ウィーン万国博の分類を手本にしたとはいっても、ウィーン万国博では美術ジャンルの筆頭に建築が置かれていたわけで、それが内国勧業博では「百工及ビ建築学ノ図案、雛形、及ビ装飾」とかたちを変えて第五類に移されている。建築を筆頭に置くのは、欧州における古典的な発想に根差す分類観だが[24]、すくなくともこの時点の日本にあっては受け容れられることがなかったわけだ。とはいえ、ここには当時の欧州における建築の境遇が影を落としていたかもしれない。造型ジャンルが互いに分離し純粋性と自律性を求める近代化の動きのなかで総合芸術としての建築の凋落が始まっていたからである。ハンス・ゼードルマイヤーは、建築が自身の彫刻的要素や絵画的要素を排除することで「純粋化」しようとする一八世紀以来の動きの果てで総合芸術的有りようを失ってゆく現象を次のように要約している。

古くからの教会堂、城館、宮殿建築からは、一八世紀以来、孤立化させられた芸術の群れが数限りなく流れ出てくる。それらは、かつて統一されていたものの断片であり、その故郷から切り離されながら、いわば浮浪者のように放浪し、あるいは故郷のない美術商の市場にのがれ、あるいは公立または私立の美術館というけばけばしい浮浪者収容所へとのがれてゆく。〔25〕

「けばけばしい浮浪者収容所」という譬えの是非はともかく、第一回内国勧業博で「美術館」と称する日本初の施設が登場したことを思い併せると興味深い指摘ではある。

さて、それでは、ウィーン万国博で彫刻が絵画の上位に置かれたのは、なぜだろうか。その時代の欧州の状況に照らして考えると、彫刻芸術を精神的内容と感性的形態の完璧な一致とみる観念論美学の影響が想定できる。彫刻を古典的理想形の表現として芸術の頂点に位置づけるヘーゲル流の芸術観である〔26〕。だが、彫刻を絵画の優位に置く事由の第一のものは、モニュメントの政治的効用性にあったと考えるのが、おそらく穏当だろう。ウィーン万国博が開かれた頃の欧米では政治的な意義を担う記念碑が盛んに建設されつつあったからだ。「国民国家」の時代の幕開けを告げる一八四八年革命以後の政治状況が、国民統合の道具立てとしてモニュメントの建設を促していたのである［27］。しかも、モニュメントは、維新後まもない日本国においても有意義な政治の装置であった。「幕藩体制」という国家連合的なシステムを中央集権化するにあたって、国家統合の装置としてモニュメントが必要とされたわけだ。「諸国民の春」が、遅咲きの桜のように日本列島に進駐を開始したのである。

モニュメントの政治的効用

欧米におけるモニュメント重視のありさまは、明治の早い時期にジャーナリストの村田（野村）文夫が『西洋聞見録』に書き留めている。明治二（一八六九）年から、その二年後にかけて刊行された書籍である。一九世紀後半のロンドンにおけるモニュメントの盛行を目の当たりにした村田は、キリスト教国には「本邦ノ如ク神祠社廟」が存在しないとしたうえで次のように書いている。

> 仁君功臣ニ遇ヘバ石碑或ハ偶像ヲ路傍ニ建築シ其徳政ヲ銘紀シ其忠勲ヲ旌表シ後人ヲシテ之ヲ追想シテ遺却スルコトナカラシム。（中略）其石碑ハ多クハ珍石ヲ以テ造リタル円錐状ノ高塔ナリ。偶像モ又珍石ヲ用ヰ名工ヲシテ雕刻セシメタルモノアリ。或ハ銅造ナルアリ。或ハ亭々タル高塔ノ上ニ偶像ヲ安置シタルモノアリ。［28］

このあとトラファルガー広場のネルソン提督記念塔とライオン像にふれ、ロンドンにおけるモニュメントのくだりを次のように結んでいる。

英国歴代ノ仁君明主ノ雕像多キコト素ヨリナレドモ現今女王未ダ世ヲ逝カザルニ既ニ其石像ヲ建テ其徳政ヲ銘表セシ処アリ。〔29〕

在位中のヴィクトリア女王像を紹介するこのような情報が、「文明開化」の状況をリードするひとびとにモニュメントの政治的効用を悟らせる契機となったことは想像に難くない。ただし、第一回内国勧業博の分類に関しては、むしろ、明治一一(一八七八)年刊行の岩倉使節団報告書『米欧回覧実記』に眼を向けるべきだろう。そこには当時の欧州の都市に聳えるモニュメンタルな建造物や彫像を描いた銅版画の挿絵が掲載されており〔図29、図30〕、しかも、石彫を重視奨励するくだりも見出されるのである。使節団は巡行の終わり近くにウィーン万国博に立ち寄ったのだが、その折の記述のなかに「美術展覧ハ、即チ画ト石像トノ展覧ナリ、此二芸ハ、西洋ニテ雅芸ノ一部ニテ、上等ノ士君子モ亦執心シ学ブコト、猶我邦ノ文人学士、書、画、篆刻ヲ学ブガ如シ」〔30〕という文言がみられ、また「石像ハ白大理石ヲ以テ、人物ノ肉身ヲ彫刻シ、少シモ彩色ヲ要セズシテ、精神活動シ、直ニ其人ニ接スル思ヒヲナサシム」と述べられている[31]。ここには、むろん当時の日本国の為政者の関心が投映されていたにちがいなく、この報告書が内国勧業博の準備期間と並行して太政官政府の圏内で編纂されたことに注目するならば、両者になんらかのかかわりがあったと考えるのが自然であろう。

図29（上） 伯林「リンデン」大通り「フレデルヒ」影像 『特命全権大使米欧回覧実記』第三篇第五七巻（久米美術館蔵）
図30（下） ニコライ帝之銅像 『特命全権大使米欧回覧実記』第四篇第六二巻（久米美術館蔵）

「彫刻」の奨励とモニュメントの受容

彫刻が欧州においては「雅芸ノ一部」であって、「上等ノ士君子」も学ぶところであるという『米欧回覧実記』のくだりが、当時の日本社会において、彫刻が高等な技芸とみなされていなかったことを踏まえた文言であるのはいうまでもあるまい。このことはウィーン万国博における美術ジャンルの序列が彫刻を絵画の上位に置くものであったにもかかわらず、「美術」に付された訳註が「画学、像ヲ作ル術」という並びになっていたことにも窺われる。そして、もし、そうだとすれば、彫刻を筆頭に配置する内国勧業博の分類は、彫像の政治的効用を念頭におきつつ、そうした彫刻の社会的地位向上を計る企てでもあったとみることもできるにちがいない。

彫刻奨励の発想は学校制度のうえにも見てとることができる。工部美術学校開校当初の学生募集にさいして彫刻学には「職工体ノモノ僅ニ数名」が入学するにとどまったため、彫刻学科に関しては規則を改正して官費就学としたのである。そのことを記録した『旧工部大学校史料』には次のようにしるされている。

抑モ本邦ノ彫鏤師ト称スル者ハ概ネ傭職ノ賤業ニ属シ、絶テ上流人士ノ之ヲ学ビ以テ身ヲ立テ名ヲ顕スノ技芸ト為スモノナク、欧州ニ在テ貴重セラル、彫刻学ノ如キモ亦其世ニ裨益アルコトヲ了知スルモノナシ、是此法規ヲ特設シテ之ヲ奨励スル所以ナリ。〔32〕

内国勧業博における彫刻と絵画の地位転換には、工部美術学校の学生募集にまつわる苦い経験が影を落としていたのかもしれないのだ。

モニュメントと明治政府の関係を示す史料をもうひとつ挙げておこう。これは、「モニュメント」という外来語が公文書に登場する興味深い例でもある。三条実美（さねとみ）太政大臣に宛てた明治九（一八七六）年一一月一八日付の教部省伺「官社へ銅石像設立之儀ニ付伺」である。神社においては偶像の祭祀をおこなう前例はないものの、同時代の功臣を祀る別格官幣社については、神と祀られる人物の影像が現存しているわけだから「西洋モニユウメント」に倣って祭神の「銅石像等ヲ設立」することが可能である。だから、もし彫像の造立によって祭神の「功徳ヲ永世不朽ニ記憶瞻仰（せんぎょう）セシメンコトヲ申立ツル向」があるときは、社殿造築の増築費用の一部を当ててはどうだろうかというのである[33]。「本邦ノ如ク神祠社廟アルコトモナク」で始まる『西洋聞見録』の先のくだりの木霊を聞くような思いに誘われるが、第一回の内国勧業博開催へ向けての動きのなかで提出された文書であることを考えると彫刻を首位におく同博の分類との関係にも思いが及ぶ。両者を繋ぐものが彫像の政治的効用であることはいうまでもない。

銅像（モニュメント）の建設

特定の場所にまつわる歴史的出来事の集合的な記憶の生成と独占、これがモニュメントの政治的機能である。モニュメントは、これによって社会集団の統合を促し、共同性を形成、強化する。維新後まもない日本にとっても、国民国家生成期の欧州同様、モニュメントのこうした機能は統治の道具立てとして重要な意義をもった。内国勧業博の美術部門の首位に彫刻を配置するにあたって、企画にあたった内務官僚がこのことに無自覚であったはずがない。やがて、モニュメントの政治的効用は広く認識されるところとなり、人物像としてのモニュメント、いわゆる「銅像」が次々と発注されるようになる。岡倉天心はこのような状況を踏まえつつ、憲法発布の年に創刊された『國華』発刊の辞において、忠臣の彫像制作を彫刻の現代的課題として奨励している。軍人や政治家の、また、のちには実業家の彫像が、こうして国家を支える男像柱（アトランテス）のように全国に造立されてゆくのである。

伝説上の英雄ヤマトタケルのブロンズ像を戴く《明治紀念之標》［図31］が明治一三（一八八〇）年に金沢兼六園に造立されたのをいちはやい先駆けとして、工部美術学校出身の大熊氏広による《大村益次郎像》（明治二六年）が靖国神社に、また、高村光雲率いる東京美術学校チームによる《西郷隆盛像》（明治三一年）が上野公園に、同じチームによる《楠木正成像》（明治三三年）が皇居二重橋近くに相次いで竣成する。彫刻を筆頭に置いた第一回、第二回の内国勧業博の分類は、こうした動きの重要な契機となったにちがいない。

ただし、もちろん、モニュメントと称し得る建造物が江戸時代以前に存在しなかったわけではない。巨大な寺院や石碑などがその例だが、人物の彫像を以て記念碑とする発想は欧米のモニュメントを知ることで社会に定着したのであった。たとえば天神信仰にみられ

図31　明治紀念之標　1880年

るようにひとを神に祀る伝統はあったものの肖像彫刻の事例に乏しい日本社会において、これは画期的な出来事であり、それは、人間を神の似姿とするキリスト教的発想、そして、再現的イメージを重視する欧州由来のリアリズムと連動していた。彫像を戴くモニュメントは、欧州にならう再文明化としての「文明開化」の重要な一翼を担っていたのだ。ヤマトタケルは表象の支配するイメージの時代の到来を告げるかのように、種々の石碑にとりまかれる巨大な石組の上に降臨したのである。「美術」の分類序列において、絵画をさしおいて彫刻が筆頭に位置づけられたことは政治的観点からは正当であったとしても、視覚芸術としての美術ジャンルの在り方としては問題を含んでいた。触覚的な実在に基礎を置く彫刻に比して、絵画は遥かに視覚性において勝っているからだ。要するにジャンルの特質が国家的必要によって無視されたわけで、これは、芸術上のモダニズムに照らせば、必ずや是正されるべき難点にほかならず、やがて、第三回勧業博において克服されることになる。絵画が首位に置かれ、各ジャンルの有りようについても——たとえば「書画」という分類名が「書」と「絵画」に分断されるなど——モダニスティクな改革が企てられることとなるのである。

絵画を首位に置くモダニスト的体制が形成されてゆくのと並行して銅像の竣成件数は年毎に増えてゆくのだが、これは怪しむに足りない。制度と実態に時間差のあるのは当然であるし、竣成数が質的上昇につながったとは言い難いからである。明治三三（一九〇〇）年に内務省が「形像取締規則」を制定して、銅像など野外設置の造型物への規制を明確化したことは、モダニスト体制下のこうした銅像の状況を窺うようすがとなるだろう。その第一条と第三条を引いておこう。

第一条
官有地及公衆ノ往来出入スル地ニ於テ永久保存ノ目的ヲ以テ人物其ノ他ノ形像ヲ建設、移転、改造又ハ除却セントスル者ハ、東京市京都市大阪市ニ在テハ内務大臣、其ノ他ノ地方ニ在テハ地方長官ノ許可ヲ受クベシ。但シ墓地境内ニ於テ慣例ニ依リ礼拝ノ用ニ供スルモノハ此ノ限ニ在ラズ。

第三条
内務大臣ニ於テ公共ノ安寧ヲ維持シ又ハ風俗ノ取締ヲ為スガ為必要ト認ムルトキハ既ニ

建設シタル形像ノ移転、改造又ハ除却ヲ命スルコトアルベシ。［34］

4 「絵画」と「彫刻」の地位転換——モダニズムの台頭

第三回内国勧業博における分類のモダニスト的再編成

絵画と彫刻の地位の転換は絵画の地位向上の結果とみることができる。絵画の地位向上は視覚芸術としての美術の自覚にかかわっている。この当時にあって最も純粋に視覚的な表現媒体であった絵画を以て視覚芸術を代表させるべきだとする発想である。この発想は、工部美術学校で絵画が学科編成の首位を占めたのと同じ理由、すなわち近代に特有の「個別性 Individuality」の論理にもとづいている。個々人はもとより、民族にせよ、社会にせよ、国家にしても、他とは異なる在り方を純粋に自律的に体現するべきだとする当為であり、これが芸術のジャンルに適用されることで、絵画が、視覚芸術に属する全ジャンルを代表することになったわけだ。

いわゆるモダニズムの構えだが、モダニズムの構えは絵画を首位に押し上げると同時に、彫刻を下位へと押し下げもした。彫刻は視覚芸術としての美術と相容れない次元を有するからである。まず、立体性ゆえに裏も表も側面もある彫刻作品の鑑賞は、視覚に加えて想像表象や記憶表象が大きくかかわってくる。これは視覚芸術の理念に照らすならば欠点というほかない。そればかりか、複雑な起伏に富む形態の場合、眼は起伏に沿って触覚的な探査を開始する。これは視覚芸術としての埒を大きくはみ出すどころか視覚に対する否定性を含んでさえいる。視覚が距離を前提とするのに対して触覚は距離の無において成り立つ知覚なのである。この複雑な起伏に富む形態が人体である場合は、距離の無を超えて身体の同型性にもとづく内的な——たとえば筋肉の緊張を介する——共感性さえ生じることになるだろう。彫刻を触覚の芸術と規定するヨハン・ゴットフリート・ヘルダーは『彫塑』のなかで、視線を触覚と化すことで手さぐりするようにして彫刻作品を見る鑑賞者を念頭に、こう書きしるしている。「内面的共感、すなわち、人間的自我のいっさいを姿のなかへすみずみまでさわりながら移していく触覚、これのみが美の教師であり、美を生み出す方法なのである」〔35〕、と。

こうした特質ゆえに彫刻は視覚芸術の域に留まり得ず、それゆえ美術としての在り方において絵画に劣ると考えられるのである。

では、なにゆえに明治二三（一八九〇）年に至って、こうした転換がおこなわれたのであろうか。おそらく、ここには当時の国策がかかわっていた。この年は前年に発布された憲法にもとづく第一回通常議会が開催された年であり、博覧会の開催は立憲体制をとる近代国家日本を世界へ向けてアピールする格好のチャンスだったのである。中江兆民は、それについてこんな言葉をしるしとめている。「政治的の建設物たる国会と、経済的の建設物たる博覧会と同一年に開設さる、とは、アジア洲中、千古の偉観と謂ふ可し」[36]、と。政治のモダニズムと美術のモダニズムが、ここにおいて同期することになったわけである。

パリ万国博覧会の分類とモダニズム

第三回内国勧業博の美術部門がモダニスト的体制を整えるにあたって、その前年に開催されたパリ万国博の分類が参照された可能性が高い。パリ万国博の美術部門の出品分類は、『仏国巴里万国大博覧会報告書』の「規則摘要」を見ると、第二三条に「美術品トハ左ニ記載スル七種ノ物品ヲ云フ」として絵画を筆頭とする分類がおこなわれており[37]、第三回内国勧業博美術部門の分類との近似性が見てとられる。また、パリ万国博の参加要請があったのが明治二〇(一八八七)年五月二三日[38]、第三回内国勧業博出品分類が公布されたのが翌年の八月二八日付の『官報』であったから参照と検討の時間は充分にあった[39]。パリ万国博の「規則摘要」第二三条から引く。

第一　油画
第二　画図(水画　各種ノ堊筆画、細画、七宝陶磁玻璃板等ノ画　但装飾ヲ目的トスルモノハ除ク)
第三　彫像

第四　賞牌及石ノ彫刻
第五　建築
第六　彫刻
第七　石版

「油画」はフランス語の分類表ではPeinture、「画図」はDessin、「彫像」はSculpture、「賞牌及石ノ彫刻」はGravure en médailles et sur pierres fines、「彫刻」はGravureで凹版画のことである〔40〕。第三回内国勧業博における「書画」の分断と、絵画と彫刻の順位入れ替えは、以上に照らしてこのパリ万国博の分類を踏まえた動きであったとみて、まずまちがいないだろう。

ウィーン万国博の分類観と大きく異なるパリ万国博の分類は、日本の美術行政に対して反省を迫らずにはいなかった。先に引いた『仏国巴里万国大博覧会報告書』は、第三回内国勧業博が終了して間もなく刊行されたのだが、そこには「欧米ニ称スル所ノ美術ニ入ルモノハ果シテ何品ナルカト云フニ油画、彩、墨、其他各種ノ画類、立像半体像ノ彫刻模型及建築物ノ図位ニシテ、重ナルモノハ前記二種ノ内ニ入ルモノニ限レリ。故ニ欧米人ニ象牙ノ根付、錦彩ノ磁器若クハ模様同様ナル支那日本風ノ画軸ヲ以テ美術品ナリト云フモ、敢テ之ヲ相手ニスルモノナキハ今日欧米普通ノ慣習ナリ」〔41〕というくだりが見出される。さきに引いたパリ万国博の分類で「画図」について「但装飾ヲ目的トスルモノハ除ク」とあり、「美術」のなかに――「賞牌」を例外として――工芸に属するものは含まれていない。「象牙ノ根付、錦彩ノ磁器若クハ模様同様ナル支那日本風ノ画軸」は美術品とは認められないというゆえんであるが、このことは第三回内国勧業博で工芸ジャンルが括り出される契機ともなったにちがいない。

第三回内国勧業博におけるジャンルの廓清

内国勧業博の美術部門は第二回までは工芸というジャンルを設けず、工芸品は、絵画や彫刻に入り混じるかたちで存在していた。たとえば、「彫像術」や「彫鏤」の部門には花瓶、香炉、徳利などが混在していた。彫技が施されていれば、何によらず、彫刻とみなされたのだ。絵画においても事情に変わりはなかった。つまり、工芸はジャンルを越えて遍在していたのである。

アナーキックともみえるこうした事態は、伝統的な造型の在り方を踏襲した結果といえる。江戸時代までの鑑賞的造型物は、その装飾性において生活に組み込まれる有りようを基本としており、そのため、実用性に焦点化する造型と鑑賞性に焦点化する造型の境が曖昧だったからである[42]。

ところが、第三回内国勧業博に至って、こうした事態の解消が図られることになる。美術と工業の重なり合う部分を意味する「美術工業」という部門が設けられることになり、工芸的な造型を囲い込む手段が講じられたのだ[43]。裏を返せば、絵画や彫刻のジャンルから工芸的な制作物を追放することでジャンルを廓清することが企てられたわけである。

ジャンル名が「彫刻」に落ち着いたことも、モダニスト的な廓清の一環とみることができる。「像ヲ作ル術」「製像術」「彫刻術」「彫刻学」「彫像術」は、正確には、ジャンル名というよりも技術もしくは学科の名称であったわけだが、「術」や「学」という接尾語が外され、限定が解除されることで、関心の焦点が、行為や過程ではなく、それを踏まえる造型範疇へと移行したと考えることができるからだ。これは、美術の一ジャンルとしての彫刻が、職人仕事や学術から自立的に捉えられるようになったということでもあり、また、彫刻というジャンルが実体化されたことをも意味している。「像ヲ作ル術」という名詞句が「彫刻」という熟語に集約されたという語誌的事実は、立体像を彫り刻む技術がジャンルとしてゲシュタルトを成すに至ったことと対応しているとみることができるのだ。こうしてジャンル名として美術語彙に組み込まれた「彫刻」は、やがて立体造型を制約する慣習となってゆくだろう。

ただし、第三回内国勧業博の廓清の目論見は、絵画においてこそ、ある程度の成功を収めたものの、彫刻ジャンルから工芸品を払拭するのは難しかった。彫刻ジャンルは工技一般と広く深くかかわるゆえに、工芸的なものとの区別をつけがたかったことが大きな理由であったと考えられる。内国勧業博において、絵画と彫刻が足並みをそろえて、モダニスト的分類に収まるのは最終回にあたる明治三六（一九〇三）年の第五回勧業博を待たねばならなかったのである。

ただし、モダニスト的転回への動きは、第三回内国勧業博において突如として起こったわけではない。工部美術学校の学科編成もさることながら、第三回勧業博の前年に開校した東京美術学校においても絵画、彫刻、工芸という序列による学科編成がとられていた。国立の学校制度はモダニスト的秩序観によって貫かれていたのである。

5 彫刻ジャンル近代化への胎動

東京美術学校「彫刻」科

東京美術学校は、工部美術学校に次ぐ二つ目の国立の美術学校である。明治二〇（一八八七）年に文部省によって設置され、授業が開始されたのは、その二年後であった。このときすでに工部美術学校は廃校になっていた。廃校の理由のひとつは文化ナショナリズムの台頭である。文化ナショナリズムは、欧州に発祥する近代国民国家に通有の要件であり、この時期にそれが日本国において台頭したのであった。自由民権運動と明治一四年の政変、それにつぐ憲法体制確立へ向けての動きが、その直接的な契機だった。明治政府は、憲法にもとづいて国会を開設するにあたって、民意を統合する必要に迫られたのである。それゆえ明治政府は官製ナショナリズムの鼓吹につとめ、東京美術学校がその一環として設置の運びとなったわけだ。

文化ナショナリズムの台頭は欧化への反動というよりも、むしろ欧化の動きの重要な一環であった。ナショナリズムも立憲制も欧州由来の政治文化だからである。東京美術学校は、このような動きのなかで、その文化的次元を担う存在として誕生したわけで、それゆえ、この学校では「美術」という翻訳語を校名に掲げながら、その名のもとで江戸時代までに形成された絵画、彫刻、工芸の技法に的を絞った指導がおこなわれたのであった。

同校は普通科二年修了後、絵画、彫刻、工芸の専修科教程へと進むことになっていたのだが、最初の専修科の学生は、絵画が八名、彫刻と工芸がそれぞれ二名であった[44]。

彫刻教程の学科名は「彫刻科」であり[45]、高村光雲を中心に木彫を主とする指導がおこなわれた。彫造（カーヴィング）を主とする授業がおこなわれたわけだから、「彫刻科」というのは実情にふさわしい名称であったといえるが、このころ「彫刻」は、すでにsculptureに対応する包括的なジャンル名として定着しつつあった。すなわちも塑造（モデリング）をも含む立体造型の名称として使われ始めていたのである。英語による学科編成原案をみると、学科名「彫刻」がジャンルとしてのsculptureに対応する翻訳語として用いられたものであることが分かるのだが[46]、「彫刻」というジャンルを「用材用具又は用途の何たるを問はず単（ひとへ）に美術彫刻品として見るべき一切のもの及蠟型、蠟型鋳(ろうがたい)象(もの)とす」[47]というように包括的名称として用いた第三回内国勧業博の分類が公表されたのは、東京美術学校設置と同年であった。

なお、第三回内国勧業博の開催年に、岡倉天心は東京美術学校で日本美術史の講義を開講している。また、帝国博物館長を兼ねていた岡倉のもとで同校の関係者が博物館と協働で古典の模刻事業を開始したのもこの年であり[48]、前年には光雲を古典彫刻調査のため奈良に派遣している[49]。つまり、ジャンル名が確定すると同時に、ジャンル固有の古典を遡及的に形成する動きが起こったわけだ。

「彫造(カーヴィング)」と「塑造(モデリング)」——木彫の空洞化

東京美術学校では木彫中心の授業がおこなわれたと先に述べたが、当初は塑造(モデリング)を視野に入れたカリキュラムが構想されていた。けっきょく実現には至らなかったものの同校の設立にあずかるところの大きかったフェノロサのプランでは、予科の段階で塑造(モデリング)の教授をおこなうことになっており[50]、粘土や塑造用の道具も準備されることになっていたことがわかる[51]。工部美術学校に学んだ藤田文蔵、ヴェネツィア美術学校で学んだ長沼守敬(もりよし)という二人の塑造家が教員として雇われてもいた[52]。そればかりではない。光雲自身、再現的イメージの造型に優れた塑造(モデリング)に強い関心を抱いており[53]、同校に奉職する以前に、鋳金家の大島勝次郎（如雲）の蠟型作成に協力している［54］。如雲は、その後、東京美術学校で鋳金の指導にあたり、彫刻科に蠟による造型を教えにきてもいた［55］。

塑造（モデリング）は奈良時代のすぐれた作例が残っているが、平安時代以降は廃れて、明治になって改めて、最新の三次元イメージの再現技術として欧州から移植されることになった技法である。岡倉天心も、こうした来し方を踏まえつつ、明治二二（一八八九）年の「『國華』発刊ノ辞」において、塑造（モデリング）や乾漆の同時代的可能性を指摘していた［56］。それは、イメージの時代の到来を見すえた提言であった。

この文章において、岡倉は彫刻に関して、いまひとつ重要な提言をおこなっている。さきにもふれたように、肖像彫刻によるモニュメントの建設を提言したのである。「定朝、安阿弥ガ仏菩薩ノ相好ニ尽シタル精神ヲ以テ之ヲ忠臣義士ノ肖像ニ応用セザルヘカラズ」［57］というのだ。東京美術学校は、この提言のとおりに銅像の受注を始め、皇居前広場の《楠正成像》や上野公園の《西郷隆盛像》［図32］といったブロンズ製モニュメントを制作することになる。この事業の中心的役割を果たしたのは高村光雲であり、光雲は、みずからの彫技を活かして、モニュメントの原型を木彫で制作した［58］。この受注制作は、鋳造技術の飛躍的発展を促し、また、彫刻における鋳造の芸術的意義を認識する機会ともなった。

岡倉の以上ふたつの提言は、やがてひとつに結ばれることになる。銅像造立のための木彫原型に、塑像の原型がとってかわることになるのだ。しかも、その交替の過程は一種の屈折を経ることで、木彫の在り方じたいに大きな変化をもたらすことにもなった。

図32　高村光雲ほか　西郷隆盛像　1898年

木彫の空洞化とその克服

光雲の高弟である米原雲海は、種痘発明一〇〇年を記念するモニュメント《善那〔ジェンナー〕像》〔図33〕の原型作成を担当し、明治三七（一九〇四）年にブロンズ像が建立された。そのさい、光雲の場合と同じく木彫の原型を用いて鋳造したのだが、その木彫原型は、小さな塑像をコンパスで拡大するという方法でつくられたという。米原によると、もとになった小さな立像も木彫であったということだが［59］、コンパスによる拡大の手法は、利便性ゆえに木彫家たちに受け継がれ、しかも、塑像による小型の原型から木彫を制作する手法として受け容れられてゆくことになる。

ただし、これはたんに、利便性にとどまる事柄ではありえない。塑像原型による制作は、木彫に重要な変化をもたらすことになる。包み込むような連続的曲面による塑造（モデリング）の再現的造型は、木目に沿って平面状に裂ける材質と鑿の切れ味とに由来する木彫特有の造型性を曖昧化せずにはおかないからだ。すなわち、木彫は塑造（モデリング）に依拠することで、彫造（カーヴィング）ほ

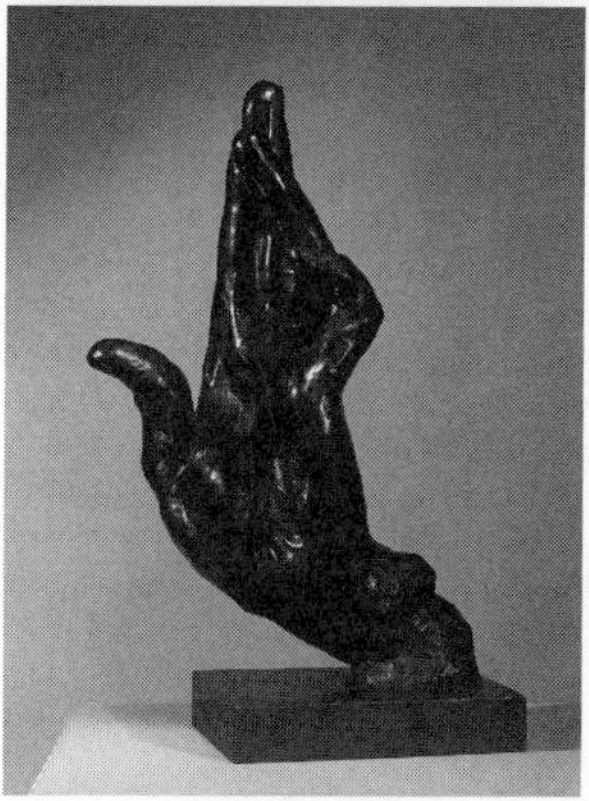

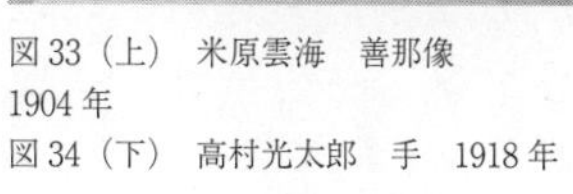

図 33（上）　米原雲海　善那像　1904 年
図 34（下）　高村光太郎　手　1918 年

んらいの在り方から遠ざかることになるのである。これによって、新たな彫技が開発されるということはあったとしても、伝統的な彫技に照らしていえば木彫の空洞化といわざるをえない。

しかし、やがて、この空洞を介して塑造（モデリング）と木彫の相互浸透とでもいうべき作品が生まれる。高村光太郎の《手》（大正七年）である［図34］。木彫を想わせる面の接合によって形づくられた手の肖像は、彫造（カーヴィング）を空洞化させた当の塑造（モデリング）によって彫造（カーヴィング）の魅力を見事に再生させている。高村光雲の長男として仏師の家系に生まれた光太郎は、たくみな面の組み立てによって手の構造を造型し、そこに仏像の「施無畏印」を思わせるポーズを与えることで江戸時代以来の伝統へと近代の塑造（モデリング）を接続している。手というモティフは、触覚の芸術としての彫刻の象徴とみることもできる。

「青年彫塑会」と塑造科の設置

米原雲海と高村光太郎は、明治三一（一八九八）年に東京美術学校の有志が立ち上げた「青年彫塑会」の主要メンバーであった。この会は、木彫を基幹とする東京美術学校彫刻科の在り方に異を唱え、技法と材料の自由を主張する教員と学生の全学的な運動であった［60］。

「彫造」に「塑造」を組み合わせた「彫塑」という語は、東京美術学校彫刻科の第一回の卒業生であり、青年彫塑会に理論的支柱を与えた大村西崖の造語である。この会が結成される数年前に大村は『京都美術協会雑誌』に「彫塑論」を発表、「彫刻」と呼ばれるジャンルには彫造（カーヴィング）ばかりではなく塑造（モデリング）も含まれるにもかかわらず、「彫刻」という、もともと彫り刻む意味をもつ名称で呼ばれることの不合理性を衝いて、「彫塑」という用語を「実体ヲ具シタル造形術ノ総称」として提唱したのであった［61］。そこで大村は、彫造（カーヴィング）を、その緊張感のある一回性を重視する姿勢において墨絵や膠絵具による日本絵画の筆法になぞらえ、他方、塑造（モデリング）は描き直しながら漸次的に造型してゆく油彩画になぞらえて、両者の得失を論じているのだが、こうした立論に立脚する青年彫塑会の運動は文化ナショナリズムを標榜する東京美術学校における塑造（モデリング）導入の露払いとして大きな意義をもった。青年彫塑会結成の翌年に美術学校は長沼守敬を指導者として塑造科を設置することになるのである［62］。日本における彫刻のアカデミズムは、このようにして表象の時代へと更に大きく一歩を踏み出すことになったのだ。

　この会の規則の原案をみると次の三つの造型が排除されているのが注意を引く［63］。（1）実用的機能性を備える形体、（2）レリーフ状のもの、（3）三センチに満たぬ小さなものの三つである。これは、彫刻が、あくまでも視覚による鑑賞の対象として自立する存在であるべきことを主張したものと読むことができる。美術としての立体造型は根付のように手に取って玩賞するものではなく、見る者と対峙する独立的な存在であるべきであって、それゆえ基盤に依拠するレリーフ状の造型も斥けられなければならないという理屈だ。近代彫刻の制作－鑑賞のシステムが具体的に示されたわけだが、サイズに関する規定には、ハーバート・リードが彫刻芸術のふたつの極とみなすアミュレット（護符）とモニュメント［64］のうちアミュレットの極を廃棄する動き、すなわちモニュメンタルなものへの志向を読みとることができる。ここに挙げた三つの主張は原案にとどまり、成文化された規則には見出せないものの、同会の彫刻観を如実に示したものといえるだろう。

「文部省美術展覧会」――「彫刻」部門の設置

文部省は明治四〇（一九〇七）年に、フランスのサロンに倣った美術展覧会を創設する。「文部省美術展覧会」（「文展」）である。明治初期以来、国家による美術奨励が、基本的に勧業政策の一環としておこなわれてきたのに対して、文展は文化行政の発想から企図されたものであった。それゆえ芸術界の権威たちが、国家権力を背景として審査にあたり、美術家の登竜門として大きな社会的注目を浴びることとなった。

同展は「日本画」「西洋画」「彫刻」の三部門で構成された［65］。ジャンル名としての「彫刻」は、これによって社会的定着をみたと考えられる。国家の権力と美術界の権威とが相俟って、この語を社会に刻印し、文展の分身である朝鮮美術展覧会においても、この分類名が踏襲された［66］。「彫塑」という語についていえば、第一回文展と同年に開かれた東京勧業博覧会や［67］のちの満洲国美術展覧会などで用いられたものの［68］、この語は傍系にとどまって現在に至っている。ちなみに、台湾美術展覧会では彫刻部門は設けられなかった［69］。

設置当初の文展に関して注意を引くのは、工芸部門が設置されていないこと、それから、絵画が「日本」と「西洋」に分離されたにもかかわらず、彫刻に関しては、それがおこなわれなかったこと、この二点である。

「日本画」という呼び名には、伝統的絵画をして国民国家の文化的次元を代表させようという思惑が見てとられる。彫刻もまた、「彫塑」論において大村西崖が指摘したように［70］、日本／西洋という対立を設けることも不可能ではなかったものの、しかし、そうした措置はとられなかった。その背景には、青年彫塑会に関連する米原雲海の《善那〔ジェンナー〕像》にふれたくだりで述べたように、日本−彫造（カーヴィング）／西洋−塑造（モデリング）という対立の相が曖昧化していたという事情があったと考えられる。また、これについては、文展創設に先立つ時期の木彫が塑造に圧されて不振であったことも指摘しておくべきだろう。げんに第一回文展彫刻部門の出品作のなかに木彫は一点も見受けられず、米原雲海や平櫛田中（ひらくしでんちゅう）が出品してはいるものの、彼らの出品作は石膏像であった。その後、彼らは彫造の復権を期して岡倉天心を会頭に戴く「日本彫刻会」を結成することになる。

工芸部門の不在については、第三回内国勧業博において公然化した絵画、彫刻のモダニスト的廓清、すなわち工芸的造型物排除の延長で捉えることができる。もっとも第三回内国勧業博で、工芸は、美術部門に編入されていたのだが、明治二八(一八九五)年の第四回内国勧業博以降は、「美術及美術工芸」という名称に示されているように美術と工芸が並置される分類がおこなわれることになるのである[71]。「美術工芸」は「美術」と相対的に区別されることになったわけだ。

美術から工芸ジャンルが排除されたということは、職人的な造型の排除をも意味していた。彫刻に関して述べれば、その兆候は明治四〇(一九〇七)年に開かれた東京勧業博覧会において見出される。東京府主催で開催された同博の美術部門の「彫塑」に大理石像を出品した北村四海が、授賞審査における職人的発想に抗議して自作の大理石像を破壊したのである。この事件は、多くの論議を呼び、ジャーナリズムでも大きく取り上げられたが、そのうち『東京朝日新聞』に載った北村の談話をみると、自派を優先する審査員の不公正を指摘し、その原因を無教養に帰する文言が見出される。「審査員中学識のある人がなくて仕事一方で成上つた人、謂はゞ職人気質の人ばかりだから」であるというのだ[72]。そうしたひとびとは、技巧も理想も見る目ももたないと北村は指弾したのだが、これは、「彫刻」に文化としての高尚さを求めるモダニストの構えにほかならない。

同展の出品目録の写真を見ると[73]、彫刻のなかに実用的機能性をもつ作品は見当たらないものの、さきにも指摘したように、優れた近代彫刻が求心性を帯びるのに対して、職人仕事に属する「置物」においては、床飾りの一要素として、むしろ環境への遠心性が重視される。造型の準則(コード)が異なるのである。宮大工を父として生まれ、牙彫を学び、生活の資も牙彫工芸の原型製作に頼っていた北村としては〔74〕、それゆえ却って、彫刻芸術と工芸の分断を、苛立たしく欲したのではなかったかと思われる。

文展における工芸の排除は、こうした芸術上のモダニズムの台頭を承けたものとみることができるのだが、その後、彫像破壊事件以上の破壊力をもった論争が文展を巡って展開することになる。その急先鋒は高村光太郎であった。

6 「彫刻」の近代——ロダニズムの受容と彫刻の現代性

ポレミック高村光太郎

高村光太郎は、長沼守敬の談話筆記を「現代美術の揺籃時代」という題名のもとに『中央公論』昭和一一(一九三六)年七月号に掲載した。その序文のなかで、高村は、長沼守敬こそ彫刻の「前衛者」にとって超えるべき指標となる芸術家であり、工部美術学校出身者たちは先駆者でこそあれ、挑戦するにあたいしないと名指しで否定している〔75〕。工部美術学校が開校して六〇年目、大正期のアヴァンギャルド運動が終息して数年を経た時期のことである。

近代日本における彫刻ジャンルに関する高村光太郎の厳しい批判は、初期の文展に向けられた展覧会評に始まる。明治四二（一九〇九）年に、足掛け四年にわたる欧米留学から帰ったのち、文展に対する手厳しい批評を次々と発表し、彫刻界を震撼させたのだ。このことは、批評の対象領域となりうる彫刻ジャンルが、この時点においても曲がりなりにも成立していたことを示してもいる。

北村四海にとって否定するべき対象は、理念なき装飾的置物であったが、高村もまた彫刻に理念性を求め、彫刻というジャンルにおける根本的な価値観や規範の必要を強く訴えた。ただし、たんに理念というのであれば国家の男像柱(アトランテス)たる偉人たちの「銅像」もまた国家の理念を背負うものであり、アトリビュートやコスチュームによって、そこに出来合いの理念をまとわせることは容易である。しかし、そうした事大主義的ないしは慣習的な理念を高村は求めたわけではない。彼にとって重要なのは、国家的見地からみれば、むしろ理念の対極に位置するものであった。すなわち、内面的存在としての人間の「生(ラ・ヴィ)」こそ、高村が彫刻に求めた唯一無二の理念であった。当時、彼が書いた文展の彫刻評をみると、いたるところにこの語が登場してくる。たとえば、こんな具合に。

私は生(ラ・ヴィ)を欲する。ただ、生(ラ・ヴィ)を欲する。その餘の贅疣(ぜいゆう)は全く棄てて顧みない。［76］

外部から塊にかたちを与えるのではなく、むしろ、造山運動のように内側から生まれてくるかたち、それを高村は「生（ラ・ヴィ）」ということばで捉えていた。自己の内面に横溢する生命と同期する制作が求められたのだといってもよい。張りつめ昂揚した自己の内面に根差してこそ真の造型が可能なのだというのが高村の主張であった。つまり、彫刻というジャンルに近代的人間観を求めたわけであり、そのような眼からすれば当時の日本の彫刻作品はテンションを欠いた「饂飩を煮すぎた様に力の無いもの」[77]にすぎなかった。

ロダニズムの受容と内面のモニュメント

高村光太郎のこうした彫刻観はオーギュスト・ロダンから学んだものであった。直接に師事したわけではないものの、雑誌掲載の写真によって留学前からロダンに惹かれていた高村は、留学先のニューヨークやパリで実際に作品に接する機会をもつことでロダンへの傾倒を急速に深めていった。留学先における荻原守衛（碌山）との交流も決定的だった。高村よりも一足先にパリの地を踏んだ荻原は、ロダンの謦咳に接することで彫刻の研鑽を積みつつあり、その制作に高村は心ひかれ、高い評価を与えることになるのだ。

帰国後、二人は実作と評論によってそれぞれロダニズムの宣布につとめることになる。高村は、展覧会評以外に、ロダンの発言を編集した『ロダンの言葉』（大正五年）を訳出し[78]、ロダンの評伝も上梓している[79]。高村はたんにロダニズムを鼓吹したばかりではない。ロダニズムを介して、「量（ヴォリューム）」の構築によるマッシヴでリアルな形象の実現という彫刻芸術の根本的発想を日本社会にもたらしもしたのであった。

一足さきに帰国した荻原もロダニズムの鼓吹につとめつつ、第二回文展が開かれた明治四一年に、彫刻の本質は「一製作に依りて一種内的な力（Inner Power）の表現さる、ことである。生命（Life）の表現さる、ことである」[80]と、自己の彫刻観を表明している。五万六〇〇〇人に及ぶ戦死者を出し、一四万を超える負傷者を出した日露戦争[81]から年を経ぬころであったことを思い併せると、荻原と高村の「生」への思いは、ロダンの、そして、当時の欧州において一世を風靡していた「生の哲学」の影響も然ることながら、日本近代の特殊な、それゆえに切実な思いの影を感じさせずにはおかない。

荻原守衛は、文展を主な舞台として作品を発表し、思いを寄せる女性をモデルに塑像《女》[図35]を完成した直後に三〇歳で急逝する。明治四三（一九一〇）年のことであった。塑像のまま残されたこの作品は、荻原の友人で鋳金家の山本安曇（あずみ）がブロンズに鋳造し、同年の第四回文展に出品された[82]。首都のあちらこちらに立てられた国家的偉人達をかたどる事大主義的なブロンズのモニュメントに対して、ひざまずくこの名もない女性のブロンズ像は、作者自身の内面に場を定め、螺旋状に継起する面の展開によって上昇の動勢を帯びている。ふりあおぐように傾ぐ顔面は天上的なものを、すなわち作者の内的な力から生ずる理念的な高みを想起させずにおかない。外的なものから内的なものへと反転された「銅像」、それが荻原の《女》であった。

ひざまずく姿勢とはいいながら身をよじるようにして身を起こす《女》の姿勢は内面に立脚する近代的個人がまさに生まれ出ようとする瞬間を捉えている。吉本隆明は、矢代幸雄が指摘した日本彫刻のレリーフ性〔83〕を念頭に、日本における近代彫刻の黎明を思想史的な観点から、次のように描写している。

図35　荻原守衛　女　1910年

> かれらは、たぶん浮彫（レリーフ）の方法から離脱することは、自然から完全に人間が類別されて、孤立しているという意識を明確にする問題にほかならないことを洞察した。いわば彫刻様式を、共同性から解放するところから始めなければならないことを識知した。それを社会における個の確立と呼ぼうと、古い家族主義の絆からの自立と呼ぼうと、彫刻的には、様式の生命を、共同性から切り離して、成立させることにほかならないと、知ったのである。そのとき表われるものは、彫刻に即していえば、

即物的に単独者として、ひとつの造型世界をうみだす、という命題以外のものではなかった。[84]

「彫刻」というジャンルは、こうして、ようやく近代化の端緒に至り着いたのである。

触覚的鑑賞──「彫刻」の現代的可能性

矢代幸雄は、日本においては、汎神論的思想風土ゆえに造型の焦点が人体に絞られることがなく、また、人体に対する仏教的厭悪の念の影響もあって、実在性をともなう人間の造型が薄弱であったと指摘している[85]。これは、人体を主軸とするギリシャ以来の彫刻ジャンルが、日本社会において劣性のうちに推移していった事由として説得力をもつ。実在性の希薄さは、装飾的な工芸性へと傾く伝統的鑑賞造型の在り方とも整合性をもつ。装飾性はレリーフ的な立体造型の伝統とも整合する。装飾とは常に何ものかの装飾であるからだ。

こうした歴史社会的条件のなかで、人間像を基軸とする彫刻というジャンルを成り立たせるということは、芸術の問題を超える次元にかかわっている。すなわち、人間存在としての自覚に──世界に属しながら、世界と対峙するという矛盾をはらんだ自己意識に──かかわっている。荻原守衛が作り出した女性が、膝から下を大地に埋もれさせながら、重力に逆らって身を伸ばすすがたは、そうした思想史のドラマを表象している。荻原守衛のこの遺作が完成をみたのは、自我の拡張を唱える雑誌『白樺』が創刊され、高村光太郎が「緑色の太陽」を発表して芸術上のアナーキズムを宣言した年にあたっていた。韓国の植民地化と大逆事件という黒々とした影をともないながら、近代的個人が立ち上がってくる、そういう時代のさなかに《女》は誕生したのである。

《女》が文展で発表された四年後に日本で初めての美術辞典が刊行された。その「彫刻Sculpture」の項には次のようなことばが見出される。

彫刻の空間は充実した空間即ち立体を要し、触覚を主として成立ち、少くとも触覚の再現を必要とする。[86]

「彫刻」の語は、こうして日本社会における美術語彙に安定した位置を獲得することになったわけだが、しかし、この辞書の説明は視覚芸術の一ジャンルとしては割り切りがたい彫刻の在り方を指し示している。先に指摘したように触覚は距離の無化のその先に成り立つがゆえに、距離を前提とする視覚とは背反する関係にあるからだ。それればかりではない。知との結びつきの強い視覚に対して、触覚は劣等な知覚と考えられて来たのであった。

たとえば《女》の造型は、触覚の盲目性と切り離しては捉えがたい。視線は触覚を宿して、微妙な起伏や稜線を愛撫するようにたどりながら彫像の形態に漸次的にふれてゆく。そのとき視線は、距離の無を超えて彫像としての肉体の内部へと向かっている。それはたんなる想像ではない。視線は自己と彫像の同型性にもとづく内的な共感性を惹起しつつ複雑な経験を醸成している。そこでは、見る主体は彫刻との相関性において、また、彫刻は視線との相関性において生成的に現われてくる。絵画の鑑賞においても同様の生成的な鑑賞経験は認められるものの、しかし、内密な身体感覚をともなう彫刻の場合ほど顕著ではない。生成的鑑賞は、彫刻の表象を成り立たせる知覚、想像、記憶という表象の三つの次元の関係についても指摘できる。彫刻の鑑賞は、視覚芸術としての美術に回収しきれない複雑な経験なのだ。

生成は、偶然を重要なファクターとする現象であり、これは光と彫像の関係についても指摘できる。ボードレールは、パラゴーネ（ジャンル間優劣論争）の伝統を踏まえつつ、彫刻の弱点を皮肉な調子でこんなふうに語っていた。

彫刻家が唯一の視点に身を置こうと努力しても空しい。形象の周囲を回る観覧者は、良い視点だけを除いて百もの異った視点を選ぶことができるのであり、そしてしばしば、芸術家にとっては屈辱的なことだが、偶然に射す一条の光や、ランプの効果が、前もって考えたのではない美しさを露にして見せるようなことが起る。一枚のタブローではそれが自ら欲するところのものでしかない。それ本来の光の方向に見る以外の見方というものはない。絵画は一個の視点をしかもたない。排他的かつ専制的だ。だからして画家の表現は、はるかにもっと強いのである。[87]

だが、近代の外れに到達した美術は絵画中心の体制を維持しがたいところにきている。作品の有りようは、たとえばソーシャリー・エンゲージド・アート（社会関与型芸術）にみられるように、実体性から見えざる関係へと向かいつつあり、したがって、造型という行為が美術を規定するとは限らない状況が到来している。また、ボードレールが「排他的かつ専制的」と規定した近代的制作主体、そして、それがもとづく主体そのものの有りようも曖昧化しつつある。現実との相関性において偶然も許容しつつ生成変化してゆく有りようが広く受け入れられつつあるのが現状なのだ。

そのような時に際会して、ボードレールが指摘する彫刻の特質は、なおも美術としての欠陥というべきだろうか。そうかもしれない。しかし、そうであるとしても、この欠陥は、美術の次に来るものを暗示する「恩寵」としての欠陥というべきではないだろうか。

註

［1］『眼の神殿――「美術」受容史ノート』（ちくま学芸文庫、二〇二〇）を参照。

[2]「美術」という熟語の初出を西周の「美妙学説」とする研究者が後を絶たないが、西のテキストの成立は一八七九年である。これについては、[1]に挙げた『眼の神殿――「美術」受容史ノート』の第二章に「文庫版補論」として詳述した。森縣「西周『美妙学説』成立年時の考証」(『國文學』第一四巻六号)参照。

[3]"CLASSIFICATION AND DIVISION UNIVERSAL EXHIBITION 1873 IN VIENNA", p. 6.

[4]「澳国維納府博覧会出品心得」、青木茂、酒井忠康編『日本近代思想大系』第一七巻「美術」(岩波書店、二〇〇〇)、四〇四頁。

[5]ヴァルター・ベンヤミン「複製技術時代の芸術作品」、浅井健二郎編訳、久保哲司訳『ベンヤミン・コレクション1 近代の意味』(ちくま学芸文庫、二〇〇〇)、五九五~五九七頁。

[6]高村光太郎「父との関係」、『高村光太郎全集』第十巻(筑摩書房、一九九五)、二二九頁。

[7]「御布告」(一八七一年五月二三日)、『東京国立博物館百年史 資料編』(東京国立博物館、一九七三)、六〇六頁。

[8]「大学献言」(一八七一年四月二五日)、『東京国立博物館百年史 資料編』(東京国立博物館、一九七三)、六〇六~六〇七頁。

[9]岡倉天心『日本美術史』(平凡社、二〇〇一)、五七~五九頁。

[10]王筠撰集『説文解字句読』中巻(台湾商務印書館、一九六八)、一一八〇頁。

[11]明治政府がウィーン万国博覧会への参加を表明した太政官布告(第七号)に添えられた「一千八百七十三年ウイン府ニ於テ催スベキ展覧会ノ次第」という文書の出品区分に「彫像術」「彫刻術」の文字がみえ、「彫像術」に「スリハプソール」と不明瞭な振り仮名が付されているが、Skulptur の日

本風読み方「スクルプツール」の誤植かと思われる。

[12] 高村光雲「明治初年の彫刻に就いて」、『國華』四二九号、二二九〜三〇〇頁。

[13] [12] に同じ、二三〇頁。

[14]『改正増補英和対訳袖珍辞書』（蔵田屋清右衛門、一八六九）、三六一丁。一八六二年に出た同書の初版では、sculpture に「肖像ヲ刻ム術」という訳を与えている。

[15] William. Lobscheid, *English and Chinese Dictionary, with the Punti and Mandarin Pronunciation*, Part IV, (DAILY PRESS, 1869), p. 1554. ちなみに、現在の英中辞典 *Pocket Oxford Chinese Dictionary*（Oxford University Press, The Commercial Press, 2009）にあたってみると、sculpture に対応する中国語として「雕刻」「雕塑」「雕刻品」「雕塑品」が挙げられている。また、*Pocket Kenkyusha Japanese Dictionary*（Oxford University Press, 2003）にあたってみると、sculpture に対応する日本語は「彫刻」となっている。

[16] 森岡健二「訳語形成期におけるロプシャイト英華字典の影響 I」、『東京女子大學附屬比較文化研究所紀要』第一九号（一九六五）、六八〜七一頁。「訳語形成期におけるロプシャイト英華字典の影響 II」、同誌第二一号（一九六六）、一一四〜一二五頁。

[17] Walter Henry Medhurst, *AN ENGLISH AND JAPANESE AND Japanese and English VOCABULARY* (Walter Henry Medhurst, 1830), p. 33.

[18] 本書所収「工業・ナショナリズム・美術」及び拙著『美術のポリティクス——「工芸」の成り立ちを焦点として』（ゆまに書房、二〇一三）、七八〜七九頁。本書所収「工芸・ナショナリズム・美術」参照。

[19]「工部美術学校諸規則」[4]に同じ、四三二頁。
[20]金子一夫『近代日本美術教育の研究——明治・大正時代』(中央公論美術出版、一九九九)、一七二~一七三頁。
[21][19]に同じ。なお、工部美術学校開校の前年の大久保利通文書「博物館ノ議」の分類案の「第四類 芸術部」は「第一区 書画」、「第二区 彫刻」という並びになっている。絵画を彫刻の優位に置く序列、そして「彫刻」の語が用いられている点において工部美術学校と共に現在に通ずる分類の先駆的な例といえる。ただし、この分類では、「書画」「彫刻」が「音楽」「詩歌」と同列に並んでおり、造型にかかわる両ジャンルを「美術」という名のもとに括ることをしていない。
[22]「内国勧業博覧会出品区分目録」、[4]に同じ、四〇五~四〇七頁。
[23][3]に同じ。
[24]アリストテレスは『形而上学』において、事物の始まりや原理を指す「アルケー」という語についていくつかの定義を示し、そのうち「動かされるものどもがそのように動かされ、転化するものどもがそのように転化するのは或る者の意志によってであるとき、この或る者がまたアルケーと呼ばれる」という定義に関して「建築関係の諸技術を指図する棟梁の術がアルキテクトニケーと呼ばれるのはそのためであると」述べている。アリストテレスは、部分しか知らない職人たちを導く全体的かつ指導的な技術を「棟梁の術」「棟梁の学」と呼び、諸職の「王者」として尊重した。アリストテレス/出隆訳『形而上学』、『アリストテレス全集』第一二巻(岩波書店、一九六八)、一三一~一三二頁。
[25]ハンス・ゼードルマイヤー/石川公一、阿部公正訳『中心の喪失——危機に立つ近代芸術』(美術出版社、一九七二)、一一三頁。

［26］G・W・F・ヘーゲル『美学講義』第三部「個々の芸術ジャンルの体系」第二篇「彫刻」参照。ここでヘーゲルは、彫刻は「他のどんな芸術にもまして理想形の制作にむいている」とし、「表現と内容の完全な合致」という在り方において「古典芸術の中心」に位置づけている。長谷川宏訳『美学講義 中巻』（作品社、一九九六）、三一九頁。

［27］以下の諸書を参照。ジョージ・L・モッセ／佐藤卓己、佐藤八寿子訳『大衆の国民化――ナチズムに至る政治シンボルと大衆文化』第二章「政治の美学」、第三章「国民的記念碑」（ちくま学芸文庫、二〇二一）、松本彰「一九世紀ドイツの国民的記念碑とナショナリズム」、遅塚忠躬、松本彰、立石博高編著『フランス革命とヨーロッパ近代』（同文舘出版、一九九六）所収、大原まゆみ『ドイツの国民記念碑1813年-1913年――解放戦争からドイツ帝国の終焉まで』（東信堂、二〇〇三）、和田光弘「記念碑の創るアメリカ――最初の植民地・独立革命・南部」、若尾祐司、羽賀祥二編『記録と記憶の比較文化史』（名古屋大学出版会、二〇〇五）所収。

［28］村田文夫『西洋聞見録 前編』巻之下（弘通書林、一八七〇）二二一〜二二三丁。

［29］［28］に同じ、二二四丁。

［30］久米邦武編著『米欧回覧実記』第五巻（岩波文庫、一九八九）、四四頁。

［31］［30］に同じ、四八頁。

［32］旧工部大学校史料編纂会編『旧工部大学校史料』（虎之門会、一九三一）、一〇六頁。彫刻は「上流人士」にふさわしい技芸ではないと述べられているが、武士が彫像を作製する例が皆無だったわけではない。武士と彫刻の関係を示す伝説が今に残っている。たとえば、俳人として、また画人としても名を知られた彦根藩士の森川許六が、師匠である芭蕉が亡くなったとき、芭蕉遺愛の桜の木で師の

肖像を刻したという伝えがあり（石丸正運『近江の画人たち』〈サンブライト出版、一九八〇〉）、京都の「芭蕉堂」には許六作といわれる像が祀られている。

[33] 教部省伺「官社へ銅石像設立之儀ニ付伺」、『公文録』明治一〇年一月内務省伺二。

[34] 「形像取締規則」（内務省令第一八号）、『官報』第五〇六一号（明治三三年五月一九日）。

[35] ヘルダー／登張正實訳「彫塑」、『世界の名著』第三八巻（中央公論社、一九七九）、二六二頁。

[36] 中江兆民「当年の内国大博覧会に就て」、『中江兆民全集』第一三巻（岩波書店一九八五）、三四九頁。

[37] 『仏国巴里万国大博覧会報告書』（農商務省、一八九〇）、一八五～一八六頁。「第二図画」の「堊筆」は原本「亜筆」。一八八八年パリ万国博と第三回内国勧業博覧会の関係については、國雄行『博覧会と明治の日本』（吉川弘文館、二〇一〇）から示唆されるところがあった。

[38] 「仏国巴里府ニ於テ開設ノ大博覧会ニ参同ノ件」、『外務省記録 明治自十七年至廿六年 仏蘭西国巴里開設万国博覧会ニ帝国政府参同一件』第二巻。

[39] 『官報』第一五五〇号（明治二二年八月二八日）。

[40] "Ministère du Commerce et L'industrie. Exposition Universelle de 1889 à Paris. Règlement Général", p. 9.

[41] [37]に同じ、一〇九頁。序に「明治二十三年九月」とある。

[42] 矢代幸雄『日本美術の特質　第二版』（岩波書店、一九六五）、一八三～一八四頁。

[43] 「第三回内国勧業博覧会出品部類目録」、[4]に同じ、四〇七頁。

[44] 東京芸術大学百年史刊行委員会編『東京美術学校百年史　東京美術学校篇』第一巻（ぎょうせい、

一九八七)、一六九頁。

[45] [44] に同じ、一一二〜一一四頁。

[46] [44] に同じ、六五〜六六頁、四三一頁。

[47] 「第三回内国勧業博覧会出品主心得」、第三回内国勧業博覧会事務局編『第三回内国勧業博覧会事務報告』(農商務省、一八九二)、二一六頁。

[48] [44] に同じ、一八一〜一八八頁。

[49] [44] に同じ、一四一頁。

[50] [44] に同じ、四三一頁。sculpture には「彫刻」が、modelling には「造型」がそれぞれ対応させられていた。

[51] [44] に同じ、六七〜六八頁。

[52] [44] に同じ、五一七頁。

[53] 高村光雲『光雲回顧談』(萬里閣書房、一九二九)、一八五〜一八九頁。

[54] [53] に同じ、一八九〜一九四頁。

[55] 「本校創立当時回顧座談会」、『東京美術学校校友会月報』一九三一年四月号における板谷波山の回顧談。三〇〜三一頁。

[56] 岡倉天心「『國華』発刊ノ辞」、『岡倉天心全集』第三巻(平凡社、一九七九)、四六頁。

[57] [56] に同じ。

[58] [44] に同じ、一七七〜一八一頁、二二二〜二二四頁、二三一〜二三三頁。

[59] 米原雲海「実材家養成の今昔」、『書画骨董雑誌』第五二号、三九頁。

[60]［44］に同じ、三五二～三五八頁。

[61] 大村西崖「彫塑論」、『京都美術協会雑誌』第二九号、四頁。

[62] 東京芸術大学百年史刊行委員会編『東京芸術大学百年史　東京美術学校篇』第二巻（ぎょうせい、一九九二）、六～一四頁。この時点で、彫刻科の第三年以上は、「木彫科」「石彫科」「牙角彫刻科」のうち一科を専攻する選択制になっていたが、石彫と牙角彫刻は有名無実化していたので、実質的には木彫科と塑造科の二科体制になった。

[63]［44］に同じ、三五四頁。

[64] Herbert Read, *The Art of Sculpture* (Princeton University Press, 1969), p. 5.

[65]「美術展覧会規程」第二条、『官報』第七一八一号（明治四〇年六月八日）。

[66]「朝鮮美術展覧会規程」、『官報』第二八四一号（大正一三年一月二四日）。

[67] 正木直彦「総説」、『東京勧業博覧会審査報告　巻壱』（東京府庁、一九〇八）、一七一頁。ここに「第三科　彫塑」とみえる。ただし、『東京勧業博覧会事務報告　上』（東京府庁、一九〇九）所載の「出品部類目録」では「彫像、塑像、鎚起像、鋳像、彫版、篆刻」（四六頁）となっている。

[68]「満洲国美術展覧会規則」、『政府広報』第二七七一号（満洲国国務院総務庁、一九四三年八月二六日）。

[69]「台湾美術展覧会規程」、『官報』第三四六四号（昭和一三年七月二一日）。出品が絵画に絞られたことについては、一九二七年から台湾総督府文教局の後押しで台湾教育会が主催してきた絵画中心の展覧会を、一九三八年以降、台湾総督府が引き継いで国費で主催することになったという成り立ちが絡んでいると考えられる。ただし、台湾教育会主催の展覧会は、ゆくゆくは「彫塑」「図案」「工芸」

部門も設ける予定であった。顔娟英訳著、鶴田武良訳『風景心境――臺灣近代美術文獻導讀』下巻（雄獅圖書股份有限公司、二〇〇一）、六三八～六四六頁。

[70] [61] に同じ、五～六頁。

[71] 「第四回内国勧業博覧会出品部類目録」、第四回内国勧業博覧会事務局編『第四回内国勧業博覧会事務報告』（堀田道貫、一八九六）、一三六～一三七頁。「出品部類目録」、『第五回内国勧業博覧会事務報告 上巻』八四～八五頁。

[72] 「北村四海氏の直話」、『東京朝日新聞』一九〇七年六月一三日。

[73] 『東京勧業博覧会美術館出品図録 西洋画及彫塑之部』（東京府、一九〇七）。

[74] 北村正信編「北村四海略伝」、『四海余滴』（北村正信、一九二九）。

[75] 長沼守敬、高村光太郎編「現代美術の揺籃時代」、『中央公論』一九三六年七月号、二一四頁。

[76] 高村光太郎「文展の彫刻」、『高村光太郎全集』第六巻（筑摩書房、一九五七）、一一五頁。

[77] 高村光太郎「第三回文部省展覧会の最後の一瞥」、『高村光太郎全集』第六巻（筑摩書房、一九五七）、一八頁。

[78] 高村光太郎訳編『ロダンの言葉』（亜蘭陀書房、一九一六）、『続ロダンの言葉』（叢文閣、一九二〇）。

[79] 高村光太郎『オオギユスト ロダン』（アルス、一九二七）。

[80] 荻原守衛「予が見たる東西の彫刻」、『彫刻真髄』（中央公論美術出版、一九七八）、三二頁。初出『藝術界』一九〇八年八月号。

[81] 国立公文書館アジア歴史資料センター「テーマで見る日露戦争」の「統計」による。https://

www.jacar.go.jp/nichiro/keyword06.htm

[82]『日展史』第二巻「文展編二」(社団法人日展、一九八〇)、一六六頁。北野進『安曇と碌山──鋳金真髄・山本安曇』(出版・安曇野、一九九八)、三九~四二頁。

[83][42]に同じ、一四一~一四五頁。

[84]吉本隆明「彫刻のわからなさ」、『吉本隆明全著作集』第八巻(勁草書房、一九七三)、三四二~三四三頁。

[85][42]に同じ、一三五頁。

[86]『美術辞典』(日本美術学院、一九一四)、一七八頁。

[87]シャルル・ボードレール/阿部良雄訳「一八四六年のサロン」『ボードレール批評1』(ちくま学芸文庫、一九九九)、一九九頁。

Ⅳ　制度から主体へ

工業・ナショナリズム・美術

職業的な絵画制作は、かつては「工」ないしは「工業」に属していた。このことは「画工」という呼び名に、その痕跡をとどめている。「工」には、画工ばかりではなく仏工、大工、蒔絵師、左官、指物師なども含まれていた。それは広く製造業一般を指す言葉であった。しかし、明治になると、こうした広い概念に亀裂が生じる。あるいは、そこに分化の動きが起こってくる。すなわち画工や仏工たちの仕事は「美術」に、蒔絵師の仕事は「工芸」に、また大工の仕事は広義の「建築」に、それぞれ属することになった。一方、「工業」の一角に「機械」という利器が配置されることによって、「工業」概念じたいに変質が生じる。それまでの手技中心の在り方から、機械制工業を中心とする在り方へと変わってゆくのだ。そのことについて、第一回内国勧業博覧会（明治一〇年開催）の報告書は、「我邦ハ古ヨリ機械ト称スルモノナク其機械ノ名ノ人口ニ上リシハ実ニ近来欧米諸機ノ伝来スルニ原ヅキ」云々［1］としるしている。

こうして「工」の領域は、意味合いを変じながら、美術、工芸、建築などのジャンルを派生させ、さらに第二次産業部門に属する諸分野を内的に分化させてゆくことになるのだが、このうち美術は、ナショナリズムの台頭を機に理念や自己など精神的なものとのかかわりを深め、「機械」を枢軸に据える工業の対極に位置することになる。

ただし、これによって「工」概念が解体してしまったわけではない。「工」から派生した諸分野のあいだには、ゆるやかな関係が認められる。ふだんは無縁を決め込んでいる美術と工業も例外ではない。デザインと工芸の存在がそのことを証している。

もっとも、「美術」――なかんずく絵画――について「工」とのかかわりのみを指摘するのは不充分のそしりをまぬかれまい。『和漢三才図会』で、絵画は「技芸」のうちに含まれており、「技芸」概念を「美術」の受容基盤として論じた佐藤道信の興味深い研究もすでにある〔2〕。また、文人画も視野に入れるならば、文事としての側面についても考察しなければならないだろう。たとえば『古事類苑』では絵師や仏師の仕事を「工業」として扱いながら、その一方で「絵画」を「文学部」に割り付けているのである。

また、現在とは趣を異にするとはいえ、「芸術」という語も古くから使われていた。すなわち、「美術」概念の形成を近世以前の発想法との関連から考察するためには、「工」のみならず、「技」「芸」「術」「文」などの諸概念に照らして考えを進めるべきなのだが、ここは、とりあえず「工」に的を絞って、「美術」が「工業」から精神の高みへ向けて離陸してゆく過程を、工部美術学校の事例を中心にたどってみることにしたい。既知の歴史的文脈に照らして行論の計画を示しておけば、美術上の国粋主義運動と明治憲法体制の構築過程、そして、産業革命が時代的に重なり合うところに本論のトポスは形成されるはずである。

「工」としての絵画

高橋由一と西洋画法の出会いについて語るあまりにも有名なくだり――「嘉永年間、或ル友人ヨリ洋製石版画ヲ借観セシニ、悉皆真ニ逼(せま)リタルガ上ニ一ノ趣味アルコトヲ発見シ」云々〔3〕という『高橋由一履歴』(以下、『履歴』と略記)の一節には、日本という近代国家の起源と、その国における美術の始まりとが重なり合うようにして見出される。

「嘉永」とは、いうまでもなくペリー来航を示す年号であり、西洋画との出会いを、この年号のもとに由一が語っていることは、西洋列強の軍事的圧力のもとに歩みを開始した日本近代が必然的にとらざるをえなかった受動の姿勢、その受動の姿勢によって明治以後の絵画が準備されていったという事態を暗示している。由一が西洋画法の手ほどきを受けた洋書調所は、ペリー来航を機に、西洋の科学技術を研究するべく設けられた機関であり、西洋画法は、その一分科あるいは一補助学として研究されたのであった。そればかりではない。由一が、初めて眼にした「洋製石版画」というのは、ペリーが幕府への贈り物として持参した石版画――それもアメリカ・メキシコ戦争や独立戦争を描いた石版画であったという推測さえもなされているのだ。この贈り物が脅迫外交の意味をもつものであったのはいうまでもない。こうした出発の記憶は、その後長く、日本近代絵画のうえに影を落とすことになるのだが、こうした最初の記憶を克服するべく、日本の近代絵画は絶えず受身から能動へと転換する機会をねらいつつ、そのため、ますます受身の姿勢に複雑なかたちではまり込んでゆくことになるのである。

ところで、西洋画法が科学技術の一分科とみなされたのは、そのすぐれた再現性によってであった。「悉皆真ニ逼」る描き方ゆえに、西洋画は時の権力によって必要を認められたのである。これは由一自身よく知るところであって、洋書調所時代（この機関は幾度も名を変えているが、ここでは由一入所時の名称に統一する）に由一が書いた檄文「洋画局的言」（以下、「的言」）には西洋画法と権力の関係が端的なかたちで語られている。西洋画法の再現性について由一は、国民の教化や鼓舞、また伝達の場面を想定しながら「国家日用人事ニ関係スルコト軽キニ非ラズ」［4］としるしているのだ。

また、由一は同様の発想から油絵を媒体として森羅万象を展観に供する博物館を構想してもいるが、「展画閣」の名で呼ばれるこの施設は、今日の美術館とは厳しく一線を画して捉えるべきだろう。そこに見出されるのはテクノクラートの発想であって、芸術家の発想ではないからだ。

とはいえ、由一は再現的な西洋画法に「一ノ趣味」を——つまり、鑑賞性をも感受していた。このことを見逃してはなるまい。この感受性ゆえに、由一は「美術史」の近代の始点に位置づけられてきたのである。だが、こうした従来の由一観を鵜呑みにするわけにも、じつはいかない。迫真性に重きを置く由一の絵画観は、近世までに形成された絵画観のスタンダードとは相容れないものであり、「的言」のなかに「和漢ノ画法ハ筆意ニ起リテ物意ニ終リ、西洋画法ハ物意ニ起リテ筆意ニ終ル」〔5〕とあるのは、由一がそのことを充分に意識していたことを示している。つまり、ここには近世までの絵画観との断絶がたしかに認められる。しかし、それでは再現性に「一ノ趣味」を感受する由一の絵画観が、よくいわれるように近代のものであるのかというと、近代的絵画観とのあいだにも決定的なズレが見出される。

由一は、伝来の正統的な絵画観からズレをもつ再現性の絵画こそ、絵画の正統であるべきだと考えており、再現性重視の絵画は、由一の思惑通り、やがて写実主義の名のもとに美術史に組み込まれることになるのだが、しかし、「真ニ逼リタルガ上ニ一ノ趣味アルコトヲ発見シ」（傍点引用者）という由一の言葉は、近世以来の正統とも与しえず、さりとて美術という近代の正統にも属しえない。そのどちらにも落ち着くことのない微妙なバランスを、由一の発想は、「上ニ」という文節を支点として保っている。近世絵画からの離れの意識については先述したが、この時点で由一は美術とのあいだにも決定的な距離をもっていたのだ。明治初期に外来の概念として形成の緒についた「美術」について「嘉永年間」の高橋由一は意識しようがなかったからである。

では、由一にとって、結局のところ西洋画法は科学技術であったのかというと、むろんそうではない。再現性に「一ノ趣味」を見出す発想は、冷厳な科学技術のもとでは、ついにありえない。由一の絵画観を科学の名で捉えきることはできない。

要するに、美術と科学技術を截然と区別する近代のものの見方に、由一の絵画観はなじまないのであり、ここに由一の歴史的な例外性があるといってよい。しかし、この例外性を言い止める言葉をわれわれは、いまだもちえてはいない。横断性を身上とするアヴァンギャルディズムの時代を経てもなお、その言葉をわれわれは見出していない。だから、それを称して、たとえば、科学技術に詩を見出す感受性とでもいうほかないのである。

この節の冒頭に引いたくだりを由一がノートしたのは明治二〇年代の半ばである。つまり、そこにしるされている経験から四〇年ほどのちのことなのだが『履歴』の記述は昔日のことを語っているとは思えない現在性を感じさせる。すなわち、由一は、かかる発想を、どうやら晩年までもち続けたらしい。年月の流れのなかで、迫真性と鑑賞性の結合の度合いに多少の変化があったにもせよ、由一の絵画観の基本は決して変わらなかった。それゆえ由一は、近代化が進展するなかで孤立を余儀なくされてゆく。近代西洋に倣う分類体系が浸透し、科学技術と美術の別が枠組みとして固定されてゆくにつれ、由一の発想は不可能なところへ追い込まれてゆくことになる。由一は長老として祭り上げられ、やがて一旦は忘れ去られなければならなかったのである。

ところで、科学技術としての絵画というのは、実際に絵を描く場面においては、工学的な構えを画家に要求するはずである。工学的というのは、たとえば透視画法が一種の作図法であるというようなことにかかわるばかりではない。それは物体としての絵画の組成にもかかわる事柄であった。由一たちが西洋画法習得に取り組んだ幕末には、油絵を描こうにも出来合いの絵具はなく、カンヴァスも専用の油液もなかったから、油彩画法習得をめざす者たちは材料から作るほかなかったのである。『履歴』には、手近な間に合わせの材料によってチューブ入りの絵具を作成するようすが克明に書き留められており、それによると、荏油と銀密陀(一酸化鉛)を混ぜて日光にさらしたものに在来の顔料を混ぜて練り上げ、これを盤陀(はんだ)の薄板で巻いてチューブに作るといったやり方であった[図36][6]。この一節は、由一の絵が、近代のそれのようにたんに描くものではなく、その物的基礎から徐々に作り上げていくものであったということを示している。由一にとって油絵とは、まず一個の物体としてあったのだ。由一の博物館構想「螺旋展画閣創築主意」[図37]に見出される「油画ハ風雨蠧(と)破ノ障害アラザルニヨリ美術中永久保存スベキノ要品タルヲ以テ」云々[7]という油絵に関する文言は、由一にとって油絵というものが、その再現性においてばかりではなく、物的な永続性においても価値をもつものであったことを示している。油絵が什器のように代々伝えられるものであることを、由一は重視していたのである。

由一にとって油絵は、だから一個の工芸品であったのだといってもよい。しかも、このことはたんなる譬喩にとどまらない。当時の油絵は漆工芸と近いところにあったからだ。『履歴』にしるされた絵具製造の工程では「漆篦（しっぺい）」「麦漆（むぎうるし）」など漆にかかわる材料や道具が登場するし、密陀僧を用いた絵具は、この当時、漆工芸の加飾に用いられていたのである。そればかりか、由一の絵は明治五（一八七二）年の博覧会の出品目録（草稿）では「油漆画」の名で呼ばれており［8］、また、油絵の仕上げに用いられるニスの訳語は、いまも

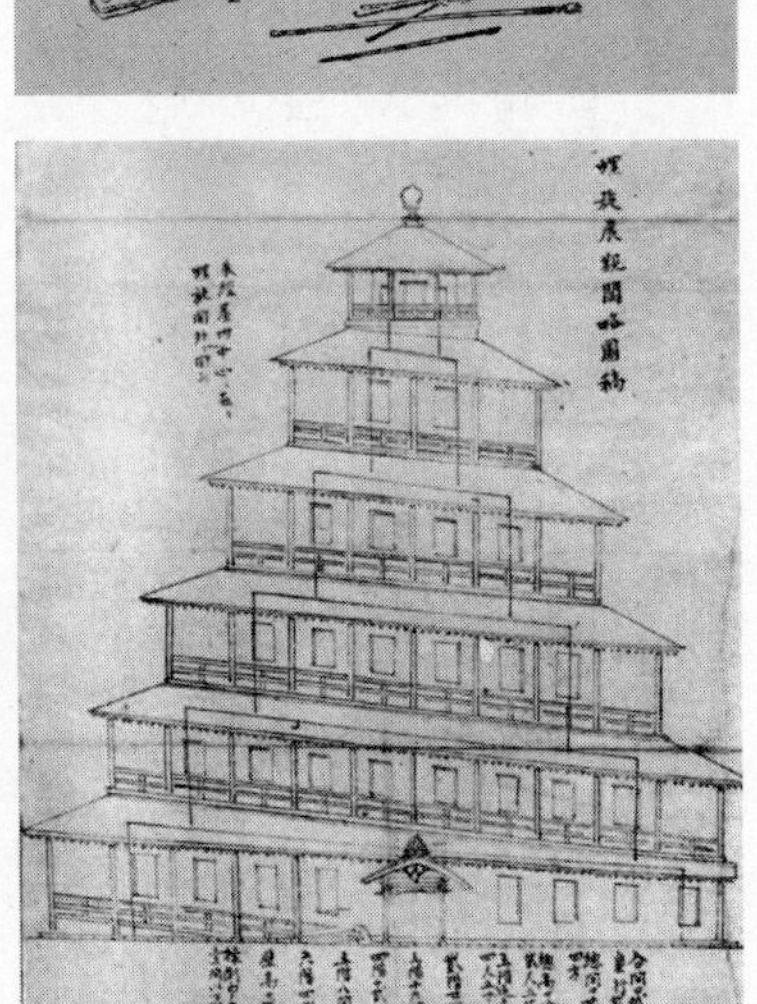

図 36（上）　文久年間に高橋由一が使用した画材の図（高橋源吉）『日本』1894 年 8 月 10 日掲載
図 37（下）　螺旋展画閣略図稿

って「仮漆」なのだ。これらの状況証拠から考えるに、油絵というのは、どうやら、漆工芸をモデルとして了解されていたらしく思われてくるのである。

物体としての絵画を材料のレヴェルから科学的な合理性に従って造り上げてゆくこと——由一にとって絵画とは、このようなものであり、それを先には「工学的」と称したのだが、当時の言葉によって、これを言い表すならば冒頭にもしるしたように「工業」ないしは「工」と呼ぶべきであろう。「工業」というと今日では——あるいは、情報化社会に深入りした今日でもなお——工場制機械工業のことを、まずもって意味するのだけれど、この意味が定着をみるのは産業革命を経たのちのことであって、それ以前において「工業」という言葉は、すでにふれたように、物作りに携わるさまざまな技術を、絵画や彫刻も含めて、包括する名称として使われていたのであった。たとえば『古事類苑』産業部の「工業総載」を開くと大工、左官、指物師、蒔絵師、絵師、仏師など建設や製造に携わる数々の職名が古文献から拾われているのがみえる［9］。もう一つ例を挙げれば、一八七八（明治一一）年のパリ万国博参加を機に編纂された『工芸志料』は「仏工」の項を設けており［10］、「画工」の項を続編で設けることを序で予告してもいる［11］。

ただし、『工芸志料』という書名については註釈がいるかもしれない。「工芸」という語は、いまでは、美術と工業のあいだに位置づけられる鑑賞性と実用性を兼ね備えた作物を指すのだけれど、この当時にあっては「工業」とほぼ同義に用いられていたのである。このことは、たとえば初期の殖産興業政策を担った工部省の設置にかかわる明治三年の文書「工部省ヲ設クルノ旨」のなかに、「工芸」の必要を示す例として「鉄路」や「電信機」などが挙げられていることからも知られる通りである[12]。

要するに、「工業」と呼ぶか「工芸」と呼ぶか、そのニュアンスは異なるものの、絵画や彫刻は、いずれにせよ「工」概念に属していたわけで、このことは日本で最初の「美術学校」の成立に、おそらく大きな影を落としていた。

工部美術学校

この国最初の「美術学校」は明治九(一八七六)年に工部省の工学寮に、イタリア人教師たちを招いて設けられた。明治二〇(一八八七)年設置の東京美術学校以降は、その後身の東京藝術大学美術学部に至るまで、美術学校は文部省の管下にあるのだが、明治の初めに西洋の造型技法を学ぶための「美術」の学校を作ろうというとき、それは工部省という鉱工業に携わる現業庁の管下に置かれることになったのである。美術史家のなかには、これを、美術のなんたるかをわきまえぬ仕業と憤慨する向きもあるようだけれど、明治初期に、西洋の造型法を教授する機関を設けようとするとき、幕末以来の西洋画=科学技術観に照らしても、また、絵画を「工」概念で捉えるそれ以前からの発想からいっても、それを属せしむるのは工部省を措いてほかになかったというべきだろう。

ただし、「美術」という語については、ここで注意すべきことがすくなくとも二つある。先にもふれたように「美術」というのは、もとを正せば翻訳によってもたらされた概念であり、その語の初出は、一八七三（明治六）年開催のウィーン万国博に際して彼の地から送付されてきた文書の訳文であったのだが、これらのドイツ語のうち、「美術」の初出の部位で対応しているドイツ語は Kunstgewerbe すなわちアプライドアートであった。「美術」という語は、工芸の意味を担って登場してきたのである。そればかりか、ウィーン万国博では、おりしも西欧に広まりつつあったジャポネズリの流行に乗って、近世以来の日本の工芸品が高い評価を得たため、不平等条約下で輸入超過に悩んでいた勧業官僚たちのたちまち注目するところとなった。すなわち、これを契機に、その後の「美術」行政はジャポネズリを常数として国粋主義的に決定されてゆくことになる。つまり、これ以後、有力な輸出品として在来の工芸が「美術」を代表するようになってゆくのだ。そればかりではない。こうした動きのなかから工芸意匠の改良にかかわって、在来の絵画が「美術」の根本をなすものとして改めて重要視されることにさえなるのである。現行の美術のヒエラルキーにおいては、最も純粋に視覚的な絵画が頂点を占め、建築を別格として、工芸がその底辺に据えられていることを考えると、ウィーン万国博に端を発する以上のような動きは皮肉な興味をそそらずにはいない。

しかも、美術上の国粋主義は、やがて政治や思想のうえへと波紋を広げてゆくことになる。竹越与三郎（三叉）が『新日本史』中巻に「今や此旧社会慕望の念は、単に美術の上に止まらず、文学の上にも起り、文学と共に、制度典章の上にも起り、制度典章より、直ちに政治思想の上にも起り、今は歴然たる政治的の意義となり」云々〔13〕としるしているのは、まさにこのことを指すのである。

以上が「美術」の初出に関して注意を促したいことの一つ、いま一つは、「美術」の初出の箇所に訳官が付した「西洋ニテ音楽、画学、像ヲ作ル術、詩学等ヲ美術ト云フ」という割註のことだ〔14〕。すなわち、「美術」は、現在のように視覚芸術の意味に限定されてはおらず、諸芸術の意味をもつ語として用いられ始めたわけだが、こうした語史的背景にもかかわらず、工部省が設けた「美術学校」の「美術」とは、現在と同じく視覚に訴える造型芸術の意味に解されるものであった。この学校ではイタリア人教師たち——画家のアントニオ・フォンタネージ、彫刻家のヴィンチェンツォ・ラグーザ、建築家のジョヴァンニ・ヴィンチェンツォ・カペレッティらによって視覚芸術のみが教えられたのである。つまり、意味の絞り込みがあったわけで、その動因としては、輸出伸長にかかわる問題意識が「美術」（＝諸芸術）の中心に造型を見出す——つまり、いわゆる工芸品を重視する——ことになったいきさつや、工業化という国家的要請が絵画、彫刻、文学、音楽などの諸「美術」のなかで「工」と重なり合う部分を重視する発想を生んだということが考えられる。これは「美術」の初出が Kunstgewerbe に由来することと符合する。しかし、そのさらに底の方では、視覚を近代文明の第一の要件とする発想がはたらいていた。大久保利通がウィーン万国博の経験を踏まえて博物館の必要を太政官に訴えた明治八年の「博物館ノ議」の一節、すなわち「人智ヲ開キ工芸ヲ進ルノ捷径簡易ナル方法ハ此ノ眼目ノ教ニ在ル而已(のみ)」〔15〕というくだりは、視覚芸術を諸芸術の王に祭り上げ、「美術」の名を占有せしめることになった動因を正確に示していると思われるのである。

工部省という「文明開化」の先頭を行く現業庁が設けた「美術」の学校が、視覚芸術のみを伝授したことは、それなりの影響力をもったのにちがいない。しかし、同校が授業を開始した翌年には、工部美術学校の意味での「美術」を、工部美術学校をはるかに凌ぐ影響力をもって社会に広める催しが幕を開けることになる。内国勧業博覧会がそれである。四五万人からの人々が訪れたこの博覧会の会場の要の位置には、日本最初の「美術館」が設けられ、そこでは工部美術学校の意味での「美術」の作物が展観に供されたのだ。視覚による近代化の推進装置である博覧会に、いかにもふさわしいこの施設は、明治三六（一九〇三）年の最終回まで毎回設けられ、視覚芸術としての「美術」は、これを介して——また、博覧会について報じるジャーナリズムの言説に打ち跨って——やがて一般性を獲得してゆくことになるのである。万国博覧会を機に造語された「美術」が視覚芸術に絞り込まれてゆく最初の筋道——工部美術学校から内国勧業博へという経路は、とりもなおさず「文明開化」の路線であり、その思想的な基調は啓蒙主義にほかならなかった。lumières

──物質的な合理性にもとづく進歩の観念と光＝視覚の力への信頼の結びつきのなかで、「美術」は視覚芸術へ向けて最初の意味限定を加えられたのである。これは、とりもなおさず、従来の絵画や彫刻が新たな光のもとで見直されることでもあり、この見直しは、とりあえず旧来の「工」概念のもとで開始された。次に引くのは、工部美術学校の規則にしるされた「学校ノ目的」の第一項である。文中の「百工」は工業を意味する。

一、美術学校ハ欧州近世ノ技術ヲ以テ我日本国旧来ノ職ニ移シ、百工ノ補助トナサンガ為ニ設ルモノナリ。〔16〕

「百工ノ補助」の具体例としては、たとえば開校当初の一時だけとはいえ、紙幣局の技生らが紙幣の製版・印刷に役立てる技術を習得するべく同校に通ったことや、青木茂によって詳細に調査された出身者たちの経歴〔17〕──東大造家学科に教え、東京高等工芸学校の校長となった松岡寿、守住勇魚や浅井忠による川島織物の綴織の下絵製作、同じく浅井忠による陶芸の意匠改良、写真館を開いて成功を収めた田中美代治、印刷業を営むことになる岡村（山室）政子──もまた工部美術学校の在り方と無縁であったとは思われない。また、エルヴィン・フォン・ベルツの日記には、工部美術学校の成り立ちを示す興味深い記述がみられる。その明治九年一一月一五日の条で工部美術学校のイタリア人教師たちを、ベルツは「洋式の御所を建てるために招聘された人たち」と呼んでいるのである［18］。この記述の背景には、東遷以来宮殿として用いていた旧江戸城西の丸御殿が明治六年に焼失したために、太政官が明治九年五月に新宮殿の建設を決定、工部省がこれを担当することになったといういきさつがある［図38］。工部美術学校の教師たちは、この新宮殿建設のために雇われたのだとベルツはいうのである。これを裏づける史料はない。しかし、皇居焼亡後、赤坂に設けられていた仮御所を洋風建築に改めるために、ラグーザとカペレッティが寒水石の調査をおこなっていることや、ラグーザが新宮殿に据えるための天皇騎馬像や玉座の製作、それに玄関や階段などの装飾を依頼されていることは、工部美術学校が明治の新宮殿の建設となんらかの関係をもっていたことを強く印象づけずにはおかない。また、小野木重勝によると、ラグーザの教え子である菊池鋳太郎、佐野昭らも皇居の造営に加わっていた［19］。さらに傍証を挙げれば、その当時、フォンタネージが描いた《天人図》や《神女図》［図39］の素描は、新宮殿のための壁画の下絵ではないかと青木茂は推測しており［20］、内務省による博物館建設のプランに「ポンタネジーカ（伊太

図38　明治宮殿の内部

図39　アントニオ・フォンタネージ　神女図　1876-78年　千葉県立美術館

利人)」がかかわったとする証言もある［21］。

　以上の状況証拠は、工部美術学校が、「百工」なかんずく建築と深いかかわりをもつ機関であったということを示している。それについては、尾崎尚文（おざきたかふみ）が興味深い着想を平成元（一九八九）年の「松岡壽展」のカタログに書きしるしている。

　明治九年に工学寮（明治四年設置）内に設けられた工部美術学校は、翌年に工学寮が廃止されると工部大学校の附属機関として存続することになる。工学寮も工部大学校も、現在のいわゆる工科大学にあたり、土木、機械、化学、建築、造船などの諸学科で編成されていた。当初、「技術科」として構想されていた工部美術学校が「学校」として相対的に独立させられることなく、工学系学科のあいだに当初の名で組み込まれていたらどうであったか。尾崎はそう問いかけつつ、新たに「技術科」を設置し、画学・建築装飾学・彫刻学の三学課を設けたとしたら、工学部門と建築・美術部門を併せ持つ画期的な大学となったであろう、というのである［22］。絵画が——それから建築もまた——「工」概念で捉えられていた近世までの発想、また、高橋由一以来、西洋画法が科学技術にかかわる事柄として理解されてきたゆくたてを思うとき、この尾埼尚文の着想は、すくなくとも概念史の水準では正しいというほかかない。

フォンタネージの教え

工部省内部の細かな事情をあきらかにするいとまはないが、大局的な見方をするならば、以上のような成り行きは、「美術」が「工」から離陸する最初の兆しとみなすことができる。そもそも「工」という領域のなかに、絵画と彫刻をひとまとめにする「美術」という外来の枠組みが官によって投げ込まれたことじたいが分離の契機であったわけだが、工部美術学校の設立は、それに隠れもないかたちを与えたのである。尾埼は「工学・建築・美術を併せた大学」と書いているけれど、この時代には、工学、建築、美術という分野は、いまだ充分に分化されてはおらず、語史的にみるならば、これら三つのジャンルは、むしろ、工部大学校の時代以降に完成されたとみるほうが実状に近いのだ。すでに述べたように「美術」概念の形成に工部美術学校は深くかかわっていたと考えられるし、「工学」もまた工学寮にちなむ近代語であった。また、「建築」というジャンル名が一般的に定着するのは明治三〇年に、「造家学会」が、工部大学校にちなむみずからの名称を「建築学会」と改めて以後のこととみてよいだろう。「建築」や「工学」については措くとして、「美術」については、工部美術学校の時代になって現在の概念が形成の緒についたと、たしかにいうことができるのである。

視覚芸術の意味へ絞り込まれていったいきさつについてはすでに述べた。しかし、事はそれにとどまらない。そこにはさらに決定的な変質がともなわれていた。一言でいえば、事は「美術」は、この頃を境に、「工」と相容れがたいものへと変わっていったのだ。もう少し具体的にいうと、「美術」は、科学や技術ということよりも、理念や精神や自己、あるいは内面といったものにかかわる事柄へと——いわば「製作」から「制作」へと——変容し始めるのである。そればかりか、事は「工」じたいの変質にもからんでいた。産業革命の進行に従って従来の手技中心の在り方から工場制機械工業中心の在り方へと「工」概念じたいが、この時期以降、大きく変わってゆくことによって、絵画や彫刻の在り所が「工」の領土から失われていったと考えられるからだ。こうした変化に従って、「工」という近世以来の広範な領域から、新たな意味での「工業」と、形成段階に入った「美術」とが分化し、両者のあいだにはたらく引力と斥力が、その後の「工」の在り方と命運とを決してゆくのである。

このような動きの初発の段階で、「工業」と「美術」の双方に関してきわめて重要な役割を果たしたのが工部省であった。同省は、「工業」の機械化を推し進める一方で、工部美術学校において「美術」の変容を促しもしたのである。ここでは、そのうち「美術」の変質に焦点を絞って、さらに考察を進めてゆくことにしたい。

　産業革命へのスタンバイとして科学的合理性をめざす啓蒙主義の圏域に創設された工部美術学校は、今日の美術学校とは、かなり趣を異にしていた。現在の美術学校はモダニズムの発想——個的表現の自律性と、ジャンルの自律性との二つの自律性を重視する発想を基本に据えているが、工部美術学校はちがっていた。すでにみたように、それは「百工ノ補助」を目的としていたのである。このような在り方は、当然ながら教師の募集条件にも反映された。その条件とは、いったいどのようなものであったのか。それについては「工学寮へ外国教師三名傭入伺ニ付副申」という明治八（一八七五）年四月二〇日付の伺書が残されている。時の工部卿伊藤博文から太政大臣三条実美に当てた伺書である。その「覚書」から引く。

> 日本政府其東京ノ学校ニ於テ技術科ヲ設ケ、画術并家屋装飾術及彫像術ヲ以テ日本生徒ヲ教導スベキ画工・彫工等三名ヲ傭用セント欲ス。／方今欧州ニ存スル如キ此等ノ技術ヲ日本ニ採取セント欲スルニ、今其生徒タルモノ曽テ此等ノ術ヲ全ク知ラザルモノナレバ、之ガ師タルモノハ一科ノ学術専業ノモノヨリハ却テ普通ノモノヲ得ン事ヲ欲ス。此故ニ専業ノモノハ現今此学校ノ希望スル所ニ適セズ。唯此等ノ技術ノ諸分課ヲ教導スルヲ得ベキモノヲ要スル也。（傍点引用者）［23］

このようなもとめに応じてフォンタネージ、ラグーザらが来日することになったのだが、彼らのうち、すくなくともフォンタネージはたんに「普通ノモノ」であったわけではない。造型技法全般に通じているという意味では「普通ノモノ」であったとしても、この言いまわしがともなうニュアンス、すなわち何でも屋的な「画工」という意味合いはフォンタネージにはふさわしくない。フォンタネージは、やがてイタリア近代美術史に名を残すことになる画家であった。「工」概念で処理しうる人材をもとめたところが芸術家がやってきてしまったわけだ。このことが工部美術学校の在り方に影響をおよぼさないはずがない。フォンタネージは、「普通ノモノ」を求める明治政府の意向を汲んでデッサンの基礎から指導をおこないつつ、その講義や自作を通じて西洋絵画の鑑賞的価値についても学生たちに多くのことを教えていったのである。しかも、逆光に特色のあるセピアがかったフォンタネージの風景画のあるものは、大まかな筆跡に画家の身体の痕跡をとどめつつ鬱没とした詩情を漂わせて、伝来の南画にも通ずる趣を有していた。それゆえ江戸時代末期生まれの弟子たちは、フォンタネージのブラッシュワークにエスニックな親近感を必ずや抱いたはずであり、フォンタネージがリソルジメント運動に参加したナショナリストであったことも、建国のパトスが横溢する自由民権世代の弟子たち――小山正太郎は植木枝盛と同じ安政四（一八五七）年生まれ、浅井忠はその一つ下――には輝かしいものに思われたのにちがいない。また、師風を最もよく受け継いだ浅井忠は、後年、フランス留学中の水彩画において水墨画的な感覚を見事に息づかせることになるのだが、エスニシティに根ざすこうした仕事へと浅井が赴くことになる、その最初のきっかけはフォンタネージによって与えられたといってよいだろう。

フォンタネージの得意とした逆光の風景は、当時の人々には汚濁の印象を与えもしたのだけれど、その画風は、江戸時代以来の画法に通ずる在り方において親近感を生徒たちに抱かせるようなところのあったことを見逃すべきではないのだ。隈元謙次郎の『明治初期来朝伊太利亜美術家の研究』所載の藤雅三のノートから授業における師弟の一問一答を引いておこう。ここには巧まざる異文化間コミュニケーションが認められる。冒頭の「我」とは藤雅三、答えているのはもちろんフォンタネージ、問答は幕末以来の南画の流行を背景としている。工部美術学校に入る以前に、帆足杏雨に南画を習ったことのある藤は本格的な南画を描くことができた。

> 我問フテ曰ク、精密ノ画及ビ磊落ノ画世ニ流行スルコト孰レカ勝レリトスルヤ。答ヘテ云フ、精密ナリト雖モ、原物ニ違背スルトキハ、磊落ニシテ其真意ヲ失ハザルヲ却テ勝レリトス。又之ニ反シテ、磊落ニシテ其原物ニ違背スルトキハ、毫モ描カザルニ如カザルベシ。［24］

フォンタネージは、このほかにも色の釣り合いや描写対象の削除など、画面構成にかかわる事柄を説いているが、高橋由一の息子源吉のものと思われるノートにはさらに踏み込んだ発言が見出される。そこでフォンタネージは、「画ニナルベキ所ヲ選ブヲ画工ノ力ト云也」とピクチャレスクについて語り、また、「各自ノ考ヲ使用スル事要用ナリ。故ニ其天然物ニ人ノ考ヲ加ヘ一層之ヲ組立ルニヨル」云々と述べているのだ。それどころか、絵画の生命は「自己性質」であると主張し、自然描写において多少間違いがあったとしても、「味」によってそれを打ち消すことができるとさえフォンタネージは述べているのである[25]。

藤雅三や高橋源吉のノートを併せ読むと、フォンタネージが「百工ノ補助」という工学的発想からする基礎技術の伝授に熱心であったばかりではなく、工部美術学校規則の定める「学校ノ目的」の第二項についても意を用いていたことがわかる。すなわち、その第二項には次のような文言が見出されるのだ。

一、故ニ先ヅ生徒ヲシテ美術ノ要理ヲ知テ之ヲ実地ニ施行スルコトヲ教ヘ、漸ヲ逐フテ吾邦美術ノ短所ヲ補ヒ、新ニ真写ノ風ヲ講究シテ、欧洲ノ優等ナル美術学校ト同等ノ地位ニ達セシメントス。[26]

「欧洲ノ優等ナル美術学校ト同等ノ地位」といっているが、これは、もちろん同質であることを意味するのではない。「吾邦美術ノ短所ヲ補ヒ」と述べているのも西洋風をめざすということではないだろう。また、「新ニ真写ノ風ヲ講究」することは、写実一点張りの構えをとることではあるまい。では、工部美術学校は、いったい何をめざしていたのか。こう問うてみると、この文言には、かなり曖昧な点があるといわねばならず、その曖昧さの拠って来たるところをたずねると、どうやら「吾邦美術」という発想にゆきつくことになるらしい。「美術」という外来の概念が「吾邦」という言葉と結びつき、実態は不明瞭ながら、何ものにも代えがたい「吾邦美術」という観念が成立していて、それが文意を曖昧化しているように思われるのだ。いいかえれば、「美術」における国家レヴェルの「自己性質」が、この言説の前提として想定されているわけである。フォンタネージのいう「自己性質」とは、講義の文脈では作者個人にかかわる事柄であり、いわば近代芸術の常識に属する教えにすぎないのだけれど、リソルジメント運動にかかわったフォンタネージにとって「自己性質」とは、つきつめてゆけば個人のレヴェルにとどまりえないものであったはずであり、これは、明治一〇年代から二〇年代にかけての日本の思想状況についても指摘できる事柄であった。この時代において個の自覚は、フォンタネージを俟つまでもなく、たとえば植木枝盛が明治一三（一八八〇）年一二月三〇日の日付のもとに「人ハ須ラク自ラ世界ヲ造ルベシ」〔27〕としるしたように、そろそろ明確なかたちを取り始めていたのだが、しかし、それが個的な内面世界としてまがりなりにも具体化されるには、遠い迂路を経なければならなかったのである。個の自覚は、一旦は民族のレヴェルを通過しなければならなかったのだ。すなわち、時代は、「自己性質」への関心を、民族国家の建設へ向けて増幅させてゆき、やがて大音声にまで成長させることになる。国粋主義が広汎に台頭してくるのである。

国躰と美術

フォンタネージが病を得て明治一一年に離日したのと入れ替わるようにしてアメリカから弱冠二五歳のアーネスト・フェノロサが東京大学文学部に赴任してくる。専門の哲学以外に美術にも深い関心を抱くフェノロサは来日当初は高橋由一の画塾を訪ねて、ともに西洋画法の普及活動をしようなどと相談したりしていたのだが、時を経ずして国粋派に与することとなった。古典を称揚しつつ、近代の日本文化の零落ぶりを嘆くという典型的なオリエンタリズムの発想から、フェノロサは国粋派のイデオローグとなっていったのである。国粋派フェノロサのデビューを飾ったのが明治一五年の有名な『美術真説』の講演で、これは、「美術」という翻訳語の意味をあきらかにすることを通して、日本の造型の在り方を理論的に価値づける企てであった。理論の枠組みはおおむねヘーゲルに拠っており、

「美術」の本旨は「妙想」(idea)の表現にあるというのが主張の核心なのだが、フェノロサは、かかる西洋的発想から「日本画」の優秀性を弁証し、また、再現性への衝迫に支配されがちであった当時の西洋派画家たちを「理学ノ一派」にすぎないと批判したのである[28]。

しかしながら、西洋派の拠点ともいうべき工部美術学校の教師が「天然物ニ人ノ考ヲ加ヘ一層之ヲ組立ル」ことを教え、絵画の核心は「自己性質」をいかに打ち出すかにあると、すでに教えていたのだから、西洋派の画家の先端部分は――すくなくとも意識のうえでは――「理学ノ一派」であることから脱却しつつあったとみるべきだろう。『美術真説』が出版されたのは、ちょうど、フォンタネージの弟子たちの修業時代にあたっており、浅井忠のその当時のスケッチには、まさしく個人としての「自己性質」とエスニックな「自己性質」とが未熟ながら渾然となって滴り輝いているのが認められる。フェノロサはまた、写実への偏りを戒めて、「能画家ハ常ニ択ンデ美術ノ形質ヲ具スルモノヲ採取スルモノトス」とも述べているが[29]、これは「画ニナルベキ所ヲ選ブヲ画工ノ力ト云也」と教えたフォンタネージの弟子たちにとっては先刻承知のことであった。

フェノロサが二番煎じにすぎなかったとか、西洋派に関する批判がデマゴーグであったなどといいたいのではない。当時の西洋派の多くが再現性にみずからの存在理由を見出していたのは否定すべくもないことだし、高橋由一などは、再現性をアピールするべく、卑俗な日常の事物をことさらに描き出すことさえしていたのである。そうであればこそフォンタネージも、講義において「自己性質」や「各自ノ考」を強調しなければならず、フェノロサもまた、批判の言葉を投げかけなければならなかったのだ。つまり、かたや西洋派、こなた国粋派とそれぞれ帰属を異にする二人の西洋人が、ほぼ同じ時期に「美術」観の大きな転換を準備したという、そのことが重要なのである。しかも、彼らが語ったことは、西洋近代を生きる芸術家にとっては、ごくあたりまえの事柄であった。この二人の西洋人は、一般にいわれるほど遠い存在ではないのである。

彼らの共通点は、「工」概念とのかかわりについても指摘できる。まず、両者は「美術」を科学技術や工業から区別する点において一致している。フォンタネージが、迫真性をめざすだけのテクノロジカルな絵画を超える絵画の魅力——藤雅三のノートのなかの言葉でいえば、「画ノ画タル所以」[30]を説いたように、『美術真説』のフェノロサは「妙想」をもって絵画の絵画たる所以を説き、そこから次のように「美術家」を定義したのであった。

故ニ美術家ヲ以テ通常職工ト同視シ或ハ人ニ役セラル、賤劣ノ工人トナスハ、甚ダ失当トナス。寧ロ之ヲ称シテ万象教会ニ於ケル高徳ノ僧ト謂フモ誣ヒザルナリ。[31]

龍池会による同書の「緒言」には「美術ノ工業」という言葉が見出されるが[32]、フェノロサは、そうした発想に捉われてはいない。フェノロサにとって「美術」は、むしろ宗教に近い存在であったのだ。

「工」ないし「工業」一般から区別される「美術」の特殊性が見定められてゆく過程は、「美術」じたいの「自己性質」が問い正されてゆく過程にほかならなかった。フォンタネージの「自己性質」とは、先にも述べたように直接には作者本人の個性のことを指すのだが、これを個別性の重視というように一般化して捉えるならば、それは「美術」というジャンルの個別性の重視でもありうるのだ。さらに、個別性重視の発想は、すでに述べたように民族や国家の個別性にも通ずるものであり、これら幾重にも見出される個別性への傾きは、たがいに連動する関係にあった。「美術」というジャンルの個別性に照準しながら、その連動についてみてゆくことにしよう。

いうまでもなく個と集団の別をわきまえない行論は危険であるが、しかし、個別性を重視する発想が、個人から民族へと、大きな時代的要請を受けて同心円状に広がり、その広がりのなかで「美術」が、求心的にその個別性を明かされてゆくという動きが、げんに歴史に認められるのである。しかも、こうした同心円的発想が、思考のかたちとして、この当時において一般性をもつものであったことは、『学問のすゝめ』[33]の「一身独立して一国独立する」という言葉に端的に示されている通りである。「地球元来同一気」[34]という信念のもとに油絵の普及に努めた高橋由一の健康な啓蒙主義の地点から、時代は、「自己性質」をめぐって大きく回転し始めていたのだ。

宮川透は『日本精神史への序論』のなかで、明治一〇年代から二〇年代へかけての思想の動きについて、問題は、啓蒙主義が充分展開されることなく「早期のうちに民族的個別的な世界の論理として、また特殊内面的な感情の世界の論理として、屈折していった点」にあるとして、かかる「屈折」を「啓蒙主義からロマン主義への過程」と要約しつつ、そこにおいて日本回帰の運動が起こったことを指摘している〔35〕。同様の「屈折」は、今述べたように、美術史のうえにも認められる。ただし、ここで注意をしなければならないのは、いわゆる「美術史」なるものがまずあって、そこにおいて「屈折」が起こったのではないということだ。この「屈折」において、「美術」は「工業」からの離陸の契機をつかんで、美術独自の在り方を形成してゆくことになるのである。

精神史上に現れた明治の「ロマン主義」は、「工」としての「美術」に理念や自己や内面の次元を与えることで、現在の意味での「美術」を創出していった。政治上のロマン主義の運動が日本回帰とみえながら、じつは、江戸時代までに形成されたエスニシティを再編してネイションとしての「日本」を創出しようとするアクティヴな動きであったように、美術は江戸時代までの「工」の分解と再編を通して創り出されていったわけである。ただし、ネイションの創出と美術の創出のかかわりは単純な因果関係で把握しつくすことのできるものではない。国粋主義運動は「美術」と国家を同一視する発想を含んでいたからだ。東京美術学校が設置された一月後のある講演で、フェノロサは、同校の創設に深くかかわったみずからの主張を振り返って、「日本美術は固有の妙所あり、之を維持するは日本の国躰を維持すると同一なれば、国躰上より之を保存発達せざるべからず」[36]と要約してみせているのである。

美術と「国躰」とを同定するこのような発想は、美術行政上の国粋主義の政治的深化が、明治憲法体制の構築と相即的な関係にあったことを示唆している。自由民権運動を承けて、体制内部に憲法体制構築の動きが本格化すると、明治政府は、さっそく国民——明治憲法の言葉でいえば「日本臣民」——の造型にとりかかるのだが、これとフェノロサの国粋主義への接近は時を同じくしており、しかも、フェノロサの動きは、国粋主義的美術行政の政治的深化と結びついていたのである。表現思想史においても、宮川透が先に引いたくだりにすぐ続けて指摘しているように、「啓蒙主義からロマン主義への転化の方向にたち現われた《日本への回帰》運動は、自由民権運動に対する政治的な反動に伴われた」[37]のだ。こうして、ウィーン万国博を機に起こった造型上の国粋主義は造型の埒を超えて、竹越与三郎のいうように「制度典章より、直ちに政治思想の上にも起り、今は歴然たる政治的の意義」をもつに至ったのである。イタリアやドイツを例に、国家は「文化的共同体」たる民族の伝統に根ざすべきことを主張するヨハン・カスパー・ブルンチュリの『一般国家法』の一章が「族民的の建国並びに族民主義」の題で『独逸学協会雑誌』に訳出されたのが明治二〇（一八八七）年〔38〕、「皇祖皇宗」の神話的な徳性を理念とする「教育勅語」が、帝国議会の開設とセットで発布されるのが明治二三年のことであるが、政治的にナショナリズムが深化してゆくその過程は、とりもなおさず、「美術」が、国家建設の思想的原動力たる民族主義的ロマン主義を内在化させてゆく過程でもあった。啓蒙主義の精神圏に発祥した「美術」は、憲法体制構築の動きを契機として、民族という神話に帰着したのである。

事柄は、いわゆる国粋系の絵画・彫刻にばかりかかわるわけではない。むしろロマン主義的画題は西洋派の方に早く現れた。そのいきさつを簡単にみておくことにしよう。

工部美術学校の「目的」にもみられるように、西洋派の造型に対する国家の価値づけは、明治初期には、主としてその「工」的側面に着目しておこなわれたのだが、明治一〇年代に入って美術の機軸を「国躰」にもとめる国粋主義的な美術行政が支配するようになると、西洋派の造型家たちは「工」的な在り方によっては国家の後ろ盾を期待できなくなった。これは、彼らがテクノクラート的発想から離脱する重要な契機となったはずである。いいかえれば、彼らは「美術」としての絵画の在り方を真剣に問わざるをえないところに追い込まれたのだ。フォンタネージのいう「各自ノ考ヲ使用スルコト要用ナリ」という教えを否でも応でも実践せざるをえないところに立ち至ったわけである。

だが、彼らは、「各自ノ考」を絵画や彫刻に表すことをただちに開始したわけではなかった。そこへゆくのに、彼らは、時代が準備した迂回路を経なければならなかった。彼らは「自己性質」を、いまだ画因にまでなしえず、したがってみずからの主題を把握しえないまま、「美術」観の転換期に直面することとなったのである。こうして明治二三年――この年は大日本帝国憲法発布の翌年、第一回通常議会が召集され、「教育勅語」が発布された年にあたる――に開かれた第三回内国勧業博覧会に、西洋派の代表的な画家たちは神話・歴史主題をもって臨み、外山正一は、これを「画人ハ信ズル所アッテ始メテ画クコトヲ努メヨ、感動スル所アッテ始メテ画クコトヲ努メヨ、「インスピレイション」ヲ得テ始メテ画クコトヲ努メヨ」[39]と批判した。主題の真空地帯に「国躰」の観念が急流をなして流れ込んだのである。

『美術真説』の講演と出版が、明治一五（一八八二）年、同じ年に油絵の受け付けを拒絶した内国絵画共進会が農商務省の主管で開かれ、その翌年には工部美術学校が廃校になってしまう。そして、二番目の官立の美術学校である東京美術学校が国粋的な授業内容をもって開校するのが明治二二年、同じ年に国粋派の雑誌『國華』が創刊され、翌年には第三回内国勧業博に神話・歴史主題が花ひらき、帝室技芸員制度が施行されて、ウィーン万国博以来の国粋主義的美術行政が広く美術界にゆきわたり、権力と結んだ国粋派によって西洋派は圧伏されてしまう……従来の日本近代美術史は、しばしば、このような図式で明治一〇年代後半以降の「美術」史を捉えてきた。以上の論も、おおむね、こうした流れで「美術」の史的展開をみてきたつもりである。しかし、ここで注意を促したいのは、国粋主義の運動と欧化主義の運動を対立の相でばかり捉えると、歴史の機微を見失うおそれがあるということだ。つまり、国粋主義は、たんなる反動ではないし、西洋派も、たんなる欧化主義ではない。事はそれほど単純ではない。先にフォンタネージとフェノロサの言動を一つながりのものとしてみる見方によって示唆したかったのは、こういうことであり、第三回内国博における西洋派の動きは、それを証している。

造型史においてこれを理解するには、国粋派といわれるものが、藤岡作太郎が『近世絵画史』で「国粋発揮は即ち外風輸入の結果なり」と喝破したように［40］、じつは欧化の筋道に展開された運動であったということを、まず押さえるのが重要であろう。西洋派の国粋主義への傾斜は、画題のうえに隠れもないが、国粋派の欧化への傾斜は、必ずしも明示的ではないからである。それが明示的でないのは、「国粋主義」という概念じたいが西欧的なものを大前提として成り立ちつつ、画題や技法－材料によって、そのことが覆い隠されているからだ。そもそも「国粋」とは、ネイションとしての「日本」にかかわる事柄、つまり一九世紀西洋の国家観念にもとづくすぐれて近代的な発想なのである。造型に関しては、国粋主義の理論的な脊柱となったフェノロサの美術論がヘーゲルに由来する西欧的な美学にもとづくものであったことをすでに述べた。同じような事態は学校制度のうえにも見出される。国粋主義運動の精華である東京美術学校は、江戸伝来の画法と江戸仏師系の木彫、それに若干の工芸技法を教授したのみで、西洋派を排除したけれど、この学校は、欧化がもたらした「美術」という近代的概念のもとに設立されたのである。

「工」からの離陸

対外的な場面でのナショナリズムの芽生えは、造型分野においても、たとえばウィーン万国博に向けて高橋由一が描いた富士山の絵〔97頁、図7〕に見られるように、早くから認められる。「洋画局的言」の「国家日用人事ニ関係スルコト軽キニ非ズ」という言葉のなかにもその芽生えは見出される。またウィーン万国博を契機とするジャポネズリへの行政的対応は「工」の国策的再編であった。むろん、そこには経済ナショナリズムもはたらいていた。「工」の近代化は、合理性と進歩性に促されたばかりではなく、鈴木淳が『明治の機械工業』でいうように「工部省が存続していたころまでの初発の段階では、ナショナリズムが強く作用していた」〔41〕のである。つまり、「日本」という近代国家を成り立たせようとするナショナリスティックな情念にかかわってもいた。「工」の近代化は「機械」の導入をその重要な契機としたのであるが、その動きは、物質的な合理性と普遍性と進歩とを奉じながら、潜勢的なナショナリズムによって間接的に動機づけられていたのである。美術が、「自己性質」を梃子として「工」の領土から独立の動きを示したとき、その中心に「国躰」が、いちはやく居座ることになったのは、だから、「工」の間接的な動機が顕在化したのだとみることもできないではない。しかも、その顕在化は、「工」の変容によってもたらされたのにちがいない。次に引くのは、明治二一年に農商務省の山本五郎が金沢工業学校でおこなった講演の一節である。

工業は元来独立のものにして美術と全く離るゝものなり。美術、工業共各々特異の性質を備へて決して同一のものにあらず。言少しく学理に渉ると雖ども工業は独逸語ゲウェルベ、美術は同クンストにして正しく其間に区別あるものなり。……両者とも特異の根元を有し、決してこれを混同すべからず。即ち美術の根元は近来世間に文字も顕れ意味も知れたる美学が第一の根元にして、其の他、哲学、精神学等の学も亦これが根元たるなり。工業の根元は右等と全く別にして、即ち化学、重学（ちょうがく）〔力学〕等の学理を根元として発生したるものなり。〔42〕

「美術」という翻訳語が初出時に関係づけられたKunstgewerbeが、ここでは原理的にKunstとGewerbeに分離させられている。これは、そのまま旧来の「工」概念の分極化にほかならなかった。つまり、「工」こそは、Kunstgewerbeという語と、まっとうに概念を共有しうる語であった。実用性をめざす製造技術と、鑑賞性をめざす絵画や彫刻の制作術がともども含まれていたからというばかりではない。そこには、実用性と鑑賞性の兼備を善しとする技術観が、いわば職人の倫理としてははたらいていたのである。実用的な器物もまた、fineであることを求められたのであり、fineであることによる鑑賞性をめざすはずの絵画や彫刻は、障屏画にみられるように、逆に、しばしば実用性を求められたのである。もっとも、Kunstgewerbeというもともと二語である単語が分解されるのと、「工」の分極化は、その意味合いを異にする。Kunstgewerbeの分解は、いわば折衷の解消であり、概念の純化だが、「工」の分極化は、旧来の概念の解体であり、それと表裏をなす概念の創出であるからだ。しかし、西洋的な概念の受容と在来の概念の解体が裏表の関係にあることは、近代化の過程では決してめずらしいことではなかった。しかも、西洋的な概念の受容は、普遍性への接近として、しばしば捉えられた。分極化による「工」の解体の過程は、西洋をモデルとする近代的な分業と分類の意識からすれば、普遍化へ向けての純化の過程にほかならなかったのである。その過程は、概念の移植とともに産業革命によっても推進された。山本五郎の発言は、たんなる概念規定にとどまるものではなく、産業革命の進展を踏まえた実践論でもあったのだ。つまり、産業革命は分類革命でもあった。こうして、近世以来の「工」という領域は、「美術」概念の移植と産業革命の進展によって「工業」と「美術」へと分極化し、その結果として歴史の後景に退いてゆくことになるのである。

ところで、産業革命が進展し、山本五郎のいうように「工業」が「化学、重学等の学理」に基礎づけられるようになると、手技のコノテーションとして発揮されてきたナショナリズムは「工」において行き場を失うことになる。科学的な合理性がナショナリズムに取って代わって「工業」の近代化の実質的な動因となるのである。あるいは、ナショナリズムは、動機としての間接性を強め、いわば大義のようなものへと変じてゆくのだといってもよい。「工業」の近代化に由来するこうした動きは、分化の動きと相俟って、ナショナリズムが「美術」において顕在化するのを大いに助長したのにちがいなく、すでに述べたように、ナショナリズムは、この頃から「美術」の実質的な主題となってゆく。山本五郎の講演は、開明的国粋主義の拠点誌『日本人』創刊の翌年——すなわち国粋主義が政治・思想の上へと広がりをみせ始めた状況のもとでおこなわれたのであり、このような動向のなかで画家たちは神話・歴史主題へとおもむき、彫刻家たちは国家的なモニュメントの制作にいそしむことで、それぞれナショナリズムを実体化してゆくことになるのである。

夫レ美術ハ国ノ精華ナリ。国民ノ尊敬、欽慕、愛重、企望スル所ノ意象観念、渾化凝結シテ形相ヲ成シタルモノナリ。〔43〕

岡倉天心が草したとみられる『國華』発刊の辞に「百工」の文字はすでにない。「美術」

は、「工」という実業を離れ、国家の華となった。発刊の辞には、「工業経済ノ道ヲ開致セズンバアルベカラズ」〔44〕というくだりが見出されるものの、これはほんの申し訳にすぎない。この文言は大義を述べたにすぎず、そこには空疎な響きがある。「工業」においてナショナリズムが大義になったように、「美術」においては「工業」が大義として祭り上げられることになったのだ。岡倉の関心の中心にはナショナリズムがあった。それをいかにして「美術」の主題に据えるかという問題があった。岡倉が来たるべき絵画として挙げたのは「歴史画」であり、来たるべき彫刻として称揚したのは国家的英雄の「銅像」であった。これは、「工」から離陸し始めた「美術」の指針であり、また、離陸への促しでもあり、さらには、離陸の事実そのものでもあった。離陸の事実を示す事例はこれにつきない。たとえば、この国の博物館は明治五（一八七二）年の草創以来、工業を含む博物館として運営されてきたのだが、明治二二年に帝国博物館となって以来、歴史および美術への傾きを強めてゆき、帝国博物館では存置された工業部門は、明治三三（一九〇〇）年に帝室博物館となるや博物館から姿を消してしまう。ここには、文明開化の装置から国家のシンボルへと変質してゆく博物館の在り方とともに、工業と美術を切り離して捉えようとする発想が制度的なかたちをとって示されているといえるだろう。

また、岡倉天心らの東京美術学校は当初から建築を専修科目に数えながら、そのじつ明治二〇年代末まで有名無実の存在にすぎなかったことにも、美術と「工」との冷え切った関係が見て取られる。岡倉は、美術学校における建築の教育には乗り気ではなく、本来それは工科大学の造家学科においておこなわれるべきだと考えていたのであった。かくして、工学部門と建築・美術部門とを併せもつ大学のことは夢のまた夢となり、『國華』発刊の辞が示すように美術は国家とともに新しい夢を追って、第三回内国勧業博覧会の美術館には歴史、伝説、神話に取材した絵画が並ぶことになるのである。審査員として同展に臨んだ岡倉天心は報告書で、「日本画」について「今回出品中ニ於テモ歴史上ノ事実ヲ描キ出セルモノ尠（すくな）シトセズ。然レドモ是レ等ハ未ダ人心ヲ感動シ、忠君愛国ノ情性ヲ興起スルニ足ラズ。必ズヤ新ニ其法ヲ求メザルベカラズ」としるしながら、むろん、内心ほくそえむところがあったにちがいない。げんに岡倉は、油絵については「進歩ノ最モ著大ナルモノハ、歴史画ノ人物画中ニ顕ハレタル是ナリ」[45]と述べているのである。こうして第三回内国勧業博覧会は、フォンタネージのいう「自己性質」が民族の「自己性質」へと読み替えられてゆく過程の、その重要なメルクマールであるのだが、この博覧会には注目すべき点が、このほかにもまだいくつかある。

まず、この回からそれまでの無鑑査方式を改め、「美術」部門にかぎって出品鑑査がおこなわれるようになった。公権力が「美術」を価値概念として確立しようと企図したわけであり、これは「美術」内部の価値序列の決定に連動していた。筆頭に絵画が置かれ、次に彫刻が位置づけられ、最後に工芸がくる現行の美術のヒエラルキーが——つまり、視覚芸術としての価値体系が、この回に至って内国博の分類に示されることになったのである。

ただし、工芸が美術のヒエラルキーの底辺に位置づけられたといっても、工芸というジャンルが内国勧業博に登場するのは、この第三回博が最初であり、しかも、このときの枠組みの名称は「工芸」ではなく、「美術工業」であった。この時点では、いまだ「工芸」は「工業」とほぼ同義で用いられていたので、現在の意味での工芸をいい表すには「美術工業」という語を構成する必要があったのだ。この「美術工業」が、絵画と彫刻の下位に位置づけられたのである。明治二〇年に開かれた東京府工芸品共進会では、もろもろの工業製品とともに「工芸」の名で一括されていた「和漢洋法の諸画」[46]は、制度的な気流に乗って急角度で「工」の地平から上昇し始めたわけだ。

明治初期の美術行政では美術の代表と目されていた工芸が、ここに至って絵画の下に置かれるようになった理由としては、すでにみたところからあきらかなように、ナショナリズムの翼に乗った「絵画」の上昇ということが考えられるのだが、これだけでは、工芸がヒエラルキーの最底辺に位置づけられたことを説明することはできない。それを説明するためには、工業に対する美術の斥力に注目する必要がある。内国博分類にみられる工芸の処遇には、「美術」における自立志向が、「工」に対する反発力としてはたらいていたのである。しかも、この斥力は、工業の動きによっても相対的に強められた。工業もまた、在来の「工」からの自立の動きを、ただし、美術とは相容れぬ方向性において開始していたのだ。じつは、「工業」という内国博の部門もまた、第三回において初めて設けられたのであり、それまで「製造物」や「製造品」という名で呼ばれていたものが、この回に至って「工業」の名のもとに一分野として確立されたのである。もっとも、その内容をみると、陶器、七宝、金工、漆器など、その多くが「美術工業」と重なっており、実際、両部門のあいだで出品物の入れ替えがおこなわれたりもしたのであるが、しかし、「工業」部門の多くは「機械」部門と重なり合ってもいた。すなわち「機械」にもとづく現在の在り方へと「工業」概念が再編されつつあるようすが、そこにうかがわれるわけである。

こうした「工業」刷新の動きが、近世以来の手仕事の部分を周縁部に押しやることになるのはいうまでもない。その手仕事のうち「美術」とかかわる部分が、第三回内国博において「美術工業」という枠に収められることとなったわけだが、この部分は理念の高みへ向けて「工」の地平から離陸しつつあった美術にとっても周縁的な存在でしかありえなかった。精神性を求める「美術」と機械的なものへとおもむく「工業」のいずれの指向とも十全に馴染むことのない曖昧な工芸は、こうして「美術」からも「工業」からも疎んじられるようになるのである。「応用美術」「美術工芸」という名において新たな「工芸」概念が社会的に兆し始めるのは明治二〇年代後半、ちょうど産業革命の初期と重なる時期のことであり、これ以後第三回内国博を経て明確な概念が形成されてゆく過程は、「工芸」の語が大工業の意味から解放されてゆく過程でもあった。

「工業」と「美術」の分化に関連して、建築のことに一言だけふれておこう。「建築学会」命名の重要な契機となったと目される伊東忠太の明治二七（一八九四）年の評論「「アーキテクチユール」の本義を論じて其訳字を撰定し我が造家学会の改名を望む」のなかに「「アーキテクチユール」は果して一科の美術なる乎、将た又た一科の工芸なる乎、之を判定すること極めて難し」［47］というくだりがある。ここにいう「工芸」とは工業の意味であり、ここから当時、建築が工芸（「美術工業」）と同様の境遇にあったことがわかるのだが、建築はかかる中間的な在り方ゆえに「美術の最下等なるもの」［48］とさえみられていたのであった。伊東のめざすところは、それをまっとうな美術として一般に認知させることであり、そのためには工部大学校に由来する「造家」に代えて、その頃、美術の用語として定着しつつあった「建築」を選ぶべきであると伊東は考えたのである。そうして、建築が美術としての内実を備えるためには、まずもって「東洋人即ち日本人の主観的精神的の感覚」［49］を研究しなければならないと主張したのであった。「美術」としての「建築」という名の起源にも「国躰」は濃い影を落としていたのである。

啓蒙の弁証法

高橋由一の幕末からウィーン万国博、工部美術学校、そうして内国勧業博覧会へといたる啓蒙主義の流れのなかから、徐々に頭をもたげてきた「美術」は、啓蒙主義の反対物をはらむことで、すくなくともひとたびは啓蒙に別れを告げなければならなかった。近代の光明の部分を啓蒙主義に代表させるならば、「国躰」と同定される美術は、近代の闇の部分を代表するといってよい。あるいは、それを反近代と呼ぶことも可能であろう。

とはいえ、美術はつねに反近代にとどまっていたわけではない。闇に与し続けてきたわけではない。むしろ、光こそ視覚芸術たる美術の本性にかなっているというべきであり、実際、反近代の闇との戦いの歴史を、美術はすでに充分築き上げている。しかしながら、西洋という名の文明圏に普遍を夢見ながら、それに倣い、それを追うことを進歩と信じる啓蒙のおこないが、その果てで、みずからのうちに啓蒙の反対物をはらんでしまった成り行き、輝きのゆえに闇をはらむそのいきさつを、われわれは決して忘れてはなるまい。「工」の領域に翻訳によってもたらされた「美術」という言葉の意味を「自己性質」を求める近代の発想に従って追究してゆくあいだに、「美術」は、「工」の近代化を潜在的に支えてきたナショナリズムの次元に吸い寄せられ、ひいてはそれの顕在化に一役買うことになる。そうして、「美術」は、その次元に沿って「工」の地平から離陸を始める。「美術」は啓蒙の理路に従いつつ、やがて啓蒙と対向することになるのである。

離陸する「美術」の先端は、もちろん視覚芸術の雄たる絵画であり、彫刻がそれに続いた。明治二七年に刊行された横井時冬の『工芸鏡』には仏工についての記述はあっても、画工は取り上げられていない。黒川真頼が『工芸志料』の序で「画工」について記述することを予告してから十幾年かのあいだに起こったことを、この事実が何よりも雄弁に物語っている。絵画は、精神性をもとめ、また、もとめられることで機械工業からはもちろん、美術工芸からも遠い存在となってしまったのだ。そして工芸もまた、そのような絵画のゆくえを追うことになる。『工芸志料』の漢文の序が「国用」[50]を重視しているのに対して、美術工芸にねらいを定めた『工芸鏡』の擬古文の序が作者の「心」を重視しているのは、この間の変化を如実に映し出しているだろう[51]。

むろん、かつての「工」に「心」がなかったというのではない。自娯の境地にまで達した職人たちの fine な細工は、そのことを示している。絵画が「工」という枠組みで捉えられる場合にも「心」が等閑視されたことは決してなかった。しかし、明治になって事情は一変した。殖産興業政策の下で「工」全般が物質的合理性や経済性への傾きを決定的なものにし始めるのだ。その動きを表象するのが「機械」、とりわけ動力機械であり、それが「工業」を制覇してゆくなかで、「心」に関する事柄が、「機械」に対抗するいわば大義として回帰してきたのである。そして、かかる回帰の道筋はまた、絵画が「工」から分離する岐路でもあった。いいかえれば、これ以後、絵画は文事としての在り方を強めてゆくことになるのである。

ただし、注意しなければならないのは、「工」が衰亡してゆく状況のなかで回帰してきた「心」が、急速に内面の翳りを帯びていったことだ。ここは、その筋道について論ずべき場ではないが、主題とのかかわりで一つだけ述べておくと、ナショナリズム形成の主流が、対外的なものから国民の造型という対内的なものへと転換したことが内面性への傾きを強化したということができるように思う。すなわち、本来は個として捉えられるべき「自己性質」からネイションへと広がる同心円の動きは、「自己性質」の内なる闇へと向かう求心的な動きをも伏在させていたのである。

まことにホルクハイマーとアドルノが『啓蒙の弁証法』でいうごとく「神話を解体し、知識によって空想の権威を失墜させることこそ、啓蒙の意図したことであった」[52]。しかし、またホルクハイマーとアドルノのいうごとく「啓蒙によって犠牲にされたさまざまの神話は、それ自体すでに、啓蒙自身が造り出したものであった」[53]のだ。

註

[1] 大森惟中『明治十年内国勧業博覧会報告書 第四区 機械』(内国勧業博覧会、一八七八 序)、四頁。ちなみに、この回の列品分類では、「美術」部門(第三区)が、「製造物」部門(第二区)と「機械」部門(第四区)のあいだに置かれている。この位置は、「工業」概念の変化をともないつつ工業化社会へと向かう時代の「美術」の社会的イメージを、よく示しているといえるだろう。

[2] 佐藤道信「「美術」と階層――近世の階層制と「美術」の形成」、『MUSEUM』第五四五号、五七～七六頁。

［3］柳源吉編『高橋由一履歴』、青木茂・酒井忠康編『日本近代思想大系』第一七巻「美術」（岩波書店、一九九六）、一七〇頁。

［4］［3］に同じ、一七一頁。

［5］［3］に同じ、一七二頁。

［6］［3］に同じ、一七四頁。

［7］高橋由一「螺旋展画閣創築主意」、青木茂編『高橋由一油画史料』（中央公論美術出版、一九八四）、三〇五頁。

［8］「明治五年博覧会出品目録 草稿」、東京国立博物館編『東京国立博物館百年史 資料編』（東京国立博物館、一九七三）、一五三頁。

［9］「工業総載」、神社司庁編『古事類苑』産業部一（吉川弘文館、一九七〇）、四八五〜五一〇頁。

［10］黒川真頼ほか編述『工芸志料』（博物局、一八七八）、三頁。

［11］黒川真頼「工芸志料序」、［10］に同じ、三頁。

［12］「工部省ヲ設クルノ旨」、『大隈文書』イ一四・A四五五。

［13］竹越与三郎『新日本史 中』、松島栄一編『明治文学全集』第七七巻「明治史論集（一）」（筑摩書房、一九六五）、一六七頁。

［14］「澳国維納府博覧会出品心得」、［3］に同じ、四〇四頁。

［15］大久保利通「博物館ノ議」、東京国立博物館編『東京国立博物館百年史』（東京国立博物館、一九七三）、一二八〜一二九頁。

［16］「工部美術学校諸規則」、［3］に同じ、四二九頁。

[17] 青木茂編『フォンタネージと工部美術学校』、『近代の美術』第四六号、四六〜七八頁。
[18] エルウィン・ベルツ／トク・ベルツ編、菅沼竜太郎訳『ベルツの日記 上』（岩波文庫、一九七九）、五六頁。
[19] 小野木重勝「明治宮殿」、「明治宮殿の杉戸絵展」カタログ（博物館明治村、一九九一）、一〇五頁。
[20] 青木茂「解説（一）」、[3]に同じ、四六七頁。
[21] 「明治建築座談会（第一回）」、『建築雑誌』第五六六号、五四頁。ジョサイア・コンダー（コンドル）設計の博物館の建設現場に工部大学校の「現場見習生」として勤務した河合浩蔵の発言。
[22] 尾埼尚文「松岡壽と工部美術学校」、「松岡壽展」図録（神奈川県立近代美術館・岡山県立美術館、一九八九）。
[23] 「工学寮へ外国教師三名傭入伺ニ付副申」、『公文録 工部省之部 明治八年五月』。
[24] 「フォンタネージ講義（一）――藤雅三記録」、隈元謙次郎『明治初期来朝伊太利亜美術家の研究』（八潮書店、一九七八）、一四五〜一四六頁。
[25] 「ホンタネシイ氏講議」、[7]に同じ、三九四頁。
[26] [16]に同じ、四二九〜四三〇頁。
[27] 植木枝盛「無天雑録 未定稿 壱」、『植木枝盛集』第九巻（岩波書店、一九九一）、八頁。
[28] アーネスト・フェノロサ、大森惟中筆記『美術真説』、[3]に同じ、五三頁。
[29] [28]に同じ、三九〜四〇頁。
[30] [24]に同じ、一四五頁。
[31] [28]に同じ、四五頁。

［32］［28］に同じ、三五頁。

［33］福澤諭吉『学問のすゝめ』（岩波文庫、一九九七）、二九頁。

［34］「高橋由一油画史料」（文書番号三－四）［7］に同じ、二一九頁。

［35］宮川透『日本精神史への序論』（紀伊國屋書店、一九七七）、一五～一六頁。

［36］「鑑画会フェノロサ氏「帰朝」演説筆記」、山口静一編『フェノロサ美術論集』（中央公論美術出版、一九八八）、一三三頁。

［37］［35］に同じ、一六頁。

［38］ブルンチュリ、訳者不明「族民的の建国並びに族民主義」、田中彰・宮地正人編『日本近代思想大系』第一三巻、「歴史認識」（岩波書店、一九九一）、四三二～四四一頁。

［39］外山正一「日本絵画ノ未来」、［3］に同じ、一三一頁。

［40］藤岡作太郎『近世絵画史』（金港堂、一九〇三）、三六四頁。

［41］鈴木淳『明治の機械工業』、『MINERVA日本史ライブラリー』第三巻（ミネルヴァ書房、一九九六）、三五三頁。

［42］山本五郎「美術ト工業トノ区別　博物館ノ効用」、『日本美術協会報告』第二一号、二九～三〇頁。

［43］岡倉天心「『國華』発刊ノ辞」、『岡倉天心全集』第三巻（平凡社、一九七九）、四二頁。

［44］［43］に同じ。

［45］岡倉天心「第三回内国勧業博覧会審査報告」、［43］に同じ、八七頁、八八頁。

［46］「工芸品共進会出品人心得」第四項、『東京府工芸品共進会報告』（東京府、一八八七）、一六頁。

［47］伊東忠太「「アーキテクチュール」の本義を論じて其訳字を撰定し我が造家学会の改名を望む」、

『建築雑誌』第九〇号、一九五頁。

[48] 伊東忠太「建築術と美術との関係」、『建築雑誌』第七五号、八〇頁。

[49] [48] に同じ、八七頁。

[50] 村山徳淳（拙軒）「工芸志料序」、黒川真頼ほか編述『工芸志料』（博物局、一八七八）、三頁。

[51] 黒川真頼「工芸鏡序」、横井時冬『工芸鏡 上』（六合館、一八九四）、一頁。

[52] M・ホルクハイマー、T・アドルノ／徳永恂訳『啓蒙の弁証法』（岩波書店、一九九四）、三頁。

[53] [52] に同じ、九頁。松宮秀治「明治前期の博物館政策」（西川長夫・松宮秀治編『幕末・明治期の国民国家形成と文化変容』〈新曜社、一九九五〉）が、この逆説によって日本近代における博物館史を論じている。

印象と表現——日本印象主義のアポリア

in-/ex-

　印象主義とは、美術史のうえでは一九世紀後半のパリに起こった絵画運動を指す。その運動が拠り所としたのは、世界を純然たる光の相において再現しようとする絵画観であった。いいかえれば、世界を実在の相ではなく、あくまでも個的な視覚現象として捉えるということを印象主義はめざしたのである。共同的に形成された名辞的世界——「樹木」や「岩」という分節によって組み上げられた世界を括弧に括り、純粋で個的な現象へ向けて知覚を浄化しようと企てたのだ、といってもよい。

　だから、印象主義の画面には、生き生きとした即興性が、しばしば感じられる。技法的には、じかにカンヴァスに絵具を置いて直接的に仕上げてゆくプリマ描きが選ばれた。半透明の絵具を薄く伸ばして重ねてゆく伝統的なグレーズ画法は過去のものとなった。練り上げられ磨き上げられた完成度を印象主義はもとめない。いってみれば下描きを、そのまま仕上げとする発想である。こうして世界は、濡れた絵具の色をして、そのつど、そこに生まれ出るものとなった。

「印象」に対応する欧語のimpressionは、「内へ」を意味する接頭辞im-(in-)と、圧することを意味するpressionから成っており、「印象」のほかに「感銘」「感想」「印刷」「出版」「痕跡」「印影」などの意味をもつ。このpressionに「外へ」の意味をもつ接頭辞ex-がつくと「表現」の意味になるのだが、impressionとexpressionというこの一対の概念にはたんにベクトルを逆にするという以上の関係が見出される。そこには構造的な連関が認められる。この一対の概念を手がかりに、しばらく日本の印象主義について考えてみたい。

緑色の太陽

日本における印象主義の受容は明治二〇年代に始まる。試みに『早稲田文学』の記事で、その経過をたどってみると、明治二七(一八九四)年一一月発行の第七五号が、前月の『国民新聞』から次のような記事を採録している。文中の「黒田」はむろん黒田清輝、「久米」は久米桂一郎を指す。

油絵は従来実物摸写をのみ力めしが近年欧州に「インプレシヨニスト」なる一派起こりて清淡瀟洒なる東洋風の画行はれ今回帰朝せる黒田、久米の諸氏によりて我が国に伝へ

られたる喜ぶべし。［1］

印象主義が、ここで「清淡瀟洒なる東洋風」と解されているのは、当時の日本社会における印象主義理解の構えを示していて興味深い。また、明治二八年の第一〇〇号が「今は英、仏ともにぶつつけ描きの絵画を善しとするに至れり」という状況を紹介しつつ、これを「アムプレッシヨニスト派の流行」と結びつけているのも、この当時、文人画再評価の兆しが見え始めていたことを考え合わせて捉えられるべきだろう。

印象主義を東洋絵画に引きつけて理解する発想は、同年の第九六号や第九八号で、impressionist に「写意派」の訳語をあてていることにもうかがわれる。「写意」が文人画の最も重要な発想であることはいうまでもないが、写意を「日本画」の特質とする見方もあった。明治二九年の第二期第四号は、「南派」と称される黒田や久米の画風の特質を「意を写す（アンプレシヨニズム）」と規定する説を紹介したあとで、「是れに因みありて面白きは」として、「日本画」の真骨頂は「写意」にあるとする橋本雅邦の説を報じているのである。要するに、印象主義は、幕末以来の「形似」に重きを置く、たとえば高橋由一に代表されるようなリアリスティックな西洋画とはちがって、日本絵画に親和性を有する絵画として——ただし、印象派というとすぐに浮世絵を連想する現在の理解とは異なる位相で——受容されたのである。

impressionist に「印象派」の訳を宛てた例としては、『国民新聞』からの引用で、「印象派」に「イムプレツシヨニスト」とルビを振っているのが第一〇〇号に見出されるが、語史的にみると、どうやら、まず、外来語が流布したらしいことが以上の例から知られる。このことは、日本初の美術の専門辞典である大正三(一九一四)年刊の『美術辞典』からも指摘できる。この辞典は、「インプレッショニスト」「インプレッショニズム」「インプレッション」の項目を立てたうえで、それぞれ「印象派」「印象主義」「印象」の訳語を宛てているのだ。この辞書の編纂には石井柏亭、久米桂一郎、結城素明ら実作者が加わっており、「インプレッショニスト」の項には、制作に即した記述が見出される。また、「印象派のスケッチのなかには、夥しく調子に真実味のある面白い作品も見出されるが、また線とか形とかの力を無視した処に欠点もないではない。而して今日ではまたそれに対する反動さへ起つた」というくだりがあって、当時の日本における印象派の評価の一端を示してくれてもいる。

ここに「反動」というのが、後期印象派の台頭を指すのはいうまでもない。大正三年といえば、すでにフュウザン会が二回の展覧会を終えて解散しており、日本でも表現主義的傾向が台頭しつつあった時代である。また、その四年前には高村光太郎の「緑色の太陽」が、表現主義を高らかに宣言してもいた。この宣言文で高村は、芸術に「絶対の自由」を要求する立場から「絵画としての優劣は太陽の緑色と紅蓮との差別に関係はない」として、内部に兆す「燃える様な色彩」や「夢の様なTON」の解放を宣言したのである。

高村は、ここで内面からの表出、つまりは表現としての絵画の有りようを宣揚したのであり、このことは「緑色の太陽」というタイトルに端的に示されている。「緑色」は、日本社会において太陽を表象する色彩「紅蓮」の生理補色、つまり瞑目したとき瞼に映る残像の色なのだ。印象主義にとって天空に輝く実在の太陽こそは絵画の源泉であり、モネは、その太陽の昇りゆく姿を「紅蓮」の色に描いたのだが、高村は、それを天空から人間の内部へと反転、移行させたのであった。

しかし、この宣言には、単純に表現主義と呼ぶわけにはいかないところがある。たとえば匠(たくみ)秀夫の『近代日本洋画の展開』にみられるように、「緑色の太陽」は、しばしば「印象派宣言」と解されてもきたのである。つまり、pressionに関してex-であり、in-でもあるというアンビヴァレントな見方が成り立つわけだが、これは高村の文章表現の曖昧さに起因すると同時に、絵画上のimpressionとexpressionの関係の根本にかかわる事柄でもあるだろう。

文章表現の曖昧さというのは、第一に、高村が、内面の色彩や色調(ton)を惜しみながら、それを「自然の観かた」に結びつけて論じていることを指す。高村は、内的な自発性と、外界としての自然の触発とを野放図に関係づけてしまっているのだ。次に、この文章が、絵画上の郷土主義への批判として書かれたことも事柄を曖昧にしている。すなわち、日本の「LOCAL COLOUR」（地方色）などにこだわることなく、自分が見たままの「自然の情調」を画布に表せばそれでよいという主張を、local colour＝固有色＝「紅蓮」の相対化と重ねながら、内面的な色彩＝「緑色」を肯定する方向へと論を進めているのである。

こうした論の進め方は、高村の提起した問題が、たんに視知覚の問題にとどまるものではないことに関係している。すなわち、事は、見ることばかりではなく、描くことにもかかわっている。そして、事柄が絵画制作にかかわる以上、高村は問題を、「自然の観かた」から描き方へと当然ながら転位しなければならない。受動的な主観性から主観の能動性へと事柄を転換しなければならない。高村は、こうして主観を内面性として捉える発想へと進んでゆき、内面に明滅する「燃える様な色彩」や「夢の様なTON」を擁護するに至るのだ。

ただし、このような理論展開は、高村個人の発想法にばかり由来する事柄ではない。ここには絵画上のin-とex-のあいだの一筋縄ではいかない本質的な関係が示されてもいる。だが、高村は、主観の内発性と外発性、その受動性と能動性の関係を充分に説き明かすことなく論を進めたため、「緑色の太陽」は先述したようなアンビヴァレンスを誘発することになったのである。

高村が、ここで理論的な問いつめをしなかったのは、この文章が挑発を狙いとする即興的な論争文である以上、やむをえないところがあるとはいえ、こうした表現の機微に関する事柄を純理論的に問いつめることじたい、そもそも困難であるといわなければならない。それをつきつめるには、結局のところ、実作に即して考えるほかないのだ。

光と顔料

図40　黒田清輝　昼寝　1894年　東京国立博物館

黒田清輝は、およそ一〇年におよぶフランス留学から帰国した翌年の明治二七年に《昼寝》［図40］という油絵を描いている。代表作と見なされる《湖畔》（明治三〇年）のすがすがしさや、《鉄砲百合》（明治四二年）の爽やかさとはかなり異なる作風で、留学帰りの青年画家らしい覇気の感じられる作品である。草上の敷物に腕枕で側臥する白衣の女性の頰、首、肩口、袖、それから周辺の草の上にも木漏れ日らしい光が、ことさらに強調されており、そのため、この絵は「印象派的」と称されもするのだけれど、しかし、それでは、この絵が in- の絵画であるかといえば、そういいきるのはむつかしい。この絵は ex- の動勢をはらんでもいるのだ。

この絵について、同時代の批評は、皮膚を描き忘れたのではないかと揶揄したが、なるほど、この絵は皮膚を欠いている。ただし、皮膚をもたないのは画中の女性ではない。皮膚を欠如させているのはこの絵じたいである。この絵は、磨き上げられ、ニスで覆われた古典絵画のような仕上げを施されていないのだ。いわば下描きにして仕上がりというのがこの絵の身上であり、これはまさしく印象主義絵画の特性であった。しかし、黒田の筆触は、印象主義とのズレも感じさせずにはおかない。それらは、必ずしも光の現象を捉えるべく供されているわけではない。むしろ、黒田は筆触の自発性を楽しんでいるようにさえみえる。そのことは、画面のいたるところに跳ね躍る朱色において著しい。ちょっとモネを連想させるこれらの朱には、たんに印象の再現といってすますことのできないものが、たしかに認められるのである。

とはいえ、《昼寝》の黒田が再現性を捨て去っているわけでは、もちろんない。皮膚を描き忘れたのではないかという揶揄は、この絵に筋肉の存在を認めているということ、つまり、黒田が実在に沿ったモデリングを捨て去ってはいないということをも示しているのだ。腕の部分にせよ、着物の布目にせよ、筆触は、しばしば物象のヴォリュームや状態に沿うようにして用いられており、このことは、黒田が自然主義の土俵にとどまっていることを示している。

だが、たとえそうだとしても、黒田が、この絵画に、実在のたんなる再現とも、光の現象の絵画的記述とも異なる次元をもたらしていることは否定できない。このことは浅井忠の画面と比較すればよくわかる。浅井の《伝通院》(明治二六年)や《曼珠沙華》(明治三七年)にきらめく朱の筆触が再現描写のなかにほどよくおさまるアクセントにとどまっているのに対して、黒田の筆触は、画面上に分散しつつ、画面を、いわばゲリラ的に制圧しているのだ。これらの朱が仮に映発を示しているのだとしても、たとえば坂本繁二郎の《張り物》(明治四三年)の朱に示されるような光への現象学的接近は、ここにはみとめがたい。ここには再現を超えたものがある。《昼寝》における朱色は、渋い赤となって《智・感・情》(明治三二年)の人体の形を縁取ることで、やがてその観念性をあきらかにするだろう。

同様の事態は、《昼寝》の二年後に描かれた《大磯鴫立庵》(明治二九年〔図41〕)にも見出される。夏木立から日光が碑や橋の上に差し込むようすを描いたものだが、森鷗外は、この絵が日光の溜まりを絵具の物質感を強調する筆づかいで表していることについて「看者その異様なるに驚きて、種種の説をなしたるものなるが、こは夏日の樹蔭のありの儘を試みに強き顔料もて写し出せるに過ぎざるべし」(「丙申秋季画評」明治二九年)と書いている。「ありの儘」かどうかは疑わしいものの、鷗外の評言は、この絵の二つの位相を——in-とex-の位相を的確に言い止めている。夏の強い日差しの有りさまを「強き顔料」で

図41　黒田清輝　大磯鴫立庵　1896年　鹿児島市立美術館

描くという二重の強さをこの絵は、たしかにもっており、この「強き顔料」において、黒田の絵画は、in-から ex-へと向かう絵画のベクトルをはらむのだ。それは、見ようによっては絵画の破綻ともいえるけれど、しかし、この破綻において黒田の絵画は、当時における現代性を獲得したのであった。

かつてフリッツ・ノヴォトニーは、印象主義は光の絵画ではなく、じつは、光を色として捉えたがゆえに光を喪失したとするすぐれた逆説を提示した。たしかに印象派の絵にはカラヴァッジオやレンブラントが描いたような光は見出されない。つまり、印象主義の描き出す光は、横ざまに見られる客体としての光——たとえば雲間から差し込む光のような——ではないし、また、実在に付着して実在の姿を浮かび上がらせる物象化された光でもない。印象主義の光は、大気を横切り、物象の上に現れる光ではなく、画家の視野を覆って瀰漫する光——いいかえれば、客体＝事象と主体＝人間の内部とを、まっすぐに連関させる光、主観と客体のあいだに成り立つ現象そのものであるような光なのだ。島村抱月が印象派を「内外徹底せざれば休まざらんとする自然主義」(「文芸上の自然主義」明治四一年)と呼んでいるのは、そういう意味で、まことに適切な理解といわなければならないのだが、しかし、そうだとして問題は、じつはその先にある。主観と客観を結ぶプロセスを絵にするというのは、従来のリアリズムでは解決しがたい事柄であるからだ。リアリズムとは主観＝内界に客観＝外界を対置する発想であるから、主観と客観を貫く現象としての光を表現するためには、どうしてもリアリズムのシェーマを超えなければならず、「内外徹底せざれば休まざらんとする自然主義」としての印象主義は、したがって、自然主義的リアリズムを踏まえつつ、しかも、それを超える方途を模索しなければならないのである。

それればかりではない。絵画が制作の過程を踏むものである以上、つまり、見ることに自足するものではない以上、画家は、現象としての光を、そっくり絵具に置き換える過程を経なければならない。現象としての光を、絵画として示そうとするとき、画家は、それを絵具という実在に凝結させ、客体化するほかないのである。こうして、画家は、再び光を喪失する。「こは夏日の樹蔭のありの儘を試みに強き顔料もて写し出せるに過ぎざるべし」という何気ない鷗外の言葉の背後には、こういう絵画のアポリアが控えていたのだ。

歴史的にみると、このようなアイロニカルな事態を回避する方途は大ざっぱにみて二つあった。一つは、絵画を光学的な装置とみなすことで、網膜上に色彩の現象を直接引き起こそうとする行き方、すなわち「点描主義」と呼ばれる新印象主義の視覚混合である。いま一つは、絵画を主観＝内面の側へ引きつけることで絵具の物質性を――「強き顔料」を――内面を表現する媒体として受け入れてゆく行き方であり、これは、リアリズムの自壊的展開として、やがて表現性の絵画を生み出すことになる。そして、点描も、やがては身体性を宿す筆触となって、そこに合流することになるだろう。

理念としての光

表現性をめざした早い作例を、黒田以後の日本近代絵画史にもとめるならば、青木繁の《黄泉比良坂》（明治三六年〔図42〕）のドローイング（この身体的な線の乱舞は「清淡瀟洒なる東洋風」の延長上に――技法こそ西洋的であるものの――位置づけることができるだろう）や《海》〔図43〕の連作（明治三七年）のコンマ型の筆触（それは身体動作のインデックスであると同時に微分化された内的時間意識の痕跡であり、時間化される主体の在り方を告げているだろう）を挙げることができる。ただし、ここにいう「表現」とは、内面世界の表象を第一義とするものではない。精神的なものが絵画の物質性において直接的に実現されることを第一義とする。つまりは、精神の実践として絵画制作を成り立たせる方途が、ここにいう「表現」であり、ここにおいて、絵画の目的は、内面の「表現」から精神的なものの絵画的「実現」へとズレを生じる。この「実現」の絵画の極北は、思うに、絶対抽象において見出されるはずなのだが、しかし、日本における表現の絵画は極北を目指す強力な意志を胚胎した例を未だもたない。

日本近代絵画史における「点描主義」に目を向ければ、斎藤豊作、児島虎次郎、太田喜二郎といった画家たちが見出される。だが、彼らの仕事を、印象主義の極北ないしはクリティカルポイントとしての点描主義と同日に語るわけにはいかない。彼らの点描は、しばしば趣味的な装飾性に流れ、スーラに見られるような厳格な造型性も科学精神も欠いてい

図43（上）　青木繁　海（部分）
1904年
図42（下）　青木繁　黄泉比良坂
1903年　東京藝術大学大学美術館

る。日本の点描派を支配しているのは、感覚の繊細さでこそあれ、デカルト的な理法としての内面性——デカルトが bon sens の名で呼んだ精神的なもの——の発揮は、ついにみられることなく終わるのである。児島や太田がベルギーという北方の地に絵画を学んだことを、ここで考慮すべきだとしても、いま述べたことは、日本の精神風土にかかわる事柄として明記しておかねばならぬだろう。また、理法としての内面への無自覚が絶対抽象の不在の由因でもあることはいうまでもあるまい。

日本の印象主義の展開に欠けているのは理法としての内面ばかりではない。モネの画面に見られるような光のラディカリズムも、そこには見出しがたい。現象としての光に目を挺する構えはない。日本の印象主義には、光への繊細な感覚はうかがわれるとしても、不穏なまでの光への傾倒はみられないのだ。なぜだろうか。鈍い光が支配する本州の風土を標準とする「LOCAL COLOUR」に足をすくわれたのでもあろうか。しかし、事柄は、もっと深い問題を指し示しているように思われる。モネにみられるような光のラディカリズム——リアリズムを臨界点までつきつめたラディカリズム——は、モネにとって光が、たんに視覚のリアリズムを成り立たせる媒質であるのみならず、一つの理念であったからこそ可能だったのではないかと思われるのである。

しかし、理念としての光を、日本の近代絵画史がまったく知らなかったのかといえば、そうではない。次に引くのは、高橋由一の「画学局的言」の一節である。

宇宙ノ瞑々黯々タルモ日月ノ光輝ヲ受ルニ当タレバ、直ニ隠陽凸凹、遠近、深浅ノ形状〔瞭然〕タリ。［2］

「光あれ」という聖句を思わせるこのくだりは、高橋が、新プラトニズム的伝統のなかに西洋が保持し続けてきた理念としての光について関知していたことを示している。高橋由一は、リアリズムにおける光の根源的意味を洞察していた。だが、日本の近代絵画史は、こうした高橋の洞察を凌ぐ実作を――高橋由一自身も含めて――はたして幾点もちえただろか。日本の印象主義にまつわる問いは、こういう根本的な事柄へと思考を差し向けずにはおかないのだ。

註

［1］「日本美術協会と明治美術会（澹園）…『国民新聞』」、『早稲田文学』七五号（「時論」欄）、四四頁。

［2］「画学局的言」、青木茂編『高橋由一油画史料』（中央公論美術出版、一九八四）、二一五頁（文書番号三-一）。〔　〕内は柳源吉編『高橋由一履歴』（青木茂、酒井忠康編『日本近代思想大系』第一七巻「美術」〈岩波書店、二〇〇〇〉所収）によって補った。

終章　「分類の時代」の終わりに

場所じゃないな、穴だ。網のことさ。もはや捕まらないものなんてないような網があって、それは底引き網なんだ。この網に、どうにか穴を見つけてやりたくて。

——アントニオ・タブッキ『いつも手遅れ』

それゆえ、一般的分類には必然的に自由裁量が残るのである。最も自然な配置は、気づかれないほどの微妙な差——それは諸対象を分離するのと結合するのとに同時に役立つ——によって諸対象が次々に並ぶような配置であろう。

——ジャン・ル・ロン・ダランベール「百科全書序論」

『カモノハシくんはどこ?』［図44］という絵本がある。ウィリー・グラサウアの絵とジェラール・ステアのテキストから成るこの本は、子ども向けの動物分類学入門書なのだが、

図44『カモノハシくんはどこ？——生きものの分類学入門』
ジェラール・ステア作
ウィリー・グラサウア絵
河野万里子訳
福音館書店、2002年

単なる啓蒙書に終わっていない。分類という行為のアポリアを見事に衝いているからだ。

話は、動物たちの学校の新学期に「カモノハシくん」が新しい生徒として加わるところから始まる。この学校を取り仕切る人間の教師は、授業開始にあたって動物たちをグループに分けようとするのだが、カモノハシくんは、どうしてもうまくグループに収まらない。卵生なのに母乳で育ち、嘴があるのに羽をもたない。しかも、嘴には歯がついている。水かきのついた前足と爪のある後足をもち、からだは毛でおおわれている。しかも毛並は熊のようなのに、尻尾はカワウソにそっくりなのだ。つまり、動物界のどのグループからもはじき出されてしまうのである。

どのグループにも入れず仲間外れになってしまったカモノハシくんは、泣きながら学校を去ってゆき、それに気づいた教師と動物たちが探しに出かけて、無事に学校に連れ戻す。その後、教師はグループを前提とする授業をやめて、それぞれの動物ができること、得意とするところを活かす授業をおこなうことになる。そして、カモノハシくんは学期の終わりには、「おともだちの　一とうしょう」に選ばれる。

二〇世紀初頭に美術の世界に登場したいわゆるアヴァンギャルドは、カモノハシくんに似ている。絵画、彫刻、あるいは音楽やダンスのようでありながら、そのいずれでもないという脱ジャンル的な在り方、つまり既成の分類に収まらないという点でアヴァンギャルドはカモノハシくんと相通ずる。ただし、美術のアヴァンギャルドは、仲間外れになってめそめそしたりはしなかった。美術の世界で、どんどん勢力を伸ばして「一とうしょう」になって現在に至っている。こうした動きを、一九八〇年代から二〇〇〇年代に至る日本社会における美術と美術館の関係を概観することで捉え返し、あわせて、そこに見出される問題のいくつかを示してみようと思う。

美術館の時代

一九八〇年代から二〇〇〇年代前半にかけて、日本では、国立、公立、そして私立の美術館が全国に次々と開設されていった。これは前代未聞の光景であった。一八七七年の内国勧業博覧会で、「美術館」を名乗る最初の建物が建てられてからおよそ一〇〇年、同時代美術のための最初の恒常的な展示施設「東京府美術館」が開館しておよそ七〇年にして「美術館の時代」が到来したのである。

相次ぐ美術館の開設は、当然ながら美術界に大きな影響を与えずにはいなかった。美術館が、ジャーナリズムやマーケットを従えて美術界を制覇することになったのである。美術館の収蔵活動によってマーケットの様相は一変し、画廊や観衆も、また、ジャーナリズムさえも美術館を師表と仰ぐようになっていったのだ。

美術館というトポスの形成は、また、新たな文化リーダーの登場と連動してもいた。美術館の企画に携わる学芸員たちは、展覧会と言論活動とによって新たなトピックスを次々と打ち出し始めたのである。国公立美術館に焦点を絞っていえば、美術界に官僚主導の体制が布かれたわけであり、こうした状況は、行政によって美術界が導かれた明治時代の再来を思わせるところがあった。

九〇年代半ば以降になると、バブル経済の崩壊と地方財政の破綻が引き金となって美術館の活動は急速に勢いを失ってゆくことになるのだが、美術館のもつ力は、いまもなお決して失われていない。あなどることのできない存在として、美術館は美術界に君臨し続けている。

美術館開設ラッシュの経済史的背景としては、一九七〇年代のオイルショックを契機とする第三次産業の発展と、一九八〇年代半ばに始まるバブル景気とが挙げられる。産業構造についていえば、鉄鋼、造船などのハードな産業が後退し、サーヴィス業主体のソフトな産業が拡大していった時代である。これを大きく見てとれば、工業社会から情報社会への転換と捉え返すことができるのだが、こうした状況は、ライフスタイル情報を商機とするセゾングループの活動に端的な例を見出すことができる。いいかえれば、「文化」というものの商品的価値が、改めて見直された時代、ひとことでいえば文化産業の勃興が「美術館の時代」の背景を成していたわけだ。

政治史的には、八〇年代から九〇年代初頭にかけての冷戦体制の終焉過程を経て、ネイション－ステイトの意義や枠組みが、改めて問い直されるようになった時代であった。国家という政治的な「分類」の意義が問い直される状況が到来したわけだが、問い直しは、二重性を帯びていた。社会主義圏がネイション－ステイト体制へと移行する一方で、旧来の自由主義圏では、欧州連合（EU）の動きに示されるように、国境が相対化されてゆくという背反する世界史的動向が並行して見出されたのである。ひとことでいえば、ネイション－ステイトをめぐる「分類闘争 lutte des classements」（ピエール・ブルデュー）が熾烈に展開されたのであり、この問題は、いまもなおくすぶり続けている。

思想史的には、モダニズムの批判的検証が、様々におこなわれ、科学の時代としての近代を律してきた「大きな物語 grands récits」あるいは「メタ物語 métarécit」（ジャン＝フランソワ・リオタール）が終焉を宣言された。科学万能の箍（たが）がゆるみ始めたわけだが、箍のゆるみは他の領域にも及んだ。たとえば「ネイション」「国家」「革命」「個人」、そして「芸術」などの近代的諸概念を価値づけてきた近代固有のイデオロギーが急速に力を失い始め、それに取って代わって、ペダンティックなポスト・モダニズムのお喋りが思想界に蔓延してゆくことになるのである。

美術への回帰／「美術」の再-構築（アップデイト）

では、肝心の美術界はどうであったのか。日本の状況に即していえば、六〇年代アヴァンギャルドへの批判的潮流が表面化した時代であった。美術が「美術」に対して批判的に、もしくは否定的にかかわる「反芸術」のアイロニカルな在り方が、表象の否定を旗印とする六〇年代末の「もの派」において極点に達して以後の状況を承けて、七〇年代半ばあたりから、美術の新たな可能性を模索する動きが起こったのである。世界史的観点からいえば、モダニズムの還元主義が、たとえばドナルド・ジャッドの「スペシフィック・オブジェクト」に見られるようなかたちにおいて極相をあらわにして以降の時代、いいかえれば、前衛的なものを超え出ようとするいわゆる「トランスアヴァンギャルディア」の時代ということになる。すなわち、還元主義的モダニズムの行きづまりをターニングポイントとして、改めて美術の可能性が様々に探究されていったのが、この時代であった。平面造型についていえば、絵画の物理的規定である瘦せた平面性から豊穣な絵画性への転位、さらには八〇年代の新表現主義の台頭にみられるイメージ性の復権などの動きであり、立体造型においても、これと並行する主張と現象がみられた。

ひとことでいうならば「美術への回帰」の動きであり、美術館の興隆は、こうした動きと踵を接して始まったのである。むろん、これは決して偶然ではない。美術館という施設は、「美術」という制度を有体化したものにほかならないからである。美術の再活性化は、美術の再-制度化の企てでもあったわけだ。

ただし、「美術への回帰」は、アヴァンギャルドへの単なる反動ではなかった。回帰の契機となった危機の意識は、アヴァンギャルド系現代美術の自己批判的発想によって醸成されたものであったからだ。「美術への回帰」は、アヴァンギャルド系現代美術の突端で起こった出来事であり、それゆえ単純な回帰ではありえなかったのである。このことは、当時の絵画が、しばしば、「もの」的次元を強調するようなかたちをとったことに見てとることができる。単純な回帰というのは、美術を人間にとって本質的な事柄と見なすオブスキュランティズムのことであり、「美術への回帰」を唱える七〇年代の批評の中には、そのような発想が見受けられはしたものの、制作の具体相に眼を向けると、そこにラディカルな批判的次元が見出されるのである。

「美術への回帰」は、美術の、そして絵画や彫刻の再活性化であるのみならず、「美術」の再-構築（アップデイト）の企てでもあったわけで、これ以後、美術は、自らのオルタナティヴを模索し始めることになる。美術館活動においても、やがて、それと同期する企てが、制度-施設（インスティテューション）の再-構築（アップデイト）という倍音を伴いながら開始されることになるだろう。

オルタナティヴ・アートの台頭

いうまでもないことながら、オルタナティヴを求める美術の動きは、この時代になって始まったわけではない。「現代美術」や「現代アート」と称されてきたものは、要するに既成ジャンルに収まらないオルタナティヴ・アートであり、その歴史は二〇世紀初頭におけるアヴァンギャルドの登場にまで遡る。

しかしながら、七〇年代後半から九〇年代にかけて見出されたオルタナティヴへの動きは、それ以前のアヴァンギャルドとは、かなりおもむきを異にしていた。二〇世紀のアヴァンギャルディズムを特徴づけてきた既成ジャンルへの「否定」が鳴りをひそめ、歴史的な分類名を踏まえたオルタナティヴの探究がおこなわれたのである。「別の絵画」「別の彫刻」「別の工芸」が、総じていえば「別の美術」が模索されたのだ。

二〇世紀前半のアヴァンギャルドが美術と非美術の境界上に展開されたのに対して、七〇年代半ば以降のアヴァンギャルドは、美術ジャンルの、そして絵画や彫刻といった下位ジャンルの中心を——「中心」という隠された境界を——突破しようとするジャンル内在的なアヴァンギャルドであったということができる。こうした発想は、モダニズムの還元主義と相通ずるものであるが、「美術への回帰」としてのアヴァンギャルドにおいては、本質的属性へ向けて収斂してゆく還元主義のマイナス志向ではなく、逆に、諸属性の潜在的可能性を解き放つ過剰な内在性によって「別の美術」を生み出してゆく構えがとられた。

内在が、そのままジャンルの拡張でもあり、拡張が、そのまま変質でもあるようなスタンスである。あるいは帰属が背反でもあるようなスタイルといってもよい。

ただし、この時代におけるオルタナティヴの探究は、既成ジャンルを踏まえる試みばかりだったわけではない。従来とはまったく別の媒体やジャンルの探求もおこなわれた。たとえば、「インスタレーション」や「パフォーマンス」、また、後に「アート・アクティヴィズム」や「ソーシャリー・エンゲイジド・アート」などと称されることになる現実介入型の試みなどである。これらは、歴史的な美術の枠組みに収まりきらないものの、「別の絵画」「別の彫刻」の場合と同じく、既成ジャンルへの否定性を基調としない点において二〇世紀前半のアヴァンギャルドと大きく異なっていた。いいかえれば、新たな媒体やジャンルを打ち立てようとする創発性や積極性において際立つ動きであり、それゆえに「別の美術」の探究と称することもできるのだが、こうしたスタンスは、六〇年代アヴァンギャルドの一側面であった楽天的な肯定性の継承とみることもできる。

六〇年代アヴァンギャルドの楽天性は、テクノロジー・アートに、はっきりと見出される。「発注芸術」とも称されたテクノロジー・アートは、近代的主体概念にもとづく美術の在り方に対して実践的に異を唱えつつ、その天王山であった七〇年の大阪万国博で資本制べったりの未来志向的スタンスをあらわにしたのであった。それゆえ、テクノロジー・アートは、厳しい否定にさらされることにもなったのだが、コンピューターにもとづくハイ・テクノロジーの目覚ましい進展によって、やがて縮小再生産されることになる。つまり、パビリオンから画廊空間へと場所を移すことになる。これは、六〇年代アヴァンギャルディズムにおける楽天主義が継承された典型例とみることができるだろう。

現実にコミットメントする「アート・アクティヴィズム」の動きは、芸術や美術に課されてきた制度的限界を踏み越えることによって、それらの潜在的可能性を掘り起こそうとする企てであり、その意味で、「美術」ジャンルの再‐構築（アップデイト）を目指す実践であったといえる。こうした動きが起こった動因としては、先に挙げた美術のモダニズムの行きづまりということもさることながら、情報時代の到来ということも大きく作用していた。事物を作り出すことを社会的価値の基軸とする工業社会と共に登場した「美術」と呼ばれるジャンルは、工業社会が遠ざかる状況において、変質を余儀なくされたのだ。

事物から情報へ、「もの」から「こと」へと機軸を転換することが求められたわけで、美術は「造型」という語を以てしては捉えがたい別の手法を多様に派生させ始めたのである。アーティストや観衆の動作と相関的に成り立つパフォーマンスやインスタレーションの演劇性は、そのことを端的に物語っている。盗用（アプロプリエーション）という挑発的な名のもとに、情報の引用を推進するシミュレーショニズムは、そのラディカルな一様態であった。

以上のような出来事は、八〇年代以降になると美術館建設ラッシュと足並みを揃えて進行してゆくようになり、そうした動きのなかから、やがて、美術の再–構築(アップデイト)という発想をオルタナティヴ・アートと共有する美術館が出現してくることになる。今日みられるようなオルタナティヴ・アートの隆盛は、美術館のバックアップによるところが大きいのだが、これも「反芸術」以前のオルタナティヴ・アートと大きく異なる点だ。六〇年代におけるオルタナティヴの探究は、「オフ・ギャラリー」という当時の言葉に示されるように、美術館の外部を主要な場として展開していったからである。

美術館の「乱立」は、美術館とオルタナティヴ・アートが契合する重要な契機となった。各地に出現した美術館は、当初、ご当地作家を中心とする日本近代美術の見直しを推進していたのだが、それが一定の成果を挙げ、やがてルーティン化し始めると、新たなコンテンツを求めて、競ってオルタナティヴに眼を向けるようになったのである。インスタレーション、ハイテクにもとづくテクノロジー・アート、ヴィデオ画像の投映によるムーヴィー、美術と非美術の境界にたゆたう写真、それからマンガ、服飾、アウトサイダー・アート、アジアの近現代美術、建築、批評など、オルタナティヴなジャンルや作品が、さらには大正アヴァンギャルドや具体美術協会など歴史的アヴァンギャルドが美術展のコンテンツとして注目を集めるようになり、美術館とオルタナティヴの持ちつ持たれつの関係が形成されていったのだ。

それればかりではない。オルタナティヴ・アートにまつわる企画は、美術館を変質させずにはおかなかった。ほんらい光に充ちたはずの場所である美術館に、上映のための暗い部屋が設けられるようになり、サウンドも響き渡るようになっていったのである。事柄は企画や展示にかかわるばかりではない。やがて、かかる事態は作品の収蔵にまで影を投げかけることになる。定義上、旧来の美術ジャンルの分類に収まりきらないオルタナティヴ・アートの収蔵は、登録（分類）においても、保存においても、修復においても、さらには公開（展示）に関しても、まったく別の構えを必要とするからである。具体例を挙げれば、パフォーマンスのように記録としてしか保存できないものの場合、ライブラリーあるいはアーカイヴズと美術館の新たな関係づけが要請されることになるのだ。

以上のような動きの中で、企画を現代アートに焦点化する美術館が次々とあらわれ、「現代美術館」を名乗る施設も登場してくることになるのだが、この手の美術館の先駆けとなったのは「西武美術館」（八九年に「セゾン美術館」と改称）だった。その開館に際して、創立者の故堤清二は、展覧会図録に寄せた「時代精神の根據地として」という文章のなかで次のように述べた。オルタナティヴ・アートの隆盛に先立つ一九七五年のことである。

作品を大急ぎでジャンル別に分類しなければ気が済まないという一事をとってみても、

百科辞典的な知識を前提として美術品の前に立つことがいかに多かったかを証明しています。私達がこれから取扱う作品は、その意味では分類学的な境界を無視していると言えましょう。その結果として、印刷、映像、生活美術等に、対象が拡がっているという印象を見るひとに与えることになるかもしれないと思います。ただ多種多様の作品をとおして、常に時代精神の表現の場であって欲しいと願っています。（傍点引用者）

「分類学的な境界を無視」とは、まさしくアヴァンギャルディズムの特質であり、オルタナティヴ・アートの特質でもあることはいうまでもない。

「アート」という外来語

現代美術館にみられるような、制度へのオルタナティヴの取り込みは、一見、美術領域に拡大をもたらすもののようにみえる。しかし、オルタナティヴ・アートの目指すところは、美術領域の単なる拡大ではなく、それによる「美術」の再定義であるというべきだろう。演劇性を帯びたパフォーマンスやインスタレーション、また、現実介入型のアート・プロジェクトは、美術の潜在的可能性の発掘という意味で、また、非美術としての現実を目指す実践である点において、いわゆる美術とは大きく異なっている。これを、なおも「美術」と称するのであれば、視覚的な造型に立脚してきた美術とは異なる定義を「美術」

の語に与える必要があるのはいうまでもない。オルタナティヴ志向は、こうして「美術」それじたいのオルタナティヴへと逢着することになるのである。

このことを端的に示す言語史的な事例がある。「アート」という外来語が七〇年代半ばあたりから、しばしば用いられるようになったことだ。外来語の軽やかな響きに惹かれて、「美術」や「芸術」と変わらない意味で用いる軽薄な用例が大半を占めていたとはいえ、この単語の使用は、旧来の用語を以てしては把握しがたい事態が増大したという現象を――たとえ無意識的にであれ――承けてのことであったと考えることができる。「美術」を再定義する必要が、新たな用語を呼び寄せたのだ。

たとえば、社会現実に切り込んでゆく現実介入型の企てを美術として捉えようとすると、当然ながらそこに軋みが生ずる。芸術の一分野としての美術は、「現実」の生活から切りはなされた鑑賞の次元において存立してきたからだ。「現実」介入型のプロジェクトを、美術として捉えるのは不適切というほかないのである。現実介入型の企てを、その目指すところに即して肯定的かつまっとうに捉えるためには「美術」も「芸術」もふさわしくない。そのためには、「美術」「芸術」を統合する「技術」概念をこそ用いるべきだろう。

しかし、それにもかかわらず現実介入型の企ては、「アート・アクティヴィズム」の名のもとに、しばしば美術領域の事象として論じられている。このような事態を支えているのは、思うに「アート」という語の背後にある多義性、すなわちartが「技術」「芸術」

「美術」という意味のひろがりをもつという言語的事実であるのに違いない。「アート・アクティヴィズム」や「オルタナティヴ・アート」は、こうした「アート」の多義性ゆえに、美術からの離反と、美術への帰属を、あたかも呼気と吸気のごとく交互に繰り返しつつ現在に至っているのである。美術領域の拡大と変質の関係について先に述べたが、それを可能とする上で「アート」という語の果たした役割は決して小さくない。この語は、帰属しつつ変容を促し、変容を促しつつ帰属するよそ者的スタンスを美術の世界にもたらしたのだ。

岡倉天心は、一九〇四年のセントルイス万国博覧会の芸術・科学会議で“Modern Problems in Painting”（絵画における近代の問題）と題する講演をおこない、その中で近代を「この分類の時代」（this age of classification）と呼んでいるが、以上にみてきたように、その近代の出口において、美術をめぐる「分類」は――「絵画」「彫刻」といった「美術」における分類と、「美術」という分類枠そのものとが――限りなく相対化され始めている。いいかえれば、これは造型にまつわる分類の危機であるのだが、その背後に、分類という行為そのものの危機がひかえているのを見のがしてはなるまい。

分類じたいの危機は、インターネットあるいはデータベースという「知」のテクノロジーによってもたらされた。インターネットにおけるキーワード検索では、対象にまつわる体系的分類（クラシフィケーション）を必ずしも踏まえなくてもよいからだ。利用者が自由にタグを付すことができる

「フォークソノミー」（folksonomy）に典型的にみられるように、重要なのはウェブサイト上の情報にいかなるタグが付されているかであり、利用者は、そのつど必要に応じてタグを頼りにグルーピングしてゆけばよいのである。「カモノハシくん」を引き合いにだせば、彼も、その他の動物たちも、ともどもに卵生、哺乳、嘴、歯、水かき、爪などのタグに分解され、ネット上に浮遊しつつ、脱体系的に検索されるのを待つことになるわけだ。

また、仮に体系的分類（クラシフィケーション）をおこなうにしても、コンピュータリゼーション下においては、グループとグループの関係づけは、いかようにも変更可能であるため、体系的分類もまたアドホックなものとならざるをえない。「気づかれないほどの微妙な差」（ダランベール）による配置は、そのつど変更可能なのだ。

タグを付する場合に——あるいは属性（アトリビュート）の次数を増やしてゆくときに——現存する語彙にまつわる分類体系（シソーラス）の影響は、もちろんまぬかれがたい。タグを付けようとするとき、自らが属する言語圏の語彙、要するに知の地域性（ローカリティ）を、どうしても身に帯びざるをえない。しかし、たとえそうであるとしても、ジャンルにまつわる既存語彙の影響力を過大にみつもらないよう注意するべきだろう。「美術」語彙に関していえば、上にみてきたように、それは、すでにじゅうぶん相対化されているのである。

ただし、急いでことわっておかねばならないが、美術の分類にまつわる融通無碍な有りようは、そもそも「美術」という語に、事の初めからつきまとっていたとみることもできる。ウィーン万国博において、「美術」という語が翻訳造語されたとき、それは絵画、彫刻のみならず、文芸や音楽をも含む意味を含んでおり、しかも、絵画と彫刻は、ひとまとめにされていなかったのだ。これが、art の多義性とかかわる事柄であることはいうまでもない。

オルタナティヴの時代にまつわるアイロニカルなパラドックス

美術のオルタナティヴと美術館のかかわりは、美術からの逸脱と帰属の呼吸を際立たせずにはおかない。美術館は、「美術」のボーダーゾーンとして、オルタナティヴの逸脱性を際立たせながら、しかも、それを包括することで、オルタナティヴが、あくまでも美術のオルタナティヴであることを強調することになるからだ。しかも、オルタナティヴの美術館への回収は、オルタナティヴのメインストリーム化を促しさえする。

しかし、この逸脱と帰属の呼吸は、美術の制度（インスティテューション）‐施設と、そのオルタナティヴの双方の有りようが曖昧化されてゆく過程でもあった。

まず、オルタナティヴは、造型のメインストリームであり続けてきた美術のシステムに取り込まれることで、オルタナティヴたるゆえんを限りなく曖昧化せざるをえない。オルタナティヴがメインストリームたる美術に帰属するということは、定義上、ほんらい不可能であるはずだからである。だから、あまたのオルタナティヴが束となってメインストリームを成すとすれば、それらは、もはやオルタナティヴと称することができない。美術の分類の網に開いた穴であったはずのものが、網目に変わってしまったような事態だからである。

一方、美術館がオルタナティヴを次々と受け容れてメインストリーム化してゆくことは、美術というシステムが複雑化してゆくことであり、その結果、美術ジャンルは曖昧化せずにはいない。自らを複雑化することによって初めて美術館は美術の現状に対応するものとなりうるのだとして、しかし、その結果として、システムとしての美術は現実環境との境を——自己と非自己の境を——曖昧化せずにはいないのだ。この曖昧さは、複雑化によってシステムとしての機能が失調を来した結果にほかならない。複雑化はジャンルとしての統制をなしくずしにせずにはおかないのである。

さて、それでは美術館は、こうした二重の過程に、いったいどう対処すればよいのか。現実への対応と、自らの護持とを、いかにして両立させればよいのだろうか。

オルタナティヴを取り込むことで美術館もまた変質せざるをえないということは、いいかえれば、美術館もまた、自らのオルタナティヴを求めることを迫られずにはいないということである。先に触れた「現代美術館」という名称は、そのことを示している。しかし、それでもなお美術館は——「現代美術館」という名称が「美術館」という三文字を含むように——制度としての美術を体現する存在として現在に至っている。それゆえにオルタナティヴという穴を網目に変じてみせるマジックをも美術館はやってみせないわけにはいかないのだ。

そればかりではない。オルタナティヴを取り込むことによって、美術館はさらにアイロニカルな事態にみまわれざるをえない。自己と非自己の境界を曖昧化するとき、制度－施設（インスティテューション）としての美術は、危機意識ゆえに却って美術と非美術の境界の意識を先鋭化せざるをえなくなるのだ。オルタナティヴの時代にあっては――宮川淳風のいい方をすれば――どのようなものも美術たりうるとして、しかし、それでもなお美術がすべてであり、すべてが美術であるわけではないからである。

しかし、自己と非自己の差異の意識をどれほど先鋭化しても、オルタナティヴの取り込みは、制度－施設（インスティテューション）としての美術の存立を脅かさずにはおかない。内包（共通属性）と、それに相当する外延（帰属する具体的対象の範囲）とは反比例する関係にあるからだ。どのようなものも美術たりうるとすれば、「美術」概念の外延は際限ないひろがりをもつことになり、それと反比例する内包は限りなくゼロに近づくことになるのである。つまり、こうした事態の究極において美術は――少なくとも理論上は――名ばかりの存在と化してゆかざるをえないのだ。なぜ、名は消え残るのか。「美術」という分類枠がさまざまなタグの無限定な集合と化しつつあるこの時代の現実と、それらを、なおも「美術」と呼ぶかどうかという歴史にかかわる語彙の現実とは、まったく別の事柄だからである。

ドナルド・ジャッドの有名な言葉——「誰かが自分のアートがアートだといえば、それはアートなのだ」（If someone says his art is art, it's art.）という指摘は、美術というものが唯名的（ノミナル）な、あるいは唯名論的（ノミナリスティック）な存在となったことを——美術が「美術」になってしまったということを端的に告げている。その「誰か」のエイジェンシー、それこそが現代の「美術館」なのだというべきなのかもしれない。

＊エピグラフの『いつも手遅れ』からの引用は和田忠彦の、「百科全書序論」は橋本峰雄の、また、本文中の『カモノハシくんはどこ？』からの引用は河野万里子の訳によった。

初版「後記」

本書に収めたのは、一篇をのぞいて、あとは、すべて一九九〇年代に書いた文章である。この一〇年の僕の仕事で、美術史にかかわるものは、だいたい、ここにつくされている。

＊

一九八九年に出版された『眼の神殿――「美術」受容史ノート』（美術出版社）というはじめての著書で、僕は、「美術」という概念が西洋から受容され、それが制度を通して社会に定着してゆく過程をたどってみた。しかし、「美術」受容史というのは、この国における「美術」の形成について考えるための前提にすぎないと僕は考えていた。「美術」という言葉が翻訳を契機として造語されたのちに、その語の周辺に、社会的な意味の場が形成されてゆく過程を僕は「形成」と呼ぶのだが、西洋における art や Kunst の在り方を基準にして日本の近代美術を考えようとする立場からすれば、おそらく「変容」と呼びたいところであろう。しかし、それは、僕のとるところではない。むしろ、そのような発想を批判するために、僕は『眼の神殿』を書かねばならなかったのだ。

むろん欧語からの翻訳を契機とする以上、西洋における概念の在り方を考慮しないわけにはいかないし、「形成」の過程で、西洋における概念が絶えず参照された事実もある。しかし、その事実も含めて、受容史の過程をポジティヴかつ内在的に捉え返すために、あえて「形成」という語を僕は用いる。art でもなく Kunst でもない「美術」という語が、明治初期の社会的コンテクストに放り込まれたとき、そこに、いったい何が起こったのか、また、それ以後に何が起こり、起こりつつあるのか、つまりは、近代日本における〈美術〉概念の成り立ち（歴史と構造）を僕は見極めたいのだ。ありていにいえば、少年のころから長きにわたって僕の心を捕らえ続けてきたものの正体を見届けたいのである。「形成」の過程を捉えるためには、制度としての美術からあふれ出ようとするものに眼を向けなければならない――『眼の神殿』の終章に僕は、そうしるしている。しかし、いま振り返ってみると、いったい、この一〇年間、何をやっていたんだという思いを禁じえない。ここに収めた文章を改めて読み返してみると、「美術」受容史の周辺を、うろつきながら、この一〇年が過ぎたことがわかる。制度史的な事柄を追うのが精一杯で、事柄が生起する社会的コンテクストや、制度からあふれ出るものにまで充分に考察がおよんでいない。

ただ、「美術」の成り立ちについて、国家との関係を多少なりとも踏み込んであきらかにしえたようには思うし、「美術」と美術のさまざまなジャンルとが、どのようにして枠組み化されていったのかということについて、日本における近代化の文脈に即して、いささかなりともあきらかにしえたのではないかと自負している。もし、本書が「美術」形成史の探究に寄与するところがあるとすれば、これらの点においてであろう。そこで、国家、「美術」、美術諸ジャンルそれぞれの境の意味を込めて書名を『境界の美術史』とし、「「美術」形成史ノート」とサブタイトルを付した。「ノート」の語には、本書の限界についての弁えの意味を込めたつもりだ。

*

用いた史料についてかえりみると、これも制度史的受容史の範囲を出ていない。しかし、僕は怠惰を決め込んでいたわけではない。制度史の史料の可能性を形成史研究へ向けて開いてゆくために、僕は、繰り返し、その読解に取り組んできたつもりだ。繰り返しアプローチするなかで対象を見極めてゆく(=構成してゆく)やり方は、習い性となった僕のスタイルでもあるが、ここに収めた論考がジャーナリズムからの依頼を契機として書かれたものであるということにも、このことは関係している。原稿依頼を好機として、僕は、史料の可能性を確かめるべく、特定の史料に対してさまざまにアプローチを試みたのだ。

また、その際、制度や施設にかかわる史料が、充分には共有化されていないということへの慮りから、表現のうえでも繰り返しが多くなった。制度史史料の編纂は、東京国立文化財研究所が編纂した『明治美術基礎資料集』に、おそらくはじまるのだが、この資料集が出版されてから二五年の歳月が流れてなお、それが美術史研究の「基礎」として充分にこういういきさつを考えると、本来なら、改めて書き下ろすべきところであったのかもしれないのだけれど、書き下ろしのためには、成すべきことが、いまだ余りにも多い。そこで、いわば中間報告として、一〇年間の仕事を、まずは論集の形で問うことにした。

＊

初出は別表に掲げた通りだが、本書に収めるにあたり、大幅に筆を入れ、部分的に構成も変えた。ただし、論旨には変更を加えていないし、その後の研究の進展を取り込むことも敢えてしなかった。執筆当時、紙幅の関係でやむをえず削除した部分を生かし、誤りを正すということはあったものの、改変は、おおむね表現上の事柄にとどまる。

ただ、措辞の異同が、論旨に微妙な影を投げかけているということはあるかもしれない。しかし、それはそれで仕方がないと思っている。僕としては、不実にならない範囲で、いちばん自然なやり方に従ったつもりである。なお、本書には、シンポジウムの記録集からとったものが含まれているが（「「日本美術史」という枠組み」「美術における「日本」、日本における「美術」」「裸体と美術」）、これらは発表前にしたためた文章にもとづいて改稿した。

はじめは九〇年代のものだけでまとめるつもりだったけれど、国家と美術の関係について、はじめてモティーフを捉えた一九八五年の「文展の創設」を結局は収めることにした。一番新しい文章は「日本近代美術史研究の課題と可能性」である。

＊

ともあれ、こうして僕は、ウィーン万博や内国勧業博や内国絵画共進会に関する史料のあいだに幾重にも歴史の構想を張りめぐらしながら、徐々に歴史のヴィジョンを変容させてきた。これらの史料は、僕にとって、いまやほとんどエートスと化したかの感がある。史料というのは、歴史家にとっての「住みか」なのだと、いまにして、つくづく思う。充分に住みなしえたとはいえないものの、制度史史料を、僕なりに、なんとかエートスと化するのに一〇年を費やしたのだ。

しかし、どうやらエートスは、そろそろ内面化の時期にさしかかりつつあるらしい。内面化とは、いいかえれば、観点のごときものとなりおおせることを意味する。つまり、「住みか」としてのエートスにおいて考えるのではなく、エートスのもとに、あるいはエートスを踏まえて考えるべきときが来たと感じるのだ。内面化したエートスをたずさえて、「住みか」の外へと赴くべきときが来たのだと、いってもよい。

具体的には、制度史的発想を踏まえて、近代の造型表現について踏み込んだ考察を加えてみたいと考えており、その着手として、数年前に『岸田劉生と大正アヴァンギャルド』（岩波書店）を上梓した。今後は、そこで提出した見取り図――近代の造型表現における「主体」の形成と、主客図式の自壊的展開という見取り図を実証的に深めつつ、造型における新たな「主体」の姿を探ってゆきたいと思っている。そのためには、制度史的手法から言説史的手法を経て作品論的手法へと探究の方策を定めてゆかねばならない。ただし、美術史の正道につくという意識から、そうするのでは決してない。「日本近代美術史研究の課題と可能性」にも書いたように、作品や作家について記述し、論述するばかりが美術史ではない、と僕は考える。その点に関して、僕は「学問からの自由」（長谷川如是閑）を大切にしてゆきたいと思う。

この本に収めた諸論は、すべて現代の表現状況を踏まえて構想したものであり、そこから「学問からの自由」という発想も出てくるのだが、直接的に表現状況に言及した評論を、僕は、これらの諸論と並行して書き続けてきた。それは、『史としての現在』（美学出版）として別途にまとめつつある。併せて、お読みいただければ、さいわいである。

＊

年紀の表記について一言しておく。この国では、元号のほかに、西暦や干支も用いられているわけだが、これは時間の尺度が多様であるというばかりでなく、時の捉え方が多元的であることを示している。このような多元性を不便とみる向きもあるようだが、僕はそうは思わない。むしろ、このような多元性を積極的に発想に取りこむ歴史記述こそが望ましいと考えている。時の多元性を認めることは、文化の多元性を認めることにほかならないからだ。そこで、元号による時の区切りの正当性や正統性よりも、元号の現実性を――とくに「明治」「大正」期に関して――重んじつつ、それを西暦によって相対化するために、本書では元号と西暦を併記するやり方をとった。

＊

ジャケットを飾るのは、諏訪直樹の《THE ALPHA AND THE OMEGA S-1》（一九七八年）である。本書の柱を成す「「日本画」概念の形成に関する試論」には、諏訪との議論から得た着想がちりばめられている。しかし、感謝を捧げるべき諏訪はすでに亡い。

＊

最後に、この一〇年間、僕の仕事を見守り、励まし、叱咤してくれた友人たちと研究者仲間、多くの教えをこうむった先学、そして、この本をまとめてくださった橋本愛樹さんに、こころから感謝を申し述べたい。それから、僕の仕事を、いつも大切に思ってくれる妻と二人の子どもたちにも感謝の気持ちを伝えたい。…………ありがとう。

北澤憲昭

西暦二〇〇〇年五月八日

文庫版あとがき

「美術」という日本語が指し示す現実を語るためには、ヨーロッパからのジャンルの受容やその制度的定着ばかりではなく、日本社会における美術ジャンル形成のプロセスがあきらかにされなければならない――『眼の神殿――「美術」受容史ノート』の末尾に、わたしは、こんなことをしるしている。そして、こう続けている。そのためには「社会史的な観点」が必要となるだろうし、「制度としての美術から溢れでようとするもの」の歴史を語らなければならない、と。

『境界の美術史――「美術」形成史ノート』は、その企ての最初の一歩としてまとめた評論集である。「「美術」形成史ノート」と副題したゆえんだが、「ノート」というのは、絵のことになぞらえていえば素描というほどの意味であり、完成作の前段階ということになる。とはいえ、素描は素描なりの鑑賞価値をもつ。しかも、素描は、しばしば即興性と未完成ゆえの自由さを湛えている。「ノート」の語には、そんな思いを込めたつもりである。

いま読み返してみるに、制度から溢れでようとするものについては、ヨーロッパにおける美術の在り方からのズレに着目することによって、また、表現主義的な造型の登場に言及することで、あるていど語ることができたように思う。それについては『岸田劉生と大正アヴァンギャルド』（岩波書店、一九九三）、『アヴァンギャルド以後の工芸――「工芸的なるもの」をもとめて』（美学出版、二〇〇三）、『美術のポリティクス――「工芸」の成り立ちを焦点として』（ゆまに書房、二〇一三）など、書籍のかたちにまとめもした（初版の後記で予告した『史としての現在』は二番目の書籍である）。

しかし、社会史的観点については、本書でそれが貫かれているとはいいがたく、むしろ、国家にまつわる制度的ないしは政治的な事柄が強く前面化されている。そういう意味で、本書は『眼の神殿』を補強しつつ補完している。これは初版の後記にも書いたところである。これを踏まえていえば、評論集である本書は『眼の神殿』のテーマを各論として展開したものということもできる。

制度を手がかりに「美術」ジャンルの成り立ちを考察する手法についてかえりみれば、制度の歴史をたどるとき指標となるのは言葉であり、制度は言葉がもたらす効果のひとつであることに、このたび改めて思い至った。というよりも、制度に眼を凝らし、また、実体化された制度としての施設に注目するのは、むしろ、美術をめぐる言葉に狙いを定めるためであったようにさえ思われもする。この自分にとって制度‐施設史という手法は、どうやら狙うべき言葉を探索する照準器（スコープ）であったようなのだ。初版の時点でも、こうした自覚はあった。それは扉の裏ページに「はじめに言葉ありき」というヨハネ伝福音書の言葉が引いてあることに示されている。

ところで、制度を成り立たせる言葉は、それ自身が制度的存在であり、しかも、制度としての言語は社会に深々と根ざしている。このように考えるとき、『眼の神殿』の終章で述べたような制度史的観点と社会史的観点を対立的に捉える見方は相対化される。極言すれば、国家にまつわる制度史もまた、広義の「社会史 social history」としてとらえうるはずなのだ。国家が社会の取りうるひとつのかたちであると考えるならば、これは当然のことであろう。制度が依拠する法的言語が、そのおおもと——いわゆる「法源 sources of the law」——まで遡れば、社会的な言説や感性や仕来りに、一言でいえば常識（コモンセンス）に根差しているのと同じことである。

もちろん、事柄はもっと込み入っている。国家と社会の相互作用も視野に入れなければならないし、相互作用の有りようも大きく変化しつつある。冷戦体制の終結と踵を接して始まったグローバライゼーション、そして情報社会の到来は国家と社会の在り方を大きく変えずにはおかず、これによって「社会」や「国家」という概念も不安に揺らぎ始めることとなった。近代が陶冶した「社会」「国家」という概念の射程に収まりきらない事象が頻出していることは、わざわざ説明するにも及ぶまい。

「社会」についていえば、こうした状況を承けて、「社会」概念の再定義の試みがおこなわれてもいる。モノとヒトが互いに媒介し変容してゆくプロセスに焦点化しつつ、多種多様な関係態が無際限に創出されてゆく動態として「社会」を捉え返そうとするような発想だ。異種交配的なこうした「社会」観は、「社会」概念の極大化ともいえるものであり、国家を社会に内在する存在として捉え返す発想を大きく肯う条件となるはずだ。

とはいえ本書の初版が出版された二〇〇〇年は、ちょうどeメールやウェブサイトの利用が拡がり始め、インターネット時代が本格化する時期にあたっていた。初版に収められた論考は、だから本格的な情報社会の幕開け前に書かれたものであって、旧来の「社会」と「国家」の概念に捕らわれている。また、しばしば論は国家もしくは政治に焦点を絞り込むことで多種多様な細部の社会的動態を覆い隠している。

だが、いま読み返してみて思うに、そうした限界はあるにもせよ、すくなくとも「美術」を社会的形成プロセスにおいて捉え返そうとする意志は明確に見てとられる。行論は、「美術」という既成ジャンルの異種交配的な成り立ちを発掘することに努めている。すなわち、ジャンルの純粋性と自律性を重んじるモダニズムの美術論が遠ざけてきた政治的な事柄を敢えて「美術」のもとに呼び寄せることで、それらが美術の形成に深く関与していたことを示そうとしている。「美術」ジャンルの出発時における異種交配的な情景を描き出し、そうすることで「美術」ジャンルの境界を不確定化する企みである。巻末の「「美術」形成史関連年表」の有りよう——美術、政治、経済、軍事、テクノロジー、メディアなどを欄に分かつことなく時間軸に沿って異種混淆的に編成した有りようも同様の企みであった。しかも、こうした企ては美術にかかわる自らの足元を掘り崩す作業でもあり、また、自分自身の限界を探り、かなうことなら突破の緒を見出そうとする試みでもあった。

要するに『境界の美術史』の課題は「美術」にまつわる制度や施設の成り立ちに眼を向けることで、言葉を手がかりに「美術」という存在を社会のなかに解きほぐしてゆくことであった。それに成功したかどうかはともかく、すくなくとも、制度としての「美術」を異種混淆的な場へ向けて解きほぐす「学びほぐし（アンラーニング）」の一助となり得たのではないかと自負している。「学びほぐし（アンラーニング）」が必要なのは、これまで「美術」や「芸術」という名によって求めてきたものが、その名に収まりきらない拡がりをもち始めているからである。また、「美術」ジャンルが言葉の効果として形成されたのだとして、しかし、そこには——たとえば「美術作品」と呼ばれてきたものがそうであるように——言葉に回収しきれないものが含まれるからでもある。

ただし、「学びほぐし（アンラーニング）」が必要なのは今この時に限ったことではない。時代の節目節目で、そのつど繰り返しおこなわれるべきものだと考えている。文庫化にあたって、初版刊行後に書いた稿を加え、改訂をほどこした所以である。

＊

以下、初版からの変更点についてしるしておく。

増補と割愛

「学びほぐし（アンラーニング）」に関して補完と補強をおこなうべく『境界の美術史』刊行後に発表した以下の三篇と、「補論」一篇を加えた。

（一）「美術における政治表現と性表現の限界」。木下直之編『講座 日本美術史』第六巻（東京大学出版会、二〇〇五）のために書いたものである。初版所収の「裸体と美術」とモティーフを部分的に共有する論考だが、表現の「限界」を見定めるべく論を展開したため大きく異なる考察になった。それゆえ二篇を共に収めることにしたのだが、この論考を、「裸体と美術」と並べて「Ⅰ 国家と美術」に加えるとⅠが計六篇となってⅡ、Ⅲと著しくバランスを欠くことになる。そこで、「裸体と美術」と二篇合わせて「Ⅱ 性と国家」という部立をおこなった。これによって初版のⅡ、Ⅲは順送りにⅢ、Ⅳとなった。

（二）「Ⅲ 美術の境界」に収めた「「彫刻」ジャンルの形成」。これは、富澤ケイ愛理子氏と渡辺俊夫氏が編んだ *East Asian Art History in a Transnational Context*（Routledge 2019）に寄せた論文"The Evolution and Modernization of the Sculpture Genre in East Asia According to the Japanese Example"の日本語原稿に手を加えたものである。初版に収めたエッセイ「裏返されたモニュメント――彫刻の近代化と銅像」からの展開であり内容的に重複する部分が大きいので、初版所収のエッセイは割愛することにした。

（三）初版の「終章 日本近代美術史研究の課題と可能性」は二〇〇〇年前後の研究状況

を踏まえた時務情勢論であり、現在の研究動向から大きくズレを生じているので、これに換えて「「分類の時代」の終わりに」というエッセイを終章とした。『境界の美術史』の脊柱ともいうべき「分類」という観点から美術ジャンルの現代的様相を論じたものである。このエッセイは科研共同研究の一環として開かれた国際シンポジウム「日本における「美術」概念の再構築」における発表を文章にまとめたもので、シンポジウムの記録集『「美術」概念の再構築（アップデート）——「分類の時代」の終わりに』（ブリュッケ、二〇一七）に収めたテキストを再録した。再録に当たって、すこしだけ手を加え、記録集の副題をタイトルとさせてもらった。

「分類の時代」という名詞句は、シンポジウムの記録集にエピグラフとして掲げた岡倉覚三（天心）の言葉に由来する。一九〇四年のセントルイス万国博でおこなった講演“Modern Problems in Painting”（絵画における近代の問題）の一節だが、エピグラフには次のような訳文を充てた。一部改変して引いておく。

> この分類の時代にあって、我々は生命の不滅の流れが我々と先人とを結びつけていることをしばしば忘れている。分類とは、結局のところ、我々の思考を整理するための便宜であり、あらゆる便宜と同様に、最終的には厄介なものとなる。

「補論」は「Ⅲ　美術の境界」の「「工芸」概念の成り立ち」に添えた。「「工芸」概念の成り立ち」は、農商務省や商工省の「工芸」政策に言及せずに終わっているので、その欠を補うべく短い論説を付した次第である。もちろん、これで事足りるとは思っていないが、それについて充分な論を展開するには、ゆうに一冊の書物が必要となるだろう。

ちなみに、初版のⅢに配置した「印象と表現」は、日本近代絵画史における表現性への傾斜を描いたもので、本書のモティヴェイションから大きく逸れているようにみえるかもしれないが、「序」の第二節に対応する内容であり、近代美術における「主体」の有りようにに関説した『逆光の明治――高橋由一のリアリズムをめぐるノート』(ブリュッケ、二〇一九)につながる論考ゆえ、「Ⅳ　制度から主体へ」の一篇として残すことにした。

文章の修正

本書に収めた論考は、さまざまな機会に発表したものであるため、論述の前提となる制度 - 施設史的事項への言及が繰り返されている。初版においては発表時の文章にほとんど手を加えることをしなかったが、文庫化にあたって、繰り返しを必要最小限にとどめるよう手を加えた。美術をめぐる制度 - 施設史的事柄に関する認識が斯界において充分な広がりをもったという観測ゆえの処置である。あきらかな誤謬を正し、言い回しや引用をより適切なかたちに書き換えたところもある。ただし、増補した三篇と「補論」および巻末の年表を除いて、初版刊行後の研究で得た知見を意識的に盛り込むことはしていない。また、読者の便宜のために初版の章と節を、章－節－項というかたちにまとめなおしたものがある。

註

初出の媒体によって註を付した論考と付していないものとがあり、それらが初版では混在していた。また、註のスタイルも発表媒体によってまちまちだった。初版刊行のときは、このことにさほど違和を覚えなかったのだが、このたび読み返してみて不整合がいたく気にかかった。そこで、この機会に註の付いていない論考に新たに註を付し、全体に註のスタイルを統一した。ただし、新たに設ける註については、時の隔たりという壁に阻まれて細大漏らさずというわけにはいかず、ブロック引用など論の柱になる部分に限って付すに止めざるをえなかった。註に厚薄があるのは、そのためである。「序章」と「終章」は本書のテーマを大摑みにしたエッセイゆえ註を設けなかった。

紀年法

年号のあとに西暦を丸括弧にくくって記入するのは初版刊行当時に従っていた作法であり、現在の作法では記入の順序が逆転しているのだが、本書では当時の作法に従うことにした。明治時代における「美術」の形成過程を問う本書ゆえ、年号を前面化することに、それなりの意義があると考えたからである。具体的には、個々の事柄を明治という時代とのかかわりにおいて捉え返すことへの誘引効果が一例として挙げられる。ただし、ヨーロッパの出来事については世界史的連関を重んずる発想から西暦‐年号という順番にした。また、初版では、近い年の出来事が続く場合は、煩雑にならないように西暦を省くようにしたのだが、不徹底のきらいがあるので、このたび読者の便宜を図るべく補整をおこなった。それと並行して、不要と思われる紀年を削除し、たんなる目安にすぎないものは当該事項の後に丸括弧に入れて配置した。年表は、世界史的連動へと思いを馳せるよすがとして西暦‐年号の順でしるした。本文中の作品図版に付した制作年は西暦のみをしるした。本文中では制作年を年号でしるしたためである。また、現代の事象に焦点化した終章は現代のデファクト・スタンダードに従って西暦を用いた。

年表

初版で巻末に付した年表は、政治、経済、言説、テクノロジーそして造型などの諸ジャンルを、欄に分かつことなく一列に並べることで「美術」ジャンル形成のプロセスを浮き立たせつつ、「美術」というジャンルの「学びほぐし（アンラーニング）」を促そうという企てであったが、いま読み返してみると、欠落している項目や誤りが幾つかあり、しかも、不要と思われる項目も散見されるので、このたび項目の増補再編をおこなった。そのさい、とくに関西方面の制度-施設史的事項に配慮した。本書が東京に焦点を絞って書かれているため、初版では年表も勢い東京中心になっていたからである。

主要人名索引

索引は、増補改訂後の本文と補註において言及した主要な人物名を五〇音順に配列した。たとえば「想像の共同体」のような概念装置を代表する語を援用した場合も言及のうちに数え、その創始者の名（ベネディクト・アンダーソン）をしるした。

カバーの装画

カバーの絵は二〇〇五年の新装版でも使わせてもらった亡友諏訪直樹の作品である。一九七八年の制作、タイトルは《THE ALPHA AND THE OMEGA S-1》、サイズは二四〇×一九四×五・六センチメートル、綿布の上にアクリル絵具で点描を施したものである。異なる色の点状の筆触をさまざまに重ねることで画面を分節する有りようは、「境界」をめぐる本書にふさわしいと思っている。

＊

本書を「ちくま学芸文庫」の列に加えてくださり、あまつさえ大幅な改訂増補を許してくださった筑摩書房の北村善洋氏に、また、解説を寄せたくださった中嶋泉氏、そして、史料との照合に際してご協力いただいた山﨑啓子さんに、記して感謝の意を表したい。史資料に関しては女子美術大学図書館の館員の方々にも大いに助けられた。ありがとうございました。

北澤憲昭

二〇二三年七月一四日

解説

中嶋　泉

「眼」から「制度」へ

二〇二〇年の『眼の神殿──「美術」受容史ノート』に続き、北澤憲昭の『境界の美術史──「美術」形成史ノート』が文庫化される。知られるようにこの二冊は日本の美術研究において初めての「制度＝施設史(インスティテューション)」的論考である。美術史研究に極めて大きなインパクトを与えた二冊は、グローバル化する文化のもとで美術の表現が多様化し、中心が分散化した一九九〇年代を抱え込むかのように一九八九年と二〇〇〇年に出版された。この十年のあいだ、著者の北澤の仕事も大幅に広がり、自ら『眼の神殿』が残したという課題、「制度から溢れ出るもの」と呼ぶものを追うかのごとく、作家、作品論、美術国家論を推し進めた。ほんの少し例をあげるとすれば、一九九九年に行われたシンポジウムの原稿「美術における「日本」、日本における「美術」」が美術と国家の関係を分析する上での概念、理論的枠組みを整理し、『岸田劉生と大正アヴァンギャルド』（岩波書店、一九九三年）、

『岸田劉生 内なる美』（二玄社、一九九七年）で、制度からは接近できない異端作家の「内からの美」へと手が伸ばされた。国家主義、西洋化と「美術」化が密着しながらネットワークを張り巡らせる近代のなかで、制度の空隙を見出し、それに意味を与えるのは並大抵の仕事ではない。そして、それゆえに北澤は、制度論にあらためて立ち返り、「制度」という名詞から「形成」という動作性名詞へと展開すること――それが可能にする美術研究の幅広さを予測しながら――の必要性を感じたのではないだろうか。

「文庫版あとがき」にもあるように、本書は『眼の神殿』が提示したいくつもの主題を、独立した論考として深めつつ、「形成史的研究」として一冊の書籍に練り上げられたものである。初期研究で収集された膨大かつ贅沢な資料は、制度の解明から、現在の美術をつくる「境界」が引かれる過程を説明するものとして、再度新たな観点から整理され、検証される。それは本書の約一〇年前に、これまでの美術史の常識を覆すあらたな視座（＝「眼」）を解き放った著者が、自らの責任を果たすがごとく描き出した、古く、新しい美術史的風景の数々である。

制度と境界

したがって、本書の各部の諸論考を全て独立した論として読むことも可能である。だが、通読すれば、重なり合う歴史的出来事を背景に、別様に現れる文化現象、異なるジャンルの問題、新しい美術史的展望が大きなうねりを作り出す様を見ることができる。本書の構成は、異なる五つの観点から、美術領域や概念の名付け、内国勧業博覧会に代表される官製の展覧会や、美術学校の制度化を、入手困難な著作から、公文書、博覧会目録、講演資料、大衆的イラストレーションまで自在に駆使し、追跡する。まず全体の流れをみてみよう。

序章と第Ⅰ部では、訳語の定着とともに適用範囲が限定された「美術」の成立経緯が解明される。それによって読者は、美術的出来事の列挙と言説の変容研究が中心だった日本の美術史の背後に、忘却され、抑圧された歴史的経緯があることに気づいていくだろう。美術は単に「受容」されたわけではなく、そこには衝突と折衝があったのである。

第Ⅱ部「性と国家」は新たな論考が加えられた部であるが、著者はここで、近代国家論や近代日本美術史では巧妙に避けられてきた「性」と天皇の肖像（＝「御真影」）を取り巻く出来事から見出される、境界の議論を付け加えている。「性」の表現、すなわち裸体表現の導入が日本の近代美術にとって一つのハードルだったことは知られているが、ここで著者は、展示のシステムによる美術の限界を軸に据える。すなわち、一方で裸体画を推進しつつ、展示を取り締まる矛盾した政策があり、他方で展示効果に回収しきれない「御真影」の威光を演出する公的権力がある。美術の境界は、聖域と俗域との間を揺れ動きながら引かれていくのである。

「形成」はいかにして成るか

第Ⅲ部は本書の核を成す、「日本画」、「工芸」、「彫刻」各領域の形成史である。「形成」とは、これまで（様式の）「変容」という自然発生的含意を持つ言葉で語られてきた近代美術史に対し、ジャンルや表現領域の形成を促す権力の所作を明らかにするために、著者が取った表現である。

形作られた美術のジャンルとして最初に議論される「日本画」は、「日本」と「画」という語彙の意味の統合を背景にしているが、それと同時に展示と鑑賞の制度化による視線の政治力学が強く作用する。ワグネルやフェノロサらによる西洋の言説と視線、脱亜入欧体制と国粋主義的意識の間で翻弄されながら、「日本画」の運命が決められてゆく。

「工芸」概念の成り立ちについて著者は、美術の階層秩序の誕生から説明をする。「見ること」を上位知覚とした鑑賞という近代的行為は、美術から工芸を識別して後者を退けていった。北澤が強調するように、「工芸」のジャンル化が殊更重要なのは、そこにはすでに、芸術を自律的なものとして捉えるモダニズム（モダニズム）の思想が侵入しているためである。工業は元来、日本が「美術」の訳語として採用したドイツ語、Kunstgewerbe にその意味を含むものであった。だが工芸は、精神性や個性といった近代的価値を欠如するものとして除外され、またその除外によって美術の純粋性が保証されるのである。

「彫刻」の形成もまた、訳語に持たされた意味が境界を策定しつつ、書き換えていくことで成される。仏像から置物までの雑多な「像」から「彫刻」が切り抜かれる経緯は、モニュメント化する立像の政治的役割から、ロマンティシズムに包まれた塑像の内面表現の発見まで、美術を規定する近代の制度史と精神史が渦を描いて迫ってくる様子として描き出されている。

このようにして、美術をめぐる諸ジャンルと概念は言語的生成と「展示‐鑑賞のシステム」（二七四頁）によって成され、結果として自立した（ように見える）諸ジャンルが作り出され、「見る主体」が現れる。

「境界」からオルタナティヴへ

こうして、制度史の追跡調査の最後となる第Ⅳ部で、制度に動員される「主体」に眼がむけられる。しかし興味深いことに「制度から主体へ」と題された本部では「主体」という言葉は二回しか出てこない。おそらく重要なのは、主体ありきの近代の立ち上げではなく、制度が敷かれるまさにそのさなかで近代的自我が見出されなければならなかったという日本美術の特異な歴史性なのである。

フォンタネージの「自己性質」という言葉がここで鍵となる。フォンタネージの「自己性質」とは美術の制作者が持つべき個の自覚であったが、北澤はこの「自己性質」やそれに並ぶ個別的「内面」への関心が、日本近代においては、ジャンルの個別性や民族や国家の個別性と結びつき、最終的に人々の関心を「民族国家の建設へ向けて増幅させてゆき［…］国粋主義が広汎に台頭してくる」状況を思想的に下支えしたことを明らかにしていると述べる（四一八頁）。個の内面性が民族的性質と結びつけられるのは、遅れてきた近代国家の宿命かもしれない。北澤が注視してきた「工業」の分類と再編成はとりわけ、実用性を重んじる「工」が「美術」から引き離されたことを境に、啓蒙的だったはずの個的内面への日本の人々の関心が、民族主義的精神性と結びついていく様に重なっていく。

北澤は高村光太郎を取り上げ、日本の近代美術家の実践にもこうした「内面」のアンビヴァレンス、すなわち受動的な主観性と主観の外的表現の二重性があることを読み解いている。かくして本部では、近代日本美術史の「主体」がうまれる代わりに、表現の「内面」という着想が美術学校、展覧会そして個人の芸術実践のもとで、国躰と手を携えて浸透していったことが明らかにされる。

北澤は終章で、日本の美術の制度化の行く末を、現代美術の制度化やジャンル拡張という、相反する動きのなかで再度見直す。「オルタナティヴ」と称されるジャンル横断的美術の現象は、美術とは何かという問いを常に引きずりつつ、美術という分類を脅かしながら美術の「外延」をひろげていく。そのパラドクスは国境をはじめとする「境界」の相対化と流動化のなかで、なんども「境界」を作り直すのである。

周縁から美術史的主体性を立ち上げる

ここで、本書が提示していることを、仮に一言で言い表そうとすれば、「制度史」であるこの国の美術の発見と、新たな歴史記述主体の可能性となるのではないか。本書は、日本近代美術を語るに必要ないくつもの研究主題をこの一冊のなかで一挙に洗い出した。読者、特に本書が最初に出版されたときの読者は、『境界の美術史』以後になされなければならない美術史研究の遠大無窮な課題と展望とをおもい、ため息をついただろう。著者の北澤自身もまた、その後の仕事で、自ら導き出した主題に取り組み、美術の読み方じたいを更新してきたことは前に述べた通りだ。北澤の初期から最近までの研究の詳細についてここで十分に述べることは著者の手に余る。幸いにも足立元が文庫版『眼の神殿』にも所収されている「解説」で、北澤の研究を詳しく解説し、その美術史的重要性の精緻な議論をしているので、ぜひそちらを参照していただきたい。

日本の「美術」は、絵画を額縁(フレーム)に納め、書と画の入り混じるイメージを分断し、彫刻と工芸が実用と切り離される前の、混合的創作物の歴史性を剝奪することによってのみ成立し、「それを普遍的概念のように思いなしている」(二二頁)。こうした自己植民地化的歴史性と引き換えに与えられたのは、新たな名称による文化認識のカテゴリーであり、博覧会や官制の展覧会、美術教育、美術史教育など創作と鑑賞を整える制度である。そこでは

「つくる」にせよ、「みる」にせよ、「批評する」にせよ、国家に与する美術的身体がつくられた。美術の形成史と近代的国家整備の間のあまりの距離のなさは、その後数十年にわたって、ナショナリズムと美術の因縁としてこの国における美術史の研究と記述を決定的に方向付けたと言えるのではないか。

個人的な話題になるが、本書が出版され、センセーショナルに読まれていた頃に筆者が所属していた大学は、マッカーサーをはじめとするGHQの意向と米国の篤志家の支援をうけて、米国のキリスト教長老派によって、戦後に設立されたリベラル・アーツ・カレッジで、米国流の美術史の教育プログラムを採用していた。スライドを使った比較様式学の教育法は、『美術史の基礎概念』を記したヴェルフリンによって二〇世紀初頭に本格的に行われたと言われており、以後長期間にわたり、美術の「意味」を様式に込められた「自立的表現」として説明する方法として広く用いられてきた。その方法のもとで、この日本の小さな人文主義教育施設では、「美術史」は「東洋美術史」と「西洋美術史」にわけられ（東洋美術は米国の教員が、西洋美術は日本の教員が教えていた）、毎週百枚を超えるスライドとともに発展史的に「巨匠」による「名作」の内面と表現を結びつける「見方」を教えていた。本書が網羅する日本美術の制度はその後長きにわたり、この国の末端の美術史教育に至るまで、あますことなく浸透していたと、今ならよくわかる。

日本においては、美術的自由という概念を大学で学ぶことこそが、制度を無批判に受け取り、そして美術の意味を非歴的なものとして受け取る態度を生み出してしまう傾向にある。美術史には女性も非西洋系の作家もおらず、美術と工芸の授業は別途のものとして扱われ、日本美術史に「戦後」の学習機会はなかったが、美術普遍主義が抑圧するものへの視線が培われる余地はなかった。明治に端を発する美術形成史の末端が、このような一九九〇年代の日本の大学に生き残っており、その頃少なくとも学部の水準では、美術はまだ「受容」する学問領域だった。『境界の美術史——「美術」形成史ノート』は、これから研究を始める学生に、自分自身も美術形成の外にはいないことを、強く印象付けた。この個人的経験はもしかすると「典型的」ではないかもしれないが、敗戦後にさらなる文明化が求められた国の美術的教育のあり方として、象徴的ではあるだろう。

このように振り返るとすれば、二〇〇〇年に出版された本書は、まさにこのタイミングで日本の人々を美術の「受容者」の立場から、制度史的視点を持ち主体的に取り組むスタンドポイントに立たせたはずだ。これを仮に、「美術史的主体」の立ち上げと呼んでみよう。もっとも本書で述べられているように、「主体性」は自分の意志、判断によらず、権力による強制に自発的に従属することによっても成り立つものである。しかし本書が明らかにしているように、制度の受容と形成の間に、支配と従属の間に、歴史は忘却されつつも、葛藤は確かにあった。制度史である本研究が明らかにする日本の美術的「臣民」が体現した主体性は、「歴史葛藤の主体性」とでも言えるのではないか。

周縁から見える景色

本書の要となる第Ⅲ部「美術の境界――ジャンルの形成」が、近代（西洋）美術史のなかで周縁化されてきた諸ジャンルに光を当てているのは故なきことではない。おそらくそこからでしか取り戻すことのできない「残滓」としての歴史性が、見えるからではないだろうか。たとえば日本画。日本画というジャンルの形成が結果的にナショナルな自己意識のなかで充足し、批判不可能な領域となった過程の解明は、北澤によるその後の日本画研究の立脚点となっている。『「日本画」の転位』（ブリュッケ、二〇〇三年）で北澤は、現代の日本画に、批判的に、自己解体的に、このジャンルの歴史的足場を見直すという新しい取り組みを見出した。二〇一五年の《列島》の絵画——日本画のレイト・スタイル』（ブリュッケ）では、諏訪直樹に代表される現代美術家たちの造形の展開を、精緻な画面分析を通じて、「日本画」という枠組みに部分的に依存しつつも抵抗する脱近代的性格のありかたとして見ている。北澤は現代日本画家という、語義的に多くの矛盾を負った画家たちの表現実践に寄り添い、そこから見えるイメージとともに、美術史を表現史へと相対化する作業をともに行っている。

「工芸」と「彫刻」は実のところ、著者によって、柔軟な表現性の残余が溢れでる豊かな場として受け取られている。近代の純粋な視覚経験を達成できない「この（彫刻の）欠陥は、美術の次に来るものを暗示する「恩寵」としての欠陥というべきではないだろうか」(三八三頁)。この予言めいた結語は、前衛から現代美術への展開のなかで、彫刻が自立性を放棄して環境へと自ら開くこと、現代工芸的実践が自らの造形ルールを越境することが、非主流化されたジャンルでこそ可能であることを言い当てている。周縁化された「美術」にこそ、新たな創造の展開と可能性を導く裂け目があるという著者の指摘は、今後の美術的展開と美術史的課題を導くものである。

境界は引き直される——何度でも

そのようにして所々に姿を現す「境界」の裂け目について、フェミニズム美術を専門としている筆者の立場から、北澤を参照しつつ最後に議論を引き継いでみたい。

第Ⅱ部の「性と国家」は、新しく加えられた論考、「美術における政治表現と性表現の限界」とあわせて、「裸体絵画」と「男性君主の表象」という極めてジェンダー文化史的主題を扱っている。北澤は、明治天皇を近代的男性的君主の身体として表象し直すことと、女性の裸体を芸術として見ることを馴致させることの間には、倒錯的努力(天皇を絵画に描いて写真に撮る)や、論争的な禁止の実践(展示物に腰布が巻かれる)が必要とされ、日本においてこの二つが「強力な風俗の引力圏を脱するのが困難であった」(一四五頁)ことを述べる。著者は「美術」を纏(まと)う芸術家、混乱する庶民、警察をはじめとする統制のあいだに繰り広げられる論争を「ドタバタ喜劇」と呼んでいるが、この混乱が起こる場所もまた境界が残した裂け目であり、日本現代文化に特有のジェンダー的状況の理解を助けるように思われる。

一九八五年にT・J・クラークが論じたように、エドゥアール・マネの境界侵犯的ヌード画が展示されたとき、一九世紀末のパリで規範的ヌード画はすでに出来上がり、人々の自然化された視線のなかで問題なく受け入れられていた（『近代生活の画家（*The Painting of Modern Life: Paris in the Art of Manet and His Followers*）』）。だが、マネが「女性の」ヌードで都市の階級性を暴こうとしたというクラークのマルクス主義的指摘は、そのすぐあとにフェミニズム美術史家のグリゼルダ・ポロックによって、女性が介在することに無自覚な男性的特権性に立った議論であると批判されている（『視線と差異（*Vision and Difference: Feminism, Femininity and Histories of Art*, 1988）』）ポロックにとって、近代都市で描かれたヌードの問題は、女性の裸体が描かれることを近代化し、審美化してきた美術の裂け目へと通じているのであり、女性の身体を舞台に「猥褻」か「芸術」かを争うことで美術の境界を引き直そうとする、男性的主体こそが解体されなければならなかった。

これは「裸体画」を見る視線が完成してはじめて現実味を帯びる議論ではある。だが、北澤が「ドタバタ喜劇」と呼ぶ滑稽じみた論争は、日本美術の近代化が取り残した問題として、裸体イメージを見る日本の視線の曖昧（あいまい）さを突いている。そしてこの「曖昧さ」によって、裸体と芸術性の論争は今なお、フェミニズム的な介入の余地がある日本の視覚文化的問題となっている。たとえば、一九六〇年代の「性革命」のなかで性表現＝女性のヌードが再び浮上したとき、それは裸体（猥褻）をもって国家権力（検閲）に抵抗するという男性文化人の政治的拠り所として捉え直された。北澤の議論に連なれば、裸体描画の訓練は、女性の裸体を美術のもとで統制することで、欲望と恐怖の対象である女性の身体を統御する。近代にこの過程を全うできなかった日本の男性的主体は、女性の裸体イメージが触発するコンフリクトを、男性性を取り戻す場として利用してきた。この「猥褻対芸術」論争は一九九〇年代まで続き、「ヘアヌード論争」（ヌード写真に陰毛が写り込むことの是非を争った論争）をもって頂点に達した。「ヘア」（野蛮）は「芸術」の金科玉条のもとに「ヌード」（文明）に統合されたのである。結局この国では、（女性の）裸体表現は男性に占有されたまま、美術的境界の内と外を行き来する現象として維持されたままだ。植民地的遅延のなかで達成されない近代的主体を抱え続けてきた日本において、女性の裸体は常に男性の自己確認のために必要とされつづけ、その美術的姿勢は一九七〇年代のウーマン・リブの時代にも、とうとう動じることがなかったのである。

＊

かくして境界は読み直され、引き直され、ふたたび描き直される。境界は日本の美術を「作った」かもしれないが、作り損ねてもいるからである。

北澤による『境界の美術史』は、美術の境界が引かれる過程を明らかにしながら、境界を解きほぐし、境界が拠って立つものを暴き、境界を宙吊りにしていく。著者が「あとがき」で「学びほぐし（アンラーニング）」（四九〇頁）と呼ぶものは、この仕事を指しているのであろう。既知の知識体系と特権性を自ら手放し、ふたたび出会い直すこと。それを著者はおそらく読者にも期待している。

本書が最初に刊行されてからの二〇年に、いくつかの美術的転機があったことは確かである——イコノロジーの洗礼があり、ニューアートヒストリーの紹介があり、美術市場のグローバル化、流動化があり、拡散する表現の変化があった。その美術的変遷を経てもなお、北澤が描き出す近代日本美術の問題含み（プロブレマティック）で挑発（プロヴオカティヴ）的な諸相は、捉え直すに値する。ガヤトリ・スピヴァックが提言した「アンラーニング」は、批評的責任を果たしながら自己への批判的応答を持続させる覚悟をともなう姿勢である。美術史の境界ならぬ、「境界の美術史」を考えるとき、果たされるべきは、自身が無意識に敷く境界を批判的に振り返ること、境界の内と外で繰り広げられる動きに常に敏感であり、そこから目を離さないことだろう。

（なかじま・いずみ　大阪大学大学院人文学研究科准教授　現代日本学・フェミニズム美術史）

初出一覧

初出とタイトルが異なる場合は、初出時のタイトルをブラケットに括って各項の末尾に記載した。

序章「美術」概念の形成とリアリズムの転位……『美術史論壇』第2号（星岡文化財団、一九九五）〔「美術」概念の形成と realism の転位〕

Ⅰ　国家と美術

「日本美術史」という枠組み……東京国立文化財研究所編『語る現在、語られる過去――日本の美術史学100年』（平凡社、一九九九）

「文展」の創設……日本洋画商協同組合編『日本洋画商史』（美術出版社、一九八五）

国家という天蓋――「美術」の明治二〇年代……高階秀爾監修『絵画の明治――近代国家とイマジネーション』（毎日新聞社、一九九六）〔美術の明治二十年代――制度・政治・工業〕

美術における「日本」、日本における「美術」――国境とジャンル……北澤憲昭、木下長宏、イザベル・シャリエ、山梨俊夫編『美術のゆくえ、美術史の現在』（平凡社、一九九九）

Ⅱ　性と国家

裸体と美術――違式詿違条例を軸に……東京国立文化財研究所編『人の〈かたち〉人の〈からだ〉』（平凡社、一九九四）〔「文明開化」のなかの裸体〕

「美術における政治表現と性表現の限界」……木下直之編『講座 日本美術史』第六巻（東京大学出版会、二〇〇五）

Ⅲ 美術の境界——ジャンルの形成

「日本画」概念の形成に関する試論……青木茂編『明治日本画史料』（中央公論美術出版、一九九一）
［「日本画」概念の形成にかんする試論］
「工芸」概念の成り立ち……東京国立博物館編『明治デザインの誕生』（国書刊行会、一九九七）［「工芸」概念の形成にかんする試論］
「彫刻」ジャンルの形成」……Eriko Tomizawa-Kay, and Toshio Watanabe, eds. *East Asian Art History in a Transnational Context*. Routledge, 2019. [The Evolution and Modernization of the Sculpture Genre in East Asia According to the Japanese Example, Translated by Sara Sumpter]

Ⅳ 制度から主体へ

工業・ナショナリズム・美術……『東京大学創立百二十周年記念東京大学展 学問の過去・現在・未来』（一九九七年一〇月一六日～一二月一四日、於東京大学安田講堂および附属図書館）カタログ第1部「学問のアルケオロジー」（東京大学、一九九七）［工業・ナショナリズム・美術——「美術」概念形成史素描］
印象と表現——日本印象主義のアポリア……『日本の印象派——明治末・大正初期の油彩画』展（一九九九年二月四日～三月一四日、於下関市立美術館）カタログ（下関市立美術館、一九九九）

終章「分類の時代」の終わりに……『「美術」概念の再構築(アップデイト)――「分類の時代」の終わりに』(ブリュッケ、二〇一七)［「美術におけるカモノハシ問題――アヴァンギャルドと美術館」］

「美術」形成史関連年表

【例言】

・この年表は、「美術」ジャンル形成に大きく関与した事柄のうち本書で言及したものを中心に、それと連動する政治、経済、軍事、テクノロジー、メディア、社会運動、言説にわたる重要事項を挟み込むかたちで構成した。なかでも近代における二大造型ジャンル、すなわち実用造型としての工業と鑑賞造型としての美術の対照を重視した。制度 - 施設史的事項に関しては、本書に言及のない事項を補い、できるかぎり原史料からの引用を組み込んだ。本年表の原型となったのは、所収の論考、エッセイを書くためのノートとして作成した年表である。「「美術」形成史ノート」という本書のサブタイトルを踏まえていえばノートのためのノートということになる。分野毎に欄を分かたなかったのは、既成の美術ジャンルを前提とするのではなく、その成り立ちを問う本書の問題意識を踏まえてのことである。文庫版において新たに加えたテキストの内容も反映した。

・年限は表現的な絵画が台頭し、アヴァンギャルド登場の兆しが現れる大正初期までとした。

・文献史料は、テキストの題名を鉤括弧で、書籍・雑誌・新聞など媒体名を二重鉤括弧でくくって示し、著者名を付して発行年月日に従って配置した。

・絵画作品、彫刻作品など制作史にかかわる事項は、発表年もしくは制作年の末尾にタイトルを二重山括弧でくくって配置した。

・原則として出来事の年と月のみを示し、同月の出来事は日にち順に配列した。ただし、同日の出来事はアラビア数字で日付を付した。

・月日の不明なものは当該年の最後に「この年――」として配置し、日にちが不明なものは当該の月の最後に「この月――」として配置した。大ざっぱな時期を示す場合は「この頃――」とした。
・複数年ないし複数の月にまたがる事項は、原則として発端となった時点に割り付けた。
・連載や論争は、その発端の日付に割り付け、論争については主な論争者と発端となった文章のタイトルと発表誌を記載した。
・年時は、世界史的な連動へと思いを馳せるよすがとして現行のデファクト・スタンダードに従うことにした。すなわちキリスト紀元と新暦で年時を示し、参考として年号を丸括弧内に示した。
・引用の史料は適宜、句読点と濁点をほどこし、旧字、異体字、俗字を現行の漢字に、合略仮名を現行の仮名にそれぞれ改め、あきらかな誤りは正した。
・史料引用における〈 〉内は角書など二行割書、スラッシュは原文改行、…は省略、〔 〕内は筆者による註である。

年	月	事項
一八五三（嘉永　六）	七月	ペリー率いるアメリカ海軍の艦隊が浦賀に来航。翌年、再び来航。日米和親条約締結。老中首座阿部正弘への贈答品のなかにメキシコ戦争のリトグラフが含まれていた。砲艦外交の一環。
一八五六（安政　三）	三月	幕府、蕃書調所設立。一八六二年に洋書調所、一八六三年に開成所と改称。明治政府に引き継がれ、「開成学校」「大学校」「大学南校」と改称。東京大学の前身のひとつ。
一八五七（安政　四）	九月	蕃書調所内に絵図調方を設置。画学が独立の専門科となる。一八六一年に画学局と改称。

一八五八（安政　五）　七月　日米修好通商条約調印。引き続きオランダ、ロシア、イギリス、フランスとも同様の不平等条約を結ぶ。安政五カ国条約。

一八六二（文久　二）　五月　ロンドンにおける万国博覧会に「日本の部」が設けられ、ラザフォード・オールコックとF・ハワード・ワイズ大尉提供の日本品六一四点が出品される。開会式に文久遣欧使節の一行が参列。

この年――下岡蓮杖が横浜野毛で、上野彦馬が長崎中島で写真業を開業。コロジオン湿板法によるネガ－ポジ・システムの時代が始まる。

一八六五（慶応　一）　一一月　高橋由一「画学局的言」

一八六六（慶応　二）　五月　幕府、学術および貿易のための海外渡航を許可。

＊ギュスターヴ・クールベ《世界の起源》

一八六八（慶応　四＝明治一）　一月　王政復古クーデター。戊辰戦争始まる。一八六九年六月、終結。

四月　神仏判然令公布。廃仏毀釈運動の契機。

六月　政体書発布。太政官設置。

九月　江戸を東京と改称。

一〇月　明治と改元。翌月、東京行幸。

この年――横山松三郎が上野下谷池之端に写真館「通天楼」を開設。一八七二年の文部省古社寺調査の撮影やウィーン万国博覧会の出品写真を請け負う。

一八六九（明治　二）　三月　新聞紙印行条例布告。明治政府が新聞の発行を正式に認める。プリント・キャピタリズムによる「想像の共同体」（ベネディクト・アンダーソン）の創出。

四月　東京奠都。

同月　この月、村田文夫『西洋聞見録 前編』刊行。

八月　招魂社創建。一八七九年に靖国神社と改称。天皇制国家に殉じた戦没者を祀る。

九月　上田騒動勃発。新政府の施策に対抗する農民運動。

この年――川上冬崖が日本初の西洋画の画塾「聴香読画館」を開設。内田九一が浅草で写真館「九一堂万寿」を開業。

一八七〇（明治　三）

一月　東京―横浜のあいだで電信開通。以後、電信網は全国にひろがる。

一二月　工部省設置。産業革命への助走。一八年廃省。「工部省ヲ設クルノ旨」に「工芸」の語が工業の意味で使われる。

一八七一（明治　四）

一月　『横浜毎日新聞』（横浜活版社）創刊。日本初の日刊新聞。洋紙両面に活字印刷。

四月　郵便制度始動。東京、京都、大阪に郵便役所を設置し郵便切手を発売。

同月　大蔵省造幣寮開業。同年六月「新貨条例」制定、新貨幣の基本単位を「円」と定め、デザイン、大きさ、重量を規定。日本初の金本位制。

五月　戸籍法制定。翌年施行、「壬申戸籍」の編製。

七月　博物館（集古館）の建設を視野にいれた古器旧物保存の太政官布告。仏像も古器旧物の内に数えられる。

八月　廃藩置県の詔書。

九月　文部省設置。

同月　ロバート・スコット・バーン著／川上冬崖抄訳『西画指南』。翌年公布の「小学教則」において、幾何学的な図面作成技術を教える「罫画」の教科書に指定される。

一一月　西本願寺書院で日本初の「博覧会」が開催される。その反省に立って京都博覧会社が設立される。一八八一年の第一〇回から分類に「美術」の語が登場し、しだいに「美術」「絵画」という新概念が使われるようになってゆく（山本真紗子『唐物屋から美術商へ』による）。

一二月　名古屋総見寺で「博覧小会」が開催される。一八七四年には東本願寺名古屋別院で「名古屋博覧会」が、一八七八年には名古屋門前町博物館内で「愛知県博覧会」が開催される。

同月　岩倉使節団、横浜港から出発。

一八七二（明治　五）

二月　ウィーン万国博覧会への出品に関する太政官布告。官製翻訳語「美術」の登場。初出箇所には訳官の付した「西洋ニテ音楽、画学、像ヲ作ル術、詩学等ヲ美術ト云フ」という註が付されている。

同月　この頃——福澤諭吉『学問のすゝめ』初編

四月　文部省の「博物館」が「博覧会」を開催して開館。

六月　文部省による古社寺調査（壬申検査）。九月に天保以来初めて正倉院が開封される。

同月　西国、九州地方へ巡行。六大巡幸の開始。

九月　学制公布。「罫画」「画学」「図画」などの科目名が見られる（金子一夫『近代日本美術教育の研究　明治時代』による）。就学はとりもなおさず労働力の徴発でもあったから、これに対抗する一揆を惹起。

一〇月　新橋—横浜間で鉄道開通。

一一月　富岡製糸場開業。

一二月　違式詿違条例制定。初の軽犯罪法。「春画」の販売、「裸体」を晒すことを禁止。

同月　太陽暦を採用。旧暦明治五年一二月三日を明治六年一月一日と定める。同時に時法を定時法に改める。

同月　監獄則を制定（一八八一年、改正監獄則施行）。一望監視装置［パノプティコン］の採用を説く。このアイディアは、内務省の管轄下で、たとえば宮城集治監や網走刑務所において実現される。

＊この年──内田九一が東帯姿の明治天皇を撮影。

一八七三（明治　六）

一月　徴兵令制定。徴兵による労働力徴発に対抗する農民運動（血税一揆）を惹起。

＊この頃──高橋由一が《富嶽大図》をウィーン万国博覧会へ向けて制作。

二月　切支丹禁制の高札を廃止。

三月　内外人民婚姻条規制定。

五月　ウィーン万国博覧会開催。伝統的な手工芸品が高い評価を得る。

同月　失火により皇居が焼失。赤坂離宮（元紀州藩邸）を仮の皇居と定める。

六月　高橋由一が画塾天絵楼を創設。

七月　地租改正条例公布。増租となった地域を中心に反対一揆が全国各地で勃発。

同月　この月、平野富二が東京築地活版製造所の前身となる仮工場で、活字・印刷機の製造販売と活版印刷の営業を始める。

一一月　内務省設置。

＊この年──内田九一が、断髪して髭を蓄えた礼装軍服姿（洋装）の明治天皇を撮影（断髪三月、撮影一〇月八日）。

一八七四（明治　七）

一月　東京警視庁を設置。

三月　『明六雑誌』創刊。日本における綜合雑誌の先駆。

五月　博覧会の書画部門を「書画展観会」と称して湯島聖堂大成殿で展観。古美術と共に同時代絵画が展示される。

同月　台湾出兵。近代日本初の海外派兵。

九月　明治天皇、歩兵、騎兵、工兵約三三七〇人、砲一八門を率いて、武蔵国豊島郡元蓮沼村で大演習を指揮。

一一月　起立工商会社設立。貿易に携わる国策会社。

＊この頃――高橋由一の後援により油絵展覧場「観虹亭」が開店する。

一八七五（明治　八）

三月　ウィーン万国博にさいして設置された博覧会事務局が「博物館」と名を改めて内務省の所属となる。

六月　讒謗律、新聞紙条例制定。反政府的言説取締の施策。

八月　澳国博覧会事務局が『澳国博覧会報告書』を上梓。元事務副総裁佐野常民が同年五月に政府に提出した報告書において、近代化過程における「見ること」の意義を指摘。同年八月の内務卿大久保利通の「博物館ノ議」に踏襲される。

この年――高橋由一、絵具問屋村田宗清に絵具、画具の製造法を伝授。

一八七六（明治　九）

一一月　工部省工学寮に工部美術学校付設。「美術学校」を名乗ったはじめ。「画学」「彫刻学」の二専攻が設けられる。教師としてフォンタネージ（絵画）、ラグーザ（彫刻）、カペレッティ（予科において幾何学、透視図法、装飾画法などを担当）らがイタリアから招聘される。フォンタネージは「自己性質」こそ絵画の生命線であると教える（『高橋由一油画史料』文書番号四－一八）。彫刻学志願者が集まらな

		いため授業料免除の方策がとられた。同校設置は一八七三年焼亡の皇居に代えて洋風宮殿を建てるプロジェクトと関係していた可能性がある。同校には女性も入学できた。
	同月	教部省「官社へ銅石像設立之儀ニ付伺」。同時代の功臣を祀る別格官幣社は、神社に代えて「西洋モニユウメント」のように祭神の「銅石像等ヲ設立」してはどうかという伺い。翌年の教部省廃省の直後に伺は聞き届けられた。
一八七七（明治一〇）	一月	西南戦争勃発。不平士族の明治政府に対する最後の反乱。同年九月終戦。
	八月	内国勧業博覧会開催（内務省所管、於上野寛永寺旧本坊跡）。入場者総数、四五万四一六八人。出品は「第一区　鑛業及ビ冶金術」「第二区　製造物」「第三区　美術」「第四区　機械」「第五区　農業」「第六区　園芸」の六部門に分類された。「第三区　美術」の出品物は視覚‐造型芸術に限られ、さらにこれが、「彫像術」を筆頭に「書画」「写真術」など六つの下位ジャンルに分けられた。ただし、工芸に相当するジャンルの枠がなく、いわゆる工芸品は「彫像術」や「書画」に混在していた。第二回内国博も同様。ゲートの真正面、会場の要の位置に工部省営繕局によって「美術館 fine art gallery」が建てられる。これが「美術館」を名乗った日本初の施設である。「第四区　機械」に出品された臥雲辰致発明の紡績機「ガラ紡」が鳳紋賞牌を受賞。
	一二月28	大蔵省紙幣局が初の国産紙幣（国立銀行紙幣一円）を製造。エドアルド・キヨッソーネ（キヨソネ）が原版を作成。
	同月28	黒川真頼『工芸志料』（一八七七年一二月二八日序）。日本の「工芸」（＝工業）に

ついて誌すなかで「仏工」の項を設けており、序で「画工」の項を続編で設けると述べている。

一八七八（明治一一）

一月　東京府が、前年の内国勧業博覧会の売れ残り品を販売する施設を設ける。「勧工場」の名で知られ、その後、全国に設けられる。美術品鑑賞の場でもあった。

＊この頃——高橋由一《鮭》《豆腐》、フォンタネージ《天女》《神女》

四月　工部大学校開校。

八月　アーネスト・フェノロサ、東京大学文学部に着任。

九月　フォンタネージ、工部美術学校を辞す。その後任者を不服として工部美術学校生徒が連袂退学し、一一月に十一会を結成。

一〇月　久米邦武編著『特命全権大使米欧回覧実記』

この年——銀座煉瓦街竣成。

一八七九（明治一二）

二月　高橋由一、元老院より天皇肖像制作を命じらる。

三月　一八七二年一〇月設置の琉球藩を沖縄県とする布告。琉球王国の併合。いわゆる「琉球処分」の完了。

同月　龍池会結成（一八八七年に日本美術協会と改称）。翌年、機関誌『工芸叢談』を、一八八五年に『龍池会報告』を創刊。

八月　教学聖旨発出。

九月　教育令公布。学校を小学校、中学校、大学校、師範学校、専門学校、其他各種の学校に分類。翌年、改正教育令公布。農学校、商業学校、職工学校が分類に加えられる。

年	月	事項
一八八〇（明治一三）	四月	内務省博物局が「観古美術会」を開催。日本初の官設「美術」展。翌年の第二回以降は龍池会が主催。
	同月	高橋由一、西洋派美術の啓蒙誌『臥遊席珍』を発刊。
	七月	京都府画学校開校。「東宗（大和絵）、西宗（罫画、油絵、鉛筆など）、南宗（文人画）、北宗（雪舟派、狩野派）の四つの科に分類。入学資格に性別の規定なし。一八八九年に経営が京都府から京都市に移り「京都市画学校」と改称したのち、いくたびか校名を改める。絵画の授業は明治二〇年代に入ると伝統画法へと焦点化されてゆく。一八九一年に工芸図案科を、一八九四年に彫刻科をそれぞれ設ける。一九〇一年、文部省令により京都市立美術工芸学校と改称。この頃を境に教育対象が男子に限定されていったようすが窺われる（田島達也「京都府画学校～京都市立美術工芸学校の女子生徒」による）。
	同月	刑法を公布。「第二五九条　風俗ヲ害スル冊子図画其他猥褻ノ物品ヲ公然陳列シ又ハ販売シタル者ハ四円以上四十円以下ノ罰金ニ処ス」
	＊	《明治紀年之標》。西南戦争における石川県の政府軍戦没兵士の慰霊碑。頂上にブロンズ製のヤマトタケル像（作者不詳）を設置。モニュメントとしての「銅像」のはじめ。
一八八一（明治一四）	一月	ジョサイア・コンダー（コンドル）設計の博物館本館が竣工（上野公園）。
	三月	第二回内国勧業博覧会開催（上野公園）。コンドル設計の博物館本館の一階を「美術館」として使用。入場者総数、八二万二三九五人。出品は「第一区　鉱業及ビ冶金術」「第二区　製造品（工業製品）」「第三区　美術」「第四区　機械」「第五区　農業」「第六区　園芸」の六部門に分類された。「第三区　美術」の出品物は六つの下

位ジャンルに分けられていた。

四月　農商務省設置。博物館、博覧会、美術展に関する行政は農務省の所管となる。

同月　東京におけるフェノロサの連続講演。西洋画に対する東洋画の優位性を説く内容が翌年の『美術真説』の講演と重なる。

五月　「小学校教則綱領」制定。

同月　東京職工学校設置。一八九〇年に東京工業学校、一九〇一年に東京高等工業学校と改称。

同月　この月、高橋由一が「螺旋展画閣創築主意」を各方面に配布。

六月　横山松三郎が「写真石版社」を銀座で開業。

一〇月　明治一四年の政変。同年七月の開拓使官有物払い下げ事件に端を発するクーデター。伊藤博文が、イギリス型議会主義と政党内閣制を唱える大隈重信一派を追放して権力を掌握。また、一八九〇年に国会を開設する旨の勅諭によって、国会開設を求める自由民権派の目標を奪取した。これ以降、来たるべき議会と天皇権力とのバランスに配慮して官製ナショナリズムのプロパガンダが展開される。松方デフレ政策が地主制の進行を促し、産業資本を補完する地主資金の蓄積によって企業勃興の条件をつくりだした。これを契機として産業革命が進行。

同月　国会開設の勅諭。欽定憲法の発布と議会開設を表明。

一一月　日本鉄道会社創立。日本初の私鉄。

一二月　官営愛知紡績所操業開始。民業奨励のための西洋式紡績模範工場。

＊高橋由一《栗子山隧道図（西洞門・大）》

一八八二（明治一五）

五月　大阪紡績株式会社設立。日本最初の蒸気力紡績会社。これ以後、大紡績工場が次々と設立される。綿花の輸入急増。

同月　フェノロサ、龍池会主催の講演会で「美術」としての絵画の在り方を英語で講演。日本画／油絵という対立を設けて理論を展開。ヘーゲル美学を踏まえつつ「油絵」よりも「日本画」の方が「美術」としてすぐれていると説く。一〇月に『美術真説』として翻訳刊行。これを契機に「日本画」という名称が拡がり始める。また、音楽、絵画、詩の別を説いて、レッシング流の近代ジャンル理論を鼓吹。

同月　小山正太郎「書ハ美術ナラズ」（『東洋学芸雑誌』第八～一〇号）。書は記号をしるす実用技術であると主張、これに対し岡倉覚三（天心）が同誌で、西洋美術における建築ジャンルの存立を盾に反論。

六月　日本銀行条例制定。一〇月、開業。

一〇月　内国絵画共進会（農商務省所管）開催。審査長を務めた佐野常民が「審査報告弁言」で「夫レ絵画ハ美術ノ根本ナリ」と述べる。西洋画法と工芸技法を排除。制作主体のオリジナリティを大前提に、日本国の正統的絵画の技法－材料（膠彩画法）と代表的絵画様式（大和絵を頂点とするヒエラルキー）とを、欧風の額絵を基本形態として策定。規則末尾で江戸以来の画派を六グループに分け、編首に大和絵諸派を配置している。一八八四年の第二回まで。

一八八三（明治一六）

一月　工部美術学校廃校。

七月　鹿鳴館竣工。

一一月　初の本格的美術雑誌『大日本美術新報』創刊。

一八八四（明治一七）

三月　第一回鑑画会開催。やがてフェノロサが主催するようになり、革新的保守主義の拠点となる。

七月　大阪初の画学校「浪華画学校」開校。

八月　岡倉覚三（天心）、フェノロサら、秘仏《救世観音》を調査。

九月　加波山事件。翌月、秩父事件。自由民権運動激化。

一一月　文部省において図画調査会が発足。メンバーは岡倉覚三（天心）、狩野芳崖、小山正太郎ら。図画教育の基本を西洋画法から在来画法へと転じ、それまでの再現性本位の技術教育的在り方から「美術」教育へと転換する方針を打ち出す。臨摸による鑑賞教育が転換の梃子とされる。

＊この頃――「応用美術」と「真正美術」の別が問題として意識され始める。明治一〇年代後半には「美術工芸」や「美術工業」の語も用いられるようになる。

一八八五（明治一八）

三月　三月一六日付の『時事新報』が社説「脱亜論」を掲載。「我レハ心ニ於テ亜細亜東方ノ悪友ヲ謝絶スルモノナリ。」

一二月　内閣制度創設。第一次伊藤博文内閣。

この年――京都府画学校の規則改正案の「東派」の規定中に「日本画」の文字が見出される。

一八八六（明治一九）

三月　博物館、農商務省から宮内省に移管。

四月　内国絵画共進会のあとを承けて、民間の東洋絵画会によって東洋絵画共進会が開催される。洋画、工芸とともに、鳥羽絵など「画格ニ適セズ、美術ノ資格ナキモノ」が排除される。

六月　フェノロサ、京都府画学校の要請で祇園中村楼で講演をおこなう。「今日ハ一定共同ノ事業ヲ為スベキノ時ナリ。今日ハ従来ノ旧習ヲ墨守シ衆派ノ遺伝ニ執着スルノ時ニ非ザルナリ。」（「フェノロサ氏演述筆記」〈『大日本美術新報』第三二号〉）

一〇月　フェノロサと岡倉覚三（天心）が欧米美術行政視察に出発。翌年一〇月帰国。

同月　釜石製鉄所で高炉の操業を軌道に乗せることに成功。明治以後で最古の製鉄所。

一一月　第一回彫刻競技会開催。翌年二月、東京彫工会と改称。

同月　ワグネル（ゴトフリート・ヴァーゲナー）が龍池会で「美術ノ要用」と題する講演をおこなう。「日本ノ美術工業品ハ直チニ外国人ノ注意ヲ引キ起シ又欽慕セシムルニ至リタリ。此美術工業品ハ日本ニ於テ外国交際ノ援ケヲ得ズシテ自分ノ天才ト智力ヲ以テ進ミタル固有ノ文明開化ガアリシ證拠ナリ。」（『龍池会報告』第二〇号）

この年――松方デフレの終息を契機に鉄道業を先頭に紡績、鉱山などの諸企業が勃興。

＊狩野芳崖《仁王捉鬼図》、原田直次郎《靴屋の親爺》

一八八七（明治二〇）

一月　ブルンチュリ「族民的の建国並びに族民主義」が翌月にかけて『独逸学協会雑誌』に掲載される（訳者不詳）。「族民主義」は民族主義の意。

三月　東京府工芸品共進会開催。一八八二年の内国絵画共進会以来初めて公の展覧会において西洋画が受けつけられる。「各種絵画ハ和漢洋法ノ諸画ヲ始メ漆絵、染絵、織絵、繍絵、錦絵、焼絵、押絵等ノ類トス」（「工芸品共進会出品人心得」）

四月　細川潤次郎が裸体画をめぐる講演「裸体ノ彫像画像ヲ論ズ」を龍池会でおこなう。「蓋シ下体ヲ露呈スルヲ以テ恥トスルハ人ノ天性ナリ。…吾人ハ到底裸体ヲ視ルニ忍ビザル者ナリ。故ニ又裸体ノ美術品ヲ視ルニ忍ビザル者ナリ。」（『龍池会報告』

第二四号）

一〇月5　東京美術学校設置。文化ナショナリズムを標榜して伝統技法（膠彩画、木彫）を主軸とするカリキュラムを組む。ただし、校名に「美術」というヨーロッパ由来の翻訳語を掲げており、透視図法や塑造の指導もおこなった。この学校は、また、江戸時代以来の画派を混成して日本という近代国民国家を代表する絵画を形成する実験工房でもあった。専門課程は絵画、彫刻、建築、図案の四科。ただし、当初、建築科の課程は開始されず、一九〇二年の「図案科建築教室」設置を経て、一九二三年に「建築科」として独立。「図案科」は一八九〇年に「美術工芸」に改められ、伝統的金工と漆工の指導をおこなう。

同月5　東京音楽学校設置。

同月5　東京盲啞学校設置。

九月　「ワグネル氏の演説」（『大日本美術新報』第四七号）。江戸時代までの「工」の在り方の普遍性を説く。「其古の名工は美術の考案と工芸の術と一人にして之を兼たる者多かりし…欧洲も往昔は美術と工芸とは甚だ親密の関係を有せり」。

一〇月　東京府尋常師範学校・同尋常中学校への「御真影」の下付が認めらる。これを契機として、願出があれば道府県経由で宮内省から公立学校に下付することとなる。ただし、公立学校への下付の最初の例は前年九月の沖縄県尋常師範学校への下付である。

一一月　海外視察から帰国したフェノロサが鑑画会で帰朝報告講演をおこなう。「日本美術は固有の妙所あり。之を維持するは日本の国躰を維持すると同一なれば」云々と発言。

一二月　保安条例公布。

同月　第三回内国勧業博覧会規則告示。

＊この頃――画家がヨーロッパから相次いで帰国する。原田直次郎（一八八七年）、山本芳翠（一八八七年）、五姓田義松（一八八九年）。

一八八八（明治二一）

二月　日本美術協会の美術品展覧所が竣工。

三月　京都府画学校、従来の東（日本）、西（西洋）、南（南宗画）、北（北宗画）の四宗制のうち東、南、北を「東洋画」と一括して「西洋画」に対置する

四月　「国粋保存旨義」を掲げる「政教社」が結成される。機関誌『日本人』創刊（一九〇七年から『日本及日本人』）。

九月　宮内省に臨時全国宝物取調局が設置される。

一〇月　和洋折衷様式の明治宮殿（宮城）完成。

この年――明治天皇の大礼服姿をエドアルド・キヨッソーネがコンテで描いた肖像画を丸木利陽が撮影。のちにこの複製が「御真影」あるいは「御写真」として広く学校に下付され、国家祝祭日の儀礼において拝礼の対象とされる。

＊狩野芳崖《悲母観音》

一八八九（明治二二）

一月　『国民之友』（三七号）掲載の山田美妙の歴史小説「蝴蝶」に添えられた渡辺省亭の挿絵の裸体画をめぐって公序良俗と「美」をめぐる議論がジャーナリズムで沸騰。内務省が裸体画印刷物の取り締まりに乗り出し、同年一一月に、「風俗ヲ壊乱スルモノ」として《美人湯上り蝶追之図》《名妓湯揚りの図》《浴場美人之図》な

どの印刷物の販売、頒布を禁じる（内務省告示第三九号）。

同月　改正徴兵令公布。国民皆兵体制へ。

二月　東京美術学校開校。他の官立学校同様男子のみ入学を許された。

同月　『美術園』創刊号に『教育報知』から市島金治「日本画の将来如何」が転載され、これを契機として「日本画」をめぐる論争が起こる。

同月　大日本帝国憲法発布。皇室典範制定。「第一条　大日本帝国ハ万世一系ノ天皇之ヲ統治ス」

同月　『頓智協会雑誌』第二八号、大日本憲法発布式を風刺した安達吟光の《頓智研法発布式》と記事を掲載。「不敬罪」に問われる。「第一条　大頓智協会ハ讃岐平民ノ外骨之ヲ統轄ス」

四月　新聞『日本』が日本歴史上の人物の絵画もしくは彫刻の懸賞募集をおこなう。

五月　パリ万国博覧会開催。『仏国巴里万国大博覧会報告書』（一八九〇年刊）の「評論日本出品部」が「欧米人ニ象牙ノ根付、錦彩ノ磁器若クハ模様同様ナル支那日本風ノ画軸ヲ以テ美術品ナリト云フモ、敢テ之ヲ相手ニスルモノナキハ今日欧米普通ノ慣習ナリ」と指摘。

同月　大槻文彦著『言海』第一冊。日本における近代的国語辞典のはじめ。

同月　帝国博物館、帝国京都博物館、帝国奈良博物館が設置される。「本館ハ歴史（ヒストリー）。美術（ファインアート）。工芸美術（アートインダストリー）。工芸（インダストリー）ノ四部ニ分ケ」云々（九鬼隆一「提要」）。

六月　工部美術学校出身者の「十一会」のメンバーを中心に「明治美術会」が結成される。一八九二年に附属施設「明治美術学校」開校。

七月　東海道線全通。一八九四年には兵庫―広島間の鉄道が、一八九一年には東北本線が全通。

九月　山本五郎（農商務省）「美術ト工業トノ区別　博物館ノ効用」（『日本美術協会報告』第二一号）。金沢工業学校でおこなった講演の記録。「美術、工業共各々特異の性質を備へて決して同一のものにあらず。言少しく学理に渉ると雖も工業は独逸語ゲウェルベ、美術は同クンストにして正しく其間に区別あるものなり。」

一〇月　『國華』創刊。「夫レ美術ハ国ノ精華ナリ」で始まる「『國華』発刊ノ辞」は、絵画について「歴史画ハ国体思想ノ発達ニ随テ益々振興スベキモノナリ」とし、彫刻については「定朝、安阿弥カ仏菩薩ノ相好ニ尽シタル精神ヲ以テ、之ヲ忠臣義士ノ肖像ニ応用セサルヘカラス。僧伽藍摩ヲ装飾シタル巧手ヲ以テ、公堂公園ヲ装飾セザルヘカラス」と説く。

一八九〇（明治二三）

一月　「京都美術協会」結成。

四月　第三回内国勧業博覧会開催（上野公園）。入場者総数、一〇二万三六九三人。中江兆民はこの博覧会について「政治的の建設物たる国会と、経済的の建設物たる博覧会と同一年に開設さるゝとは、アジア洲中、千古の偉観と謂ふ可し」と評した（「当年の内国大博覧会に就て」）。出品は「第一部　工業」「第二部　美術」「第三部　農業山林及園芸」「第四部　水産」「第五部　教育及学芸」「第六部　礦業及冶金術」「第七部　機械」の七部門に分類された。「第二部　美術」の出品物は五つの下位ジャンルに分けられ、それまでの彫刻を首位に置く分類から、絵画を首位に置く分類へと変更された。そのさい「書画」が「絵画」と「書」に分解され、「書」は美術部門の末尾に配置される。絵画はパネル状のものに限定された。画題についてみると、西洋派がナショナリスティクな画題に流れるうごきが見られた。第一回、第二回では絵画や彫刻の枠内に混入していた工芸的作品を収める「美術工業」という枠が設けられたことも特記にあたいする（ただし、混在状況はすぐには改まらず）。また、「美術」部門にかぎり出品鑑査がおこなわれた。会期終了後、博物館に譲渡された第五号館が、明治美術会はじめ諸美術団体の展覧会場として使用されることになる。

同月　商法公布。一八九九年、新商法公布。

同月　「日本絵画ノ未来」論争（外山正一、森鷗外、林忠正）。外山正一「日本絵画ノ未来」（『明治美術会第五回報告』）

七月　第一回総選挙。一一月、第一通常議会召集。

九月　岡倉覚三（天心）、東京美術学校において「日本美術史」と「泰西美術史」の講義を始める。マジック・ランタン（プロジェクター）を使用。

一〇月　帝室技芸員制度が設けられる。

同月　岡倉覚三（天心）、東京美術学校校長を命じられる。

同月　教育勅語発布。

一二月　東京電話局開業。

この年――一八九〇年恐慌。近代日本経済最初の恐慌。企業倒産が相次ぐ。

＊原田直次郎《騎龍観音》、本多錦吉郎《羽衣天女》、竹内久一《神武天皇立像》

一八九一（明治二四）

一月　明治美術会で裸体画の風俗に及ばす影響に関する討論会が、二月にかけて前後二

		回にわたって開かれる。「裸体ノ絵画彫刻ハ本邦ノ風俗ニ害アリヤ否ヤ」（『明治美術会第十一回報告』）
	四月	京都市画学校が京都市美術学校と改称。絵画科と工芸図案科を併置。絵画について「本邦固有ノ図画ヲ考究」（「京都市美術学校教則摘要」）すると規定。
	七月	竹越与三郎『新日本史』上巻刊行。「今や此旧社会慕望の念は、単に美術の上に止まらず、文学の上にも起り、文学と共に、制度典章の上にも起り、制度典章より、直ちに政治思想の上にも起り、今は歴然たる政治的の意義となり、唯一の観古美術博覧会は、実に全国民の思想を一転する、潮合を作りしこと猶ほ自由思想がランプ金巾と共に輸入し来りしが如きものある也。」（中巻）
一八九二（明治二五）	一一月	松原岩五郎が『国民新聞』において『最暗黒の東京』（一八九三年刊）のルポルタージュを開始。一八九九年には横山源之助『日本之下層社会』が刊行される。
	同月	東京美術学校彫刻科の第三学年以上が「木彫科」「石彫科」「牙角彫刻科」のうち一科を専攻する選択制となる。
	同月	柳源吉編『高橋由一履歴』
	この年	——長尾建吉が芝愛宕町に西洋画専門の額縁製造業を開業。一九〇三年、磯谷商店を名乗る。
一八九三（明治二六）	四月	出版法公布。第一九条「安寧秩序ヲ妨害シ又ハ風俗ヲ壊乱スルモノト認ムル文書図画ヲ出版シタルトキハ内務大臣ニ於テ其ノ発売頒布ヲ禁シ其ノ刻版及印本ヲ差押フルコトヲ得」。この規定は輸入出版物の発売や頒布に関しても適用された（第二〇条）。

五月　シカゴ万国博覧会（シカゴ・コロンブス万国博覧会）開催。日本の「美術」作品が万国博覧会において初めて美術館内に展示される。しかも、特例として工芸と純粋美術の境界が撤廃される。「特ニ本邦美術品ノ区域ヲ拡メ木材、乾漆、塑製及象牙ノ彫刻類、陶器、七宝、蒔絵類、刺繡、織物等、図様技術共ニ高等美術ニ属スト認メタルモノハ美術館中ニ出陳スルヲ得ベキ旨ヲ規定セリ。」（『臨時博覧会事務局報告』）

同月　北村透谷「内部生命論」（『文学界』第五号）

同月　この月——鉄道庁神戸工場で初めての国産機関車が完成。

七月　黒田清輝がフランスから帰国。

＊この頃——小山正太郎に帰せられる「洋画排斥例証及美術保護論草案」成る。西洋派の画家は「西洋ノ技術」を「摸倣」しようとするのではなく、これを「帰化」させようとしているのだと主張。

＊浅井忠《伝通院》、黒田清輝《朝妝》、高村光雲《老猿》、大熊氏広《大村益次郎像》（靖国神社）

一八九四（明治二七）

七月　日英通商航海条約締結。領事裁判権の撤廃、関税自主権の一部回復。

八月　日清戦争始まる。翌年、日清講和条約（下関条約）調印。三国干渉。台湾領有。

一〇月　志賀重昂『日本風景論』

同月　大村西崖「彫塑論」（『京都美術協会雑誌』第二九号）。「彫塑トハ何ゾヤ。即実体ヲ具シタル造形術ノ総称ナリ…此中ニハ二ツノ道アリテ消滅的ノ彫刻ト捏成（ねっせい）ノ塑造トニ分ル…論理ニ譬ヘハ、彫刻ハ演繹ノ如ク、捏造〔塑造〕ハ帰納ノ推法ニ似タリ…若又之ヲ絵画ニ譬フレバ、彼レハ日本画ノ如ク、此レハ油画ノ手法ニ似タル趣アラン。」

一二月　横井時冬『工芸鏡』

一八九五（明治二八）

四月　第四回内国勧業博覧会開催（京都・岡崎公園）。入場者総数、一一三万六六九五人。出品は「第一部　工業」「第二部　美術及美術工芸」「第三部　農業、森林及園芸」「第四部　水産」「第五部　教育及学術」「第六部　鉱業及冶金術」「第七部　機械」の七部門に分類された。「第二部　美術及美術工芸」という部門名は工芸と美術の微妙な関係を示している。なお、美術部門の出品物は五つの下位ジャンルに分けられていた。このうち「絵画」は鑑査結果を示す統計表において「日本画」と「西法画」に分類された。また、美術館に展示された黒田清輝の裸体画《朝妝》が論議を呼ぶ。『二六新報』（一九〇三年）の投書記事が伝えるところによると、内務省はこれを契機として内規を作成、「美術の目的を以て製作し、其製作の精神の潔白なるもの丶外は之を禁ずる」としつつ、しかし、美術作品であっても印刷複製の販売は不許可とする方針を立てたという（植野健造『日本近代洋画の成立　白馬会』による）。

＊黒田清輝《昼寝》

一八九六（明治二九）

三月　航海奨励法、造船奨励法各公布。重工業奨励策。

六月　黒田清輝、久米桂一郎ら白馬会を結成。九月に日本絵画協会第一回絵画共進会への参加を以て第一回展を開催。日本美術院設立以降は同院と合同で開催。

七月　東京美術学校、絵画科に「西洋画科」を新設、黒田清輝が指導にあたる。従来の課程は、以後「日本画科」と称する。「図按科」も同時に設置。
一〇月　税務管理局官制公布。以後、国税事務が大蔵省主税局に一元化される。
＊黒田清輝《大磯鴫立庵》

一八九七（明治三〇）
三月　足尾銅山鉱毒被害者のデモ隊、農商務省を包囲して操業停止を訴える。
同月　貨幣法公布。同法施行によって金本位制が確立。
六月　古社寺保存法公布。
七月　一八八六年創立の「造家学会」が伊東忠太の提案を承けて、美術のニュアンスを帯びる「建築学会」へと改称。
一一月　東京美術学校有志が青年彫塑会を結成。塑造材料の許容。塑造原型による木彫制作の開始。
一二月　労働組合期成会鉄工組合結成。機関紙『労働世界』創刊（主筆、片山潜）。日本初の本格的労働組合機関紙。
＊黒田清輝《智・感・情》、菱田春草《水鏡》、横山大観《聴法》（焼失）、下村観山《闍信最期》

一八九八（明治三一）
三月　東京美術学校長岡倉覚三（天心）が非職を命じられる。いわゆる美校騒動。橋本雅邦はじめ三四名の美校職員が連名で辞意を表明する。
五月　一九〇〇年パリ万国博の出品規則の改正が告示される。「本邦固有ノ神趣」を重視するという文言を改めて、「美学ノ原則」にもとづく独創性を以て「美術品」の要件となす。また、これを踏まえて「美術工芸品」という名称を「優等工芸品」と改める。「美術作品ハ純正ナル美学ノ原則ニ基キ各自ガ意匠ト技能トヲ発揮スベキモノナレバ出品物ハ作者ノ創意製出セシモノニ限ル」「優等工芸品ハ美術ヲ応用シ製作良好ニシテ鑑賞実用其宜ヲ得タルモノニ限ル」(「臨時博覧会事務局告示第七号」)

七月　「日本美術院」創設。

同月　民法施行。

八月　三菱造船所で日本初の大型汽船「常陸丸」が竣工。

同月　「美術工芸」というジャンル名をめぐる論争(塩田力蔵 vs.大村西崖)。塩田力蔵「美術工芸と形式美」(『読売新聞』八月二九、三〇、三一日、九月一、二、三、六、七、一一、一三日)

この年——日本鉄道会社機関方ストライキをはじめとする労働争議頻発。

この年——日清戦後第一次恐慌。

＊東京美術学校スタッフ(高村光雲、林美雲、後藤貞行、岡崎雪声〈鋳造〉)・塚本靖(台座)《西郷隆盛像》(上野公園)、長沼守敬《老夫》

一八九九(明治三二)

一月　読売新聞、東洋歴史画題を懸賞募集。

二月　実業学校令公布。これにもとづいて工業学校規程が設けられる。

三月　北海道旧土人保護法公布。

同月　著作権法公布。

同月　国籍法公布。「子ハ出生ノ時其父ガ日本人ナルトキハ之ヲ日本人トス」(第一条)。

同月　日本画の日欧折衷性と装飾性をめぐる論争。罵倒先生「画界罵倒録」(『日本』三月二一～二三日)

七月　一八九四年調印の日英通商航海条約実施。これによって居留地が撤廃され内地雑居が実現。

九月　東京美術学校彫刻科に「塑造科」を設置。「彫刻科〈木彫科、塑造科、石彫科、牙角彫刻科／ノ内一科ヲ撰ビ専修セシム〉」（「東京美術学校規則〈明治卅二年／四月改定〉」）。ただし、この時点で石彫科と牙角彫刻科は有名無実化していたため、実質的に木彫と塑造の二科体制となる。発足当初、指導にあたったのは長沼守敬だが、翌年からは藤田文蔵が指導。

一〇月　歴史画をめぐる論争（高山樗牛 vs.坪内逍遥）。高山樗牛「歴史画の本領及び題目」（『太陽』第五巻第二三号）

一九〇〇（明治三三）

二月　衆議院議員根本正が「美術奨励ニ関スル建議案」を第一四回通常議会に提出。委員会において可決される。

同月　この月、大阪で「合名会社山中商会」設立。営業目的「新古美術品並ニ雑貨輸出業」。

三月　治安警察法公布。

五月　「形像取締規則」制定。第一条に「官有地及公衆ノ往来出入スル地ニ於テ永久保存ノ目的ヲ以テ人物其ノ他ノ形像ヲ建設、移転、改造又ハ除却セントスル者ハ、東京市京都市大阪市ニ在テハ内務大臣、其ノ他ノ地方ニ在テハ地方長官ノ許可ヲ受クベシ」とあり、また、第三条に内務大臣が「公共ノ安寧」と「風俗ノ取締」のために必要と認めれば、野外造型物の移転、改造、除却を命ずることができるとある。

六月　北清事変勃発。

七月　帝国博物館が東京帝室博物館に、また、京都、奈良の帝国博物館も、それぞれ京都帝室博物館、奈良帝室博物館と改称。

一一月　おそらくこの月に――パリ万国博覧会を機にフランスで *Histoire de l'Art du Japon* を刊行（馬渕明子「Histoire de l'Art du Japon の成り立ちとその意義」による）。同書の日本語原本は翌年に『稿本日本帝国美術略史』のタイトルで出版された。

この年――日清戦後第二次恐慌。

＊この頃――表慶館建設をめぐって美術館建設運動が盛り上がりをみせる。「帝国博物館あれど固より美術館を以て見るべきなく、又今日の如く不完全を極むる一見して沿革は愚か類別も何も分らざる旧式組織の博物館内に美術の一部を葬り置くことは出来ない」（吉岡芳陵「紀念美術館設立の議を採るべし」、『美術評論』第二五号）

＊東京美術学校スタッフ（高村光雲、石川光明、山田鬼斎、後藤貞行、岡崎雪声）・片山東熊（台座）《楠木正成像》（皇居前広場）

一九〇一（明治三四）

二月　官営八幡製鉄所第一高炉、火入れ。

四月　私立女子美術学校、開校。男子校であった東京美術学校のジェンダー的補完。学科編成は「日本画科」「西洋画科」「彫塑科」「蒔絵科」「編物科」「造花科」「刺繍科」。「今日我国に於ける美術教育の情体如何を察するに其範囲は狭く男子にのみ限られたるの観を呈し、女子の美術教育に至りては未だ殆んど顧みられざるの風なきに非ず。」（「女子美術学校設立ノ趣旨」）

六月　「関西美術院」開設。
一〇月　白馬会第六回展で黒田清輝《裸体婦人像》が風俗を壊乱するとして、警察がその下半身にあたる部分を海老茶色の布で覆う。
一一月　「明治美術会」解散。
＊黒田清輝《裸体婦人像》、浅井忠《グレーの古橋》

一九〇二（明治三五）
一月　日英同盟協約調印。
三月　京都高等工芸学校設立。当初、東京高等工業学校、大阪高等工業学校に次ぐ「第三高等工業学校」として構想されたが、設置される染色、機織、図案の三学科が「美術工芸」に属するため「高等工芸学校」となった。
一二月　「国勢調査ニ関スル法律」制定。第一回実施は一九二〇年。

一九〇三（明治三六）
一月　岩村透『巴里の美術学生』
二月　岡倉覚三（天心）*The Ideals of the East*（東洋の理想）
三月　第五回内国勧業博開催（大阪市今宮）。入場者総数、五三〇万五二〇九人。出品は「第一部　農業及園芸」「第二部　林業」「第三部　水産」「第四部　採鉱及冶金」「第五部　化学工業」「第六部　染織工業」「第七部　製作工業」「第八部　機械」「第九部　教育、学術、衛生及経済」「第十部　美術及美術工芸」の一〇部門に分類された。農業が工業の前（上位）に置かれ、美術が分類の最後に配置されたのが大きな変更点。「第十部　美術及美術工芸」の出品物は「絵画」「彫塑」「美術工芸」「美術建築ノ図案及模型」の四つの下位ジャンルに分けられていた。アイヌ、台湾高山族、琉球人、清国人、インド人などを展覧に供する学術人類館の「人間の展示」が問

		題化。
	同月	農商務省商工局『職工事情』。全国工場労働者の実態調査報告。一九一一年公布の工場法立案の基礎資料。工場法は日本初の工場労働者保護法。
	六月	藤岡作太郎『近世絵画史』
	七月	幸徳秋水『社会主義神髄』、片山潜『我社会主義』
	九月	白馬会第八回展で裸体画を専門家にのみ閲覧させる特別室が設けられる。
	同月	この月、小西本店が日本初のアマチュア向け本格的小型カメラを発売。
	一〇月	日本初の常設映画館「電気館」が浅草で開業。
	＊青木繁《黄泉比良坂》	
一九〇四（明治三七）	二月	日露戦争始まる。
	一〇月	水彩画論争（三宅克己 vs.鹿子木孟郎）。鹿子木孟郎（不倒）「偶感（二）」（『美術新報』第六三号）
	＊青木繁《海》《海の幸》、浅井忠《曼珠沙華》、米原雲海《善那〔ジェンナー〕像》（ブロンズ像）	
一九〇五（明治三八）	七月	水彩画の啓蒙と普及を目指す雑誌『みづゑ』が創刊される。この頃から水彩画が流行し、西洋派アマチュアリズムが台頭。
	九月	日露講和条約（ポーツマス条約）。この戦争の戦死者、およそ一一万八〇〇〇人。賠償金を放棄した条約締結を弾劾する国民大会が日比谷公園で開催され、焼き討ち事件に発展（日比谷事件）。モブ（群衆）の登場。
	一二月	横山大観・菱田春草『絵画について』。前年から欧米を巡遊してきた大観と春草の

帰朝報告パンフレット。『美術新報』『絵画叢誌』、東京美術学校の『校友会月報』などに転載され、反響を呼んだ。「画道に於ても書画一致の初期を離れて専ら色調を以て自立すべき者たること恰も音楽が専ら音調によりて自立するが如し…実に文学に非ず音楽に非ず又彫刻建築にも非ずして別に自ら絵画の絵画たるべき本領は専ら此色調の上に存するものと存じ候」

一九〇六（明治三九）

一月　第一次西園寺内閣成立。文部大臣に牧野伸顕が就任。これによって文部省美術展覧会が実現。

一一月　日本美術院、五浦へ移転。

この年——勅令によって神社合祀が始まる。南方熊楠が神社合祀反対運動を展開。

一九〇七（明治四〇）

二月　豊田式織機株式会社設立。動力織機の普及。

三月　東京勧業博覧会開催。鑑賞造型にかかわる出品は「第二部　美術」と「第三部　図案」に分けられ、美術は「東洋画」「西洋画」「彫像、塑像、鎚起像、鋳像、彫版、篆刻」「美術工芸品」の四つに類別された。北村四海が、審査における非芸術的発想に抗議して自作《霞》を破壊する。会期終了後、工業館の建物が竹の台陳列館として美術展や共進会に貸与されるところとなる。

同月　「大阪絵画会」結成。

四月　東京美術倶楽部設立。東京の美術書画骨董商の組織。美術マーケットの近代的再編。

同月　帝国国防方針が決定される。

九月　三越呉服店（大阪）が美術部を開設。一二月、東京の三越本店が美術部開設。

一〇月　文部省美術展覧会（文展）開設。「出品ハ日本画西洋画及彫刻ノ三科トス」（「美術展覧会規則」）。工芸部門は設置されず（一九二七年に文展の後身である帝国美術院展覧会で「美術工芸」部門が設置される）。美術館の設立へ向けて作品の買い上げをおこなう。

同月　日米蓄音器製造株式会社設立。国産蓄音機第一号を製造販売。

一一月　米原雲海、山崎朝雲、平櫛田中ら高村光雲一門の木彫家が中心となって「日本彫刻会」結成。

この年――日露戦後恐慌。

一九〇八（明治四一）

＊黒田清輝《野辺》、新海竹太郎《ゆあみ》、竹内栖鳳《雨霽（あまばれ）》

七月　第二次桂内閣成立。文部大臣に小松原英太郎が就任。文展日本画部の審査を守旧派寄りに改編。「思想悪化」対策の一環。

八月　荻原守衛「予が見たる東西の彫刻」（『藝術界』一九〇八年八月号）。「彫刻の本旨、即ち中心題目は、一製作に依て一種内的な力（Inner Power）の表現さるゝことである。生命（Life）の表現さるゝことである。」

九月　表慶館落成。「本館ニ陳列スル美術品ハ明治以前ノ絵画及彫刻トス／但明治以後ノ絵画彫刻及美術上ノ参考トナルベキ古今ノ蒔絵書蹟其他諸品ノ内希世優等ノモノハ之ヲ陳列スルコトアルベシ」（「表慶館陳列品ノ種類」）

＊この頃――荻原守衛（一九〇八）と高村光太郎（一九〇九）が相次いでパリから帰国。

一九〇九（明治四二）

三月　竹の台陳列館の貸与問題をめぐって利用団体が「竹の台茶話会」を結成。これを機に美術館建設運動が活発化。

四月　京都市立絵画専門学校創立。「第一条 本校ハ専門学校規程ニ依リ日本絵画ヲ攻究セント欲スル者又ハ師範学校、中学校、高等女学校ノ図画教員タラント欲スル者ニ必要ナル技術及学理ヲ教授スルヲ以テ目的トス」（「京都市立絵画専門学校規則」）

五月　新聞紙法公布。第二三条「内務大臣ハ新聞紙掲載ノ事項ニシテ安寧秩序ヲ紊シ又ハ風俗ヲ害スルモノト認ムルトキハ其ノ発売及頒布ヲ禁止シ必要ノ場合ニ於テハ之ヲ差押フルコトヲ得。前項ノ場合ニ於テハ内務大臣ハ同一主旨ノ事項ノ掲載ヲ差止ムルコトヲ得」。この規定は海外からもたらされた出版物の発売と頒布にかんしても適用された。

一九一〇（明治四三）

*菱田春草《落葉》

三月　菱田春草「画界漫言」（『時事新報』三月七・八日）。「兎に角日本人の頭で構想し、日本人の手で作製したものとして、凡て一様に日本画として見らるゝ時代が確かに来ること、信じてゐる。でこの時代に至らば…皆な一様に統一されて了ひ只其処に使用さるゝ材料の差異のみが存すること、思ふ。」

四月１　『白樺』創刊。内面の権威化。自我の帝国主義の宣揚。

同月１　高村光太郎「緑色の太陽」（『スバル』第二年四号）。「所謂日本画家は日本画といふ名に中てられて行き悩んでゐる。所謂洋画家は油絵具を背負ひこんで行き悩んでゐる。…日本の自然に或る犯すべからざる定まつた色彩が固有してゐて、其に牴触しては忽ち其の作品の RAISON D'ÊTRE がなくなつてしまふと考へる所から、自分の胸にある燃える様な色彩も、夢の様な TON も仰へつけようとして踟躑逡巡してゐる人も少なくない様である。…人が「緑色の太陽」を画ひても僕は此を非なりとは言はないつもりである。僕にもさう見える事があるかもしれないからである。」

同月　高村光太郎が画廊「琅玕洞」を開設。絵画、彫刻、工芸、手芸など造型諸ジャンルの発表場所として構想されていた。

五月　大逆事件。

八月　韓国併合条約締結。一〇月、朝鮮総督府設置。

九月　岡倉覚三（天心）、渡米。ボストン美術館中国・日本美術部長に着任。以降、日本美術院は事実上、解散状態となる。

一〇月　黒田清輝、西洋画家として初の帝室技芸員となる。

一一月　『白樺』ロダン特集。

＊荻原守衛（山本安曇鋳造）《女》

一九一一（明治四四）

二月　日米新通商航海条約。関税自主権を確立。

三月　文展の創設を承けて白馬会解散。

四月　「吾楽殿」竣工。一九〇九年一月に結成されたジャンル横断的なグループ「吾楽会」の施設。

五月　東京美術学校生によるアブサント同人小品展。二カ月前に逝去した同窓生青木繁の《自画像》《黄泉比良坂》を展示。表現的絵画継承の表明。

六月1　青鞜社結成。九月、『青鞜』創刊。

同月1　「絵画の約束」論争（木下杢太郎 vs.山脇信徳・武者小路実篤）——木下杢太郎「画

界近事」（『中央公論』六月号）

八月　警視庁、特別高等課（特高）設置。

一〇月　白樺主催「泰西版画展覧会」。版画の現物に複製、写真を併せて展示。

一一月　柳宗悦「革命の画家」（『白樺』第三巻第一号）

一九一二（明治四五／大正元）

三月　天皇主権説に対抗する天皇機関説を説く『憲法講話』を美濃部達吉が刊行。上杉慎吉が批判し、論争に発展。

七月　明治天皇没。大正と改元。

一〇月　第六回文展。第一部（日本画）が第一科（旧派）と第二科（新派）に分けられる。

同月15　ヒユウザン会展。表現的絵画のマニフェスト展。翌年、「フュウザン会」と改称して第二回展を開催後、五月に解散。工芸家、彫刻家も参加。

同月15　夏目漱石「文展と芸術」（『東京朝日新聞』一〇月一五〜二八日〈一八日、二一日休載〉）。「芸術は自己の表現に始まつて、自己の表現に終るものである。」

一二月　憲政擁護大会、東京で開催。第一次護憲運動の進発。

この頃――生命をキーワードとする言説の台頭が始まる。

＊萬鉄五郎《裸体美人》

一九一三（大正二）

三月　国民美術協会創立。フランスのソシエテ・ナショナル・デ・ボザール（Société nationale des beaux-arts）に倣った組織で、派閥を超えた美術家の大同団結を目指す。「我国現代作家の代表的製作を蒐集陳列して広く公衆に紹介すると同時に、完全なる美術館の建設を図る事。」（石井柏亭編著『国民美術協会略史』〈国民美術協会、一九三〇〉による）

	同月　『郷土研究』創刊。
	九月　岡倉覚三（天心）没。
	＊この頃――萬鉄五郎《無題》。抽象性への傾斜を示す画面の登場。
一九一四（大正三）	三月　「DER STURM　木版画展覧会」開催。
	同月　東京大正博覧会開催。「第二部　美術及美術工芸」は一二の下位ジャンルに分けられていた。「日本画」「油絵、水彩画、パステル画、木炭画等」「彫塑」が上位を占め、「建築」「書及篆刻」を挟んで諸工芸、写真、プリント、図案などが配置されていた。
	四月　斎藤佳三「表現派と立体派と未来派」（『美術新報』第一三五号）
	八月　ドイツに宣戦布告。第一次世界大戦に参戦。
	九月　再興美術院開院。事実上の解散状態であった日本美術院が再興される。
	同月　東京美術学校、従来の図案科を第一部（工芸図案）、第二部（建築図案）に分け、新たに製版科を設ける。
	一〇月　「二科会」が第一回展を開催。文展の西洋画における新傾向を代表する画家たちが、新傾向を「二科」とし、在来のスタイルを「一科」として類別するよう提案をしたが当局に容れられず、文展の外郭において結成した会派。
	一一月　日本初の美術専門辞典『美術辞典』（石井柏亭・黒田鵬心・結城素明編著）が刊行される。
	＊今村紫紅《熱国之巻》、恩地孝四郎、藤森静雄、田中恭吉が『月映』創刊。

本年表を作成するにあたり、諸書を参看した。なかでも岩波書店編集部編『近代日本総合年表 第四版』（岩波書店、二〇〇一）、東京国立博物館編『東京国立博物館百年史』（東京国立博物館、一九七三）、日本美術院百年史編集室編『日本美術院百年史』第一～三巻（日本美術院、一九八九～一九九二）、東京芸術大学百年史刊行委員会編『東京芸術大学百年史 東京美術学校篇』第一～第二巻（ぎょうせい、一九八七～一九九二）、京都市立芸術大学百年史編纂委員会編『百年史 京都市立芸術大学』（京都市立芸術大学、一九八一）、足立元編著「日本近現代美術史年表」（『美術の日本近現代史　制度 言説 造型』〈東京美術、二〇一五〉）に多くを負っている。日本近現代史辞典編集委員会編『日本近現代史辞典』（東洋経済新報社、一九八六）、日蘭学会編『洋学史事典』（雄松堂出版、一九八四）、『続・現代史資料』第八～一〇巻「教育――御真影と教育勅語」一～三（みすず書房、一九九四～一九九六）、宮内庁編『明治天皇紀』第一～一二巻・索引（吉川弘文館、一九六八～一九七七）、中村義一『日本近代美術論争史』正・続（求龍堂、一九八一・一九八二）、鈴木淳『新技術の社会誌』（『日本の近代』第一五巻、中央公論新社、一九九九）にも教えられるところが多かった。

ま

か

さ

主要人名索引

本書は、二〇〇〇年六月三十日に初版が、二〇〇五年七月三十一日に新装版がブリュッケより刊行された。文庫化にあたっては、大幅な加筆修正と再構成を行なった。

民藝の歴史 志賀直邦

モノだけでなく社会制度や経済活動にも美しさを求めた柳宗悦の民藝運動。「本当の世界」を求める若者達のよりどころとなった思想を、いま振り返る。

シェーンベルク音楽論選 アーノルト・シェーンベルク 上田昭訳

十二音技法を通して無調音楽へ——現代音楽への扉を開いた作曲家・理論家が、自らの技法・信念・つきあげる表現衝動に向きあう。（岡田暁生）

20世紀美術 高階秀爾

混乱した二〇世紀の美術を鳥瞰し、近代以降、現代すなわち同時代の感覚が生み出した芸術が、われわれにとって持つ意味を探る。増補版、図版多数。

世紀末芸術 高階秀爾

伝統芸術から現代芸術へ。19世紀末の芸術運動には既に抽象芸術や幻想世界の探求が萌芽していた。新時代への美の冒険を捉える。（鶴岡真弓）

鏡と皮膚 谷川渥

「神話」という西洋美術のモチーフをめぐり、芸術の認識論的隠喩として二つの表層を論じる新しい身体論・美学。鷲田清一氏との対談収録。

肉体の迷宮 谷川渥

あらゆる芸術表現を横断しながら、捩れ、歪み、時には傷つき、さらけ出される身体と格闘した美術作品を論じる著者渾身の肉体表象論。（安藤礼二）

武満徹エッセイ選 小沼純一編

稀代の作曲家が遺した珠玉の言葉。作曲秘話、評論、文化論など幅広いジャンルを網羅したオリジナル編集。武満の創造の深遠を窺える一冊。

高橋悠治 対談選 高橋悠治 小沼純一編

現代音楽の世界的ピアニストである高橋悠治。その演奏のような研ぎ澄まされた言葉と、しなやかな姿が味わえる一冊。学芸文庫オリジナル編集。

モーツァルト 礒山雅

彼は単なる天才なのか？ 最新資料をもとに知られざる真実を掘り起こし、人物像と作品に新たな光をあてる。これからのモーツァルト入門決定版。

増補 現代美術逸脱史 千葉成夫

具体、もの派、美共闘……。西欧の模倣でも伝統への回帰でもない、日本現代美術の固有性とは。鮮烈な批評にして画期的通史、増補決定版！（光田由里）

限界芸術論 鶴見俊輔

盆栽、民謡、言葉遊び……芸術と暮らしの境界に広がる「限界芸術」。その理念と経験を論じる表題作ほか、芸術に関する業績をまとめる。（四方田犬彦）

ダダ・シュルレアリスムの時代 塚原史

人間存在が変化してしまった時代の〈意識〉を先導する芸術家たち。二十世紀思想史として捉えなおす、衝撃的なダダ・シュルレアリスム論。（巖谷國士）

奇想の系譜 辻惟雄

若冲、蕭白、国芳……奇矯で幻想的な画家たちの大胆な再評価で絵画史を書き換えた名著。度肝を抜かれる奇想の世界へようこそ！（服部幸雄）

奇想の図譜 辻惟雄

北斎、若冲、写楽、白隠、そして日本美術を貫く奔放な「あそび」の精神と「かざり」への情熱。奇想から花開く鮮烈で不思議な美の世界。（池内紀）

幽霊名画集 辻惟雄監修

怪談噺で有名な幕末明治の噺家・三遊亭円朝が遺した鬼気迫る幽霊画コレクション50幅をカラー掲載。美術史、文化史からの充実した解説を付す。

あそぶ神仏 辻惟雄

白隠、円空、若冲、北斎……。彼らの生んだ異形でかわいい神仏とは。「奇想」で美術の常識を塗り替えた大家がもう一つの宗教美術史に迫る。（矢島新）

デュシャンは語る マルセル・デュシャン 聞き手ピエール・カバンヌ 岩佐鉄男／小林康夫訳

現代芸術において最も魅惑的な発明家デュシャン。謎に満ちたこの稀代の芸術家の生涯と思考・創造活動に向かって深く、広く開かれた異色の対話。

音楽理論入門 東川清一

リクツがわかれば音楽はもっと楽しくなる！ 楽譜で用いられる種々の記号、音階、リズムなど、鑑賞や演奏に必要な基礎知識を丁寧に解説。

ちくま学芸文庫

増補改訂　境界の美術史　「美術」形成史ノート

二〇二三年九月十日　第一刷発行

著　者　北澤憲昭（きたざわ・のりあき）

発行者　喜入冬子

発行所　株式会社　筑摩書房
東京都台東区蔵前二―五―三　〒一一一―八七五五
電話番号　〇三―五六八七―二六〇一（代表）

装幀者　安野光雅

印刷所　株式会社精興社

製本所　株式会社積信堂

ISBN978-4-480-51198-0 C0170